臨床工学技士国家試験

Check UP!

2025

- 医学概論
- 臨床医学総論

臨床工学技士国家試験研究会 編

医歯薬出版株式会社

本書の使い方

　本書では過去10年分以上の国家試験（以下，国試）を分析・分類し，特に直近5年分の出題傾向に沿って効率よく学習できるように構成しています．

　領域ごとに分類された，インプット＜要点のまとめ＞とアウトプット＜Check UP!（国家試験問題）＞を何度も繰り返し，国試合格に必要な知識を確実なものにしましょう．

インプット＜要点のまとめ＞

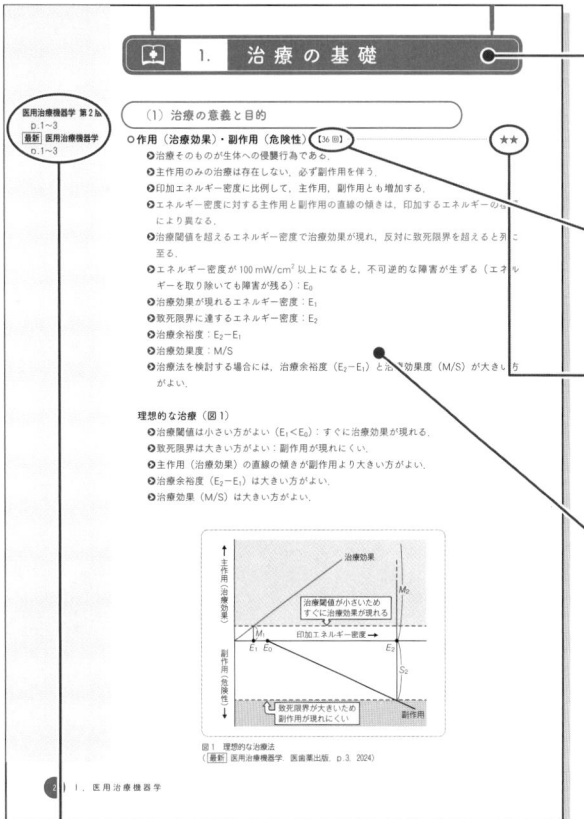

医用治療機器学 第2版
p.1～3
最新 医用治療機器学
p.1～3

1. 治療の基礎

(1) 治療の意義と目的

○作用（治療効果）・副作用（危険性）【36回】　★★
- ❶治療そのものが生体への侵襲行為である．
- ❷主作用のみの治療は存在しない．必ず副作用を伴う．
- ❸印加エネルギー密度に比例して，主作用，副作用とも増加する．
- ❹エネルギー密度に対する主作用と副作用の直線の傾きは，印加するエネルギーの種類により異なる．
- ❺治療閾値を超えるエネルギー密度で治療効果が現れ，反対に致死限界を超えると死に至る．
- ❻エネルギー密度が $100\ \mathrm{mW/cm^2}$ 以上になると，不可逆的な障害が生ずる（エネルギーを取り除いても障害が残る）：E_0
- ❼治療効果が現れるエネルギー密度：E_1
- ❽致死限界に達するエネルギー密度：E_2
- ❾治療余裕度：E_2-E_1
- ❿治療効果率：M/S
- ⓫治療法を検討する場合には，治療余裕度（E_2-E_1）と治療効果度（M/S）が大きい方がよい．

理想的な治療（図1）
- ❶治療閾値は小さい方がよい（$E_1<E_0$）：すぐに治療効果が現れる．
- ❷致死限界は大きい方がよい：副作用が現れにくい．
- ❸主作用（治療効果）の直線の傾きが副作用より大きい方がよい．
- ❹治療余裕度（E_2-E_1）は大きい方がよい．
- ❺治療効果（M/S）は大きい方がよい．

図1　理想的な治療法
（最新　医用治療機器学　医歯薬出版，p.3，2024）

1．医用治療機器学

国試は国家試験出題基準に沿って出題されます．本書の章の見出しは「令和3年版臨床工学技士国家試験出題基準」の大項目に対応しています．
（内容を理解しやすいように構成を変えているところもあります）

直近5年（33回〜37回）の国試で出題された回を表示しています．

頻出問題を★マークで表示しています．
- **★★★**：頻出！直近5年の国試で3回以上出題あり
- **★★**　：直近5年の国試で1〜2回の出題あり
- **★**　　：5年以上前の国試で3回以上の出題あり
- 星なし：5年以上前の国試で3回未満の出題

既出国試問題の選択肢を正しい内容の文章に整理しています（一部は，わかりやすいように解説を多めにしました）．特に重要な箇所を色文字で強調しています．

(5) 構成

○標準的な回路構成【34回】【35回】　★★

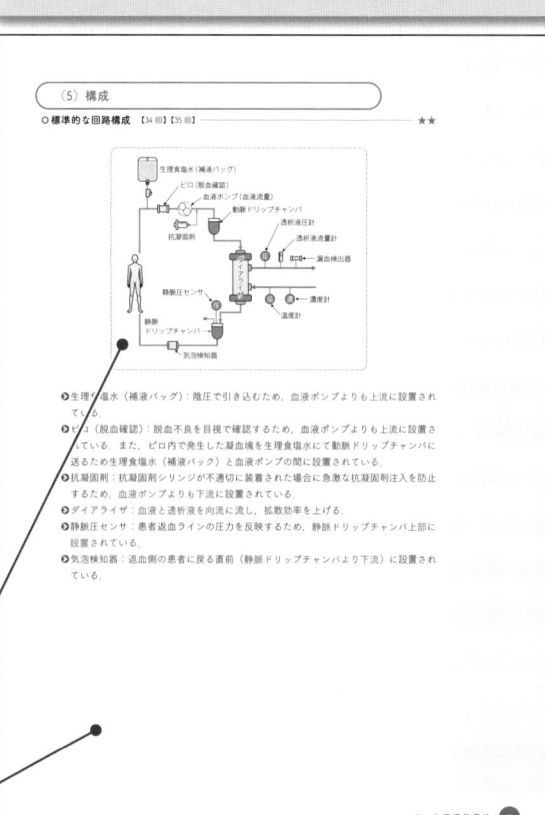

- ❶生理食塩水（補液バッグ）：陰圧で引き込むため，血液ポンプよりも上流に設置されている．
- ❷ピロ（脱血確認）：脱血不良を目視で確認するため，血液ポンプよりも上流に設置されている．また，ピロ内で発生した凝血塊を生理食塩水で動脈ドリップチャンバに送るため生理食塩水（補液バッグ）と血液ポンプの間に設置されている．
- ❸抗凝固剤：抗凝固剤用シリンジが不透切に装着された場合に急激な抗凝固剤注入を防止するため，血液ポンプよりも下流に設置されている．
- ❹ダイアライザ：血液と透析液を向流に流し，拡散効率を上げる．
- ❺静脈圧センサ：患者返血ラインの圧力を反映するため，静脈ドリップチャンバ上部に設置されている．
- ❻気泡検知器：返血側の患者に戻る直前（静脈ドリップチャンバより下流）に設置されている．

1．血液透析療法

教科書（臨床工学講座および最新臨床工学講座：医歯薬出版発行）の参照ページ．教科書とあわせて読むと理解が深まります．また，授業で習った重要ポイントを転記したり，図表をコピーして本書に貼れば，最強のオリジナル国試対策書に！

文章だけではわかりにくいところは，図表を用いて解説しています．

余白を多めにしています．自由に使って，オリジナル国試対策書を作りましょう．

アウトプット＜Check UP!（国家試験問題）＞

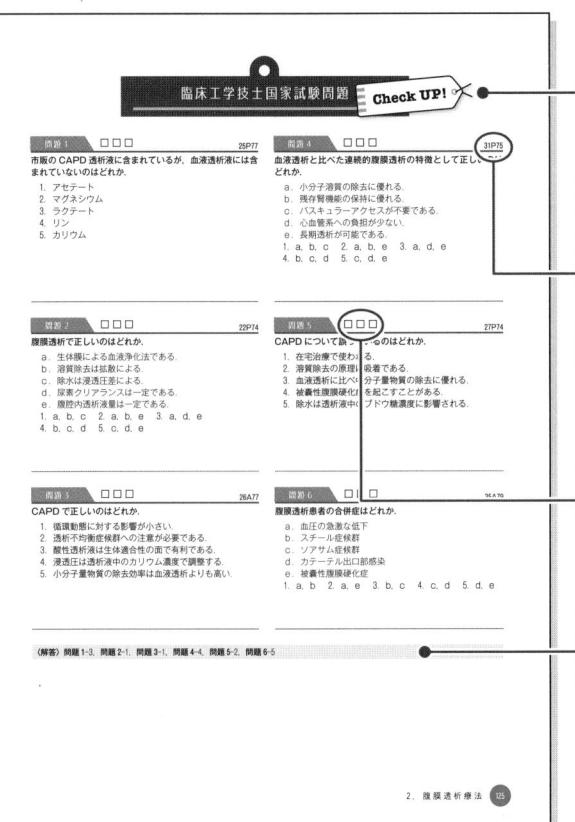

既出国試問題で重要な問題を掲載しました.

国試出題回を表示しています. 古い問題については, 必要に応じて内容を最新の情報に更新しています.
例）35A01　　→　35回国試午前問題1
　　24P50改　→　24回国試午後問題50を改変
　　　　　　　　（内容の更新など）

チェックボックスを活用しましょう.
　問題を解いたら☑, 正解できたら☑, 不正解だったら☑ など

正解を導けなかったときは要点のまとめページに戻り, 確認しましょう.

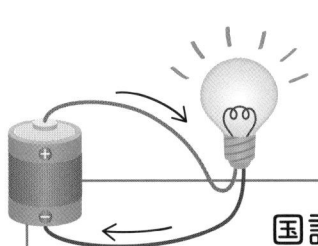

国試に合格した先輩はこんな使い方をしました！

・余白にどんどんメモを書き込んだり, 追加事項を大きな付箋にまとめて貼り付けたり, 教科書で重要な図表はコピーして貼り付けました. 国試直前にはこのオリジナル本を見直しして, 自信をもって国試に臨めました！

・内容の理解が不十分なページには付箋を貼って, 理解ができたら付箋を剥がしていきました. 最初は付箋だらけでしたが, 勉強を進めると付箋が減っていき, 最後には自分の弱点が残ります. 幅広い国試の範囲を1つずつ攻略できました！

序

　臨床工学技士国家試験は第37回が終了しました．近年，臨床工学技士に求められる業務内容に変化があり，国家試験出題内容も変化しつつあります．

　臨床工学技士国家試験の出題範囲は，医学系，工学系，医用機器，安全管理と多岐にわたり，多くの内容を理解する必要があります．しかし，臨床工学技士国家試験対策の参考書は他職種と比べると種類が少なく，充実した内容のボリュームの大きい書籍，または簡潔にまとめられたコンパクトな書籍はありますが，その中間的なものはありませんでした．

　そこで，臨床工学技士養成校の教員が学生からの声を集め，学生の求める視点に立ち，国家試験対策テキストを作成しました．そのテキストは毎年バージョンアップを繰り返し，その結果多くの臨床工学技士国家試験合格者を誕生させています．学生の声を集めた国家試験対策テキストのノウハウを多くの全国の学生さんに活用してもらいたいと思い，本書の発行となりました．

　臨床工学技士国家試験はこれまで大きな変更はありませんでしたが，現在の業務内容と国家試験問題との相違により見直しが行われ，2022年3月の第35回臨床工学技士国家試験からは新たな出題基準により実施されています．本書は令和3年版国家試験出題基準（2022年）をもとに構成，最新の国家試験問題も掲載しています．また，「医学系」，「工学系」，「治療・計測，安全管理」，「生体機能代行装置」の全4巻で，臨床工学技士国家試験出題範囲をすべてカバーできます．

　本書は，各章要点のまとめ（本文）と既出国試問題（Check UP!）の2部構成となっており，まとめを理解した後は実際の国試問題を解くことにより，理解度確認まで行える構成となっています．国試問題の解説はすべて本文にまとめてあるため，何度も戻って繰り返し確認・見直しを効率的に行うことができます．また，工学系分野では，できるかぎり解説を詳しくし理解しやすい内容を心がけました．

　国試問題を分析すると多くの重複したキーワードが出題されているため，本書では必ず覚えなければいけないキーワード・重要ポイントは色文字で強調しています．そのため，1年生からでも，普段の試験対策，授業の予習・復習のまとめとしても活用できます．

　臨床工学技士国家試験に合格するためには，コツがあります．いきなり国試問題を平たく勉強する方法は効率が悪いため，まずは自信のある分野ごとに勉強し，自分に足りない知識を1つ1つ確実に理解していくことが重要です．そのうえで何度も国試問題を解き，少なくとも過去5年の問題は必ず理解（答えを暗記するのではなく，各選択肢の内容を理解）してください．

　これまで国試に合格した学生の多くは，本書の前身のテキストをサブノート的に使用し，必要な情報を補足しながら自分だけのノートを作っていました．そのため本書は，書

き込みができたり付箋が貼れるよう，ある程度の余白を残しています．本書を最大限に活用することで，臨床工学技士国家試験合格の一助となれば大変嬉しく思います．

　最後に，発刊にあたりご尽力いただきました医歯薬出版のスタッフにお礼を申し上げます．

　2024 年 7 月

臨床工学技士国家試験研究会

目　次

● 正誤表・訂正

　本書の内容について訂正箇所がある場合には，医歯薬出版ホームページ内「正誤表」を随時更新しお知らせいたします．以下の URL または QR コードからウェブページにアクセスしてください．

https://www.ishiyaku.co.jp/corrigenda/details.aspx?bookcode=732320

1. 医学概論

1. 医学概論

最新 関係法規 2024
p.6〜8
医の倫理

（1）医の倫理

○尊厳死・安楽死

リビング・ウィル ────────────────────────────── ★

- ❯リビング・ウィルとは終末期医療における事前の意思表示のことである.
- ❯終末期とは適切な治療を尽くしても回復の見込みがないと判断される時期をいう.
- ❯患者本人の意思が最も優先される.
- ❯単に死の瞬間を引き延ばす延命措置を受けずに済むことにつながる.
- ❯医療チームから十分な説明を受け, 患者がよりよい選択を行うことが推奨される.
- ❯表明された意思が尊重され, 患者が誇りを持って最期を生きることにつながる.
- ❯患者本人の考えが変われば, いつでも撤回や変更ができる.

○職業倫理指針

臨床工学技士と倫理

- ❯米国で使用されている医療機器についてインターネットで調べる：適切な対応.
- ❯看護師に依頼された病院内の勉強会で人工呼吸器の操作法を説明した：適切な対応.
- ❯電車の中で同僚が患者の治療経過を話したのでその場で制止した：適切な対応. 業務上知り得た人の秘密を正当な理由なく他に漏らしてはならない.
- ❯患者データの入った電子媒体を紛失したので上司に報告した：データの紛失は問題があるが, 報告義務は適切.
- ❯信頼できる患者会の代表に頼まれ, 手術患者の住所録を一週間貸し出した：個人情報保護法に反するため適さない.

最新 関係法規 2024
p.25, 36
インフォームド・
コンセント
p.60〜61
個人情報保護法

（2）患者の権利と義務

○患者の権利と義務・自己決定権 【35回】 ──────────── ★★

主要な患者の権利

- ❯医療内容について医師から説明を受ける権利
- ❯良質の医療を受ける権利
- ❯健康教育を受ける権利
- ❯医師, 病院などの選択の自由の権利
- ❯他の医師の意見を求める権利（セカンドオピニオン）
- ❯自己にかかわる医療上の情報を受ける権利
- ❯すべての決定権：拒否できる権利もある.
- ❯医学研究に参加することを拒否する権利
- ❯機密保持を得る権利
- ❯尊厳を保ち, 安楽に死を迎える権利（安楽死希望の尊重）：法制化されていない.
- ❯機密保持を迎える権利
- ❯宗教的支援を受ける権利
- ❯プライバシーが守られる権利
- ❯情報開示の要求

❷一度署名した手術同意書を撤回する権利

患者の苦痛の緩和・除去
〈心理療法〉
❷物理的あるいは化学的手段に頼らない.
❷対話や教示,訓練を通じて認知,情緒・行動・身体感覚に変化を起こす.
❷精神的な症状や問題行動を消去もしくは軽減を図ることを目的とする.
〈理学療法〉
❷身体に障害のある者に対して,主としてその基本的動作能力の回復を目的とする.
❷治療体操その他の運動を行わせ,電気刺激,マッサージ,温熱そのほかの物理的手段を加える.
〈化学療法〉
❷化学薬品や抗菌薬を利用して,疾患の原因となる微生物やがん細胞の増殖抑制や駆逐を目的とする.
〈温熱療法〉
❷がん細胞の温度を上昇させて死滅させる.
❷ハイパーサーミアとも呼ばれる.
〈言語聴覚療法〉
❷言葉によるコミュニケーションに障害があるものを対象とする.
❷摂食・嚥下の問題にも対応する.

○インフォームドコンセント
❷インフォームドコンセントとは,「正しい情報を得た(伝えられた)上での合意」を意味する.
❷検査,治療の前に必ず行う.
❷説明・理解・同意については,カルテの診療記録に残す.
〈説明の内容〉
❷行為の名称,内容
❷期待される結果
❷代替治療,副作用や成功率
❷費用,期間
❷予想される合併症
❷実施しなかった場合の予後　など
〈インフォームドコンセント具体例〉
❷患者は同意書にサインした後でも同意を撤回することができる.
❷注射を嫌がる乳児に対して,保護者の同意を得られれば注射は可能である.
❷がん終末期患者への説明は,現状の日本ではすべての医療機関が患者本人に正しい告知をすることを原則とする.
❷患者が納得して同意書に署名した場合,治療方針に協力しなければならない.
❷医学的な根拠がなくても患者の主体的な選択を優先すべきである.

インフォームドコンセントが困難な場合
❷未成年患者:保護者に説明を行い,同意を得る.
❷意志疎通のできない患者:保護者に説明を行い,同意を得る.

- 精神病患者：保護者に説明を行い，同意を得る．
- 救急患者：意識のない患者で，時間的余裕のない場合は，インフォームドコンセントなしでも検査・治療を進めることができる．

○個人情報保護法 ★

個人情報とは

- 生存している個人についての情報．
- 氏名や生年月日，住所，電話番号など特定の人を見分けることができるものなので，1 つの情報だけでは見分けられなくても，他の情報と容易に照合することができ，それにより個人を特定できれば，その情報も個人情報となる．

保護の対象

〈対象〉

- 患者の住所
- 五十音順で並べた患者名の一覧表
- コンピュータで検索可能な状態にさらされた患者名データ　など

〈対象外〉

- 院内で患者の治療のためにスタッフ間で情報共有する場合
- 死亡した患者名の一覧　など

取り扱い適切例

- 意識不明の患者の病状を家族に話した．
- 検査のため採取した血液を患者氏名の書かれたスピッツに入れ検査業者に渡した．
- 大震災直後に家族からの問い合わせに対し本人の生死を答えた．
- 児童虐待が疑われたので，市町村に児童名を通告した．

（3）患者医療者関係

関係法規
p.15～16, 102
最新 関係法規 2024
p.13, 19, 122
チーム医療
p.62
臨床研究法
臨床医学総論 第 2 版
p.2～3
チーム医療について

○患者の意向の尊重（患者中心医療）

QOL（quality of life）

- QOL は人が充実感や満足感をもって日常生活を送ることができることを意味している．
- QOL は健康寿命と密接に関連している．
- QOL はがん患者の治療評価に用いられる．
- 医療従事者は患者の QOL を重視しなければならない．
- QOL はヘルスプロモーション（健康の基本的な考え）の重要な要素である．
- 治療には，臨床面，QOL 面，経済面に配慮した合理的な意志決定が必要となり，必ずしも生存期間の延長が QOL 向上につながるとはいえない．

クリティカルパス

- クリティカルパスとは症例ごとに到達目標を定め，その目標に至るための診断，治療，看護などのチーム医療に参加する医療従事者の行為と時間軸を二次元に表した入院診療計画表をいう．

❶業務を可視化することによって，医療従事者同士あるいは患者との情報の共有・連携を図ることができる.

❶医療従事者同士の情報共有により相互チェックが強化される.

❶標準的な治療方法を定めたものであり，治療が均一化（標準化）される.

❶医療事故の予防につながる.

❶有効に活用するために患者の医療への参加が必要で理解が得られやすい.

○ チーム医療

医療関係者に必要な事柄

❶専門職間で連絡，協調性を保つ.

❶礼儀正しい言葉遣いと挨拶をする.

❶病院の利益を追求することなく，患者サービスの向上につなげる.

❶新しい知識と技術の吸収に努める.

❶設備，環境を清潔に維持し，快適さを保つ.

共感的コミュニケーション ─────────────── ★

❶コミュニケーションでは共感力が大切である.

❶共感とは「あなたの気持ち，わかります」ではなく，相手の気持ちを自分の気持ちのように実感することである.

○ 治験 【37回】─────────────────── ★★

❶治験は新薬の承認申請を得るために実施される.

❶治験は薬事法および GCP（good clinical practice）に基づいて実施されなければならない.

法律・GCP で定められたルール

❶治験の内容を国に届け出ること.

❶治験審査委員会（institutional review board；IRB）で治験の内容をあらかじめ審査すること.

❶同意が得られた患者さんのみを治験に参加させること.

❶被験者からの同意は書面によって取得しなければならない. 口頭のみでの同意は認められない.

❶被験者はいつでも治験の参加を中止し，同意を撤回することができること.

❶重大な副作用は国に報告すること.

❶製薬会社は，治験が GCP に準拠して適正に実施されていることを確認する責任を負う.

（4）医療事故の発生と再発の防止

○医療過誤と医療事故 ──────────────── ★

❶医療事故とは，医療に関わる場所で医療の全過程において発生する人身事故一切を包含する.

❶医療過誤は，医療事故発生の原因に医療機関・医療従事者の過失があるものをいう.

❶医師以外の医療従事者も医療過誤責任に問われることがある.

関係法規
p.103～105
医療機器安全管理
責任者
最新 関係法規 2024
p.123～125
医療機器安全管理
責任者

❥医療事故のケースにもよるが，医療事故の責任は個人のみならず組織の責任でもある．

❥医療事故防止のためには，組織の対応や機器の安全管理対策が重要である．

医療事故発生時の対応
❥患者の安全確保
❥当該医用機器の使用禁止
❥代替医用機器の準備
❥正確な事実把握
❥トラブル発生時の状況の記録
❥医師や上司への報告
❥事故に関わる物品の保全
❥患者・家族に謝罪するとともに事故の説明を行う．
❥警察への届出（医療過誤によって死亡または傷害が発生した場合）
❥事故記録と分析

○医療事故の発生要因，内容 【34回】【36回】 ━━━━━━━━━━━━━ ★★
用語
❥ヒヤリハット：今回は事故には至らなかったが，重大な事故につながる可能性がある事象のこと．
❥インシデント（ニアミス）：医療現場で診療ミスがあったが，患者に実施する前に発見されたもの，あるいは実施されても患者に影響が及ばなかったものをいう．
❥有害なインシデント（アクシデント）：患者の身体か，命にかかわる可能性がある医療事故．有害なインシデント（アクシデント）が発生する背景には，数多くのインシデントが隠れている（ハインリッヒの法則）．
❥ヒューマンエラー：人為的過誤や失敗のこと．人的ミスを排除する考え方を人間工学的安全対策と呼び，安全対策の基本になる．
❥リスクマネジメント：各種の危険による不測の損害を最小の費用で効果的に処理するための経営管理手法である．

リスクマネジメント 【34回】【36回】 ━━━━━━━━━━━━━━━━━ ★★
❥医療事故の責任は個人のみならず組織の責任でもある．
❥医療事故に該当する事例は日本医療安全調査機構に報告する．
❥医療事故を減らすには，組織の対応や機器の安全対策などが重要である．
❥医療事故原因調査の目的は，真の事故原因を究明し，事故防止システムを構築し，事故を減少させることである．
❥医療事故調査の第一目標は再発防止であり，個人の処罰ではない．
❥疲れやストレスは事故につながるため，労働条件を考慮することは重要である．
❥特定機能病院ではインシデントの報告が義務づけられている．
❥インシデントレポートは事故防止の参考資料となる．
❥ヒヤリハットの報告の主な目的は事故の原因追及である．
❥ヒヤリハット事例の報告書は情報の共有が目的であり，個人の糾弾が目的ではない．
❥人は間違いを犯すことを前提とする．
❥患者に何らかの怪我などがなかったとしても，再発防止のため報告は必要である．

❯再診であっても患者確認作業は省略しない.

❯患者識別バンドをしていても可能な限りフルネームを名乗ってもらう.

❯機器の誤操作による医療過誤の損害の程度を予測する.

❯新規に購入した機器の添付文書を熟読しておくことは大切である.

❯機器の使用者に対する機器使用法の講習を行う.

❯感染予防にスタンダードプリコーションが重要である.

PDCA サイクル 【34 回】 ——————————————————————— ★★

❯PDCA サイクルは, Plan（計画）, Do（実行）, Check（評価）, Action（改善）の頭
文字を取ったもので, 問題を洗い出し, 医療の質を継続的に向上させる手段の1つで
ある.

○インシデントと有害なインシデント（アクシデント）【33 回】 ——————— ★★

	レベル	傷害の継続性	傷害の程度	傷害の内容
有害なインシデント（アクシデント）	レベル 5	死亡		死亡（原疾患の自然経過によるものを除く）
	レベル 4b	永続的	中等度〜高度	永続的な障害や後遺症が残り, 有意な機能障害や美容上の問題を伴う
	レベル 4a	永続的	軽度〜中等度	永続的な障害や後遺症が残ったが, 有意な機能障害や美容上の問題は伴わない 例）感染症患者に使用した注射針で, 医療従事者が負傷して感染症を発症した.
	レベル 3b	一過性	高度	濃厚な処置や治療を要した（バイタルサインの高度変化, 人工呼吸の装着, 手術, 入院日数の延長, 外来患者の入院, 骨折など） 例）人工呼吸器の加温加湿器の電源を入れ忘れて, 患者が気道閉塞を起こした. 例）血液透析治療を終えた直後の患者が廊下で転倒して骨折した.
インシデント	レベル 3a	一過性	中等度	簡単な処置や治療を要した（消毒, 湿布, 皮膚の縫合, 鎮痛剤の投与など）
	レベル 2	一過性	軽度	処置や治療は行わなかった（患者観察の強化, バイタルサインの軽度変化, 安全確認のための検査などの必要性は生じた） 例）輸液ポンプの設定間違いで薬液が過剰投与されたが, 患者に影響はなかった.
	レベル 1	なし		患者への実害はなかった（何らかの影響を与えた可能性は否定できない） 例）AED の使用で患者の蘇生後にパッドの使用期限切れに気付いた.
	レベル 0	—		エラーや医薬品・医療用具の不具合がみられたが, 患者には実施されなかった.

❯有害なインシデント（アクシデント）の背景には数多くのインシデントが存在する.

❯インシデントの報告は, 事故発生後原因の究明に関わらず, 早急に医療事故の事実を
記載して提出する.

○**医療安全** 【33回】【37回】 ──────────────────────── ★★

医療機器安全管理責任者の業務

❷医療機関の管理者は院内に「医療機器安全管理責任者」を配置することが義務づけられている.

医療機器に関わる 従事者研修の実施	新しい医療機器の導入時 特定機能病院では,特に安全使用の技術習得が必要と考えられる医療機器(7種:下記参照)に関して,年2回程度定期的な研修
保守点検に関する計画の 策定および保守点検	特定の医療機器は機種別に,医薬品医療機器等法に基づく添付文書を参照した保守点検計画の策定と,その適切な実施と記録
安全使用のために 必要な情報収集など	医療機器の添付文書などの管理,安全情報などの収集,不具合などの管理者への報告

特に安全使用の技術習得が必要と考えられる医療機器(7種)

①人工心肺装置および補助循環装置
②人工呼吸器
③血液浄化装置
④除細動器［自動体外式除細動器(AED)を除く］
⑤閉鎖式保育器
⑥診療用高エネルギー放射線発生装置(直線加速器など)
⑦診療用放射線照射装置(ガンマナイフなど)

医療事故防止のために義務づけられているもの

❷院内感染防止対策
❷医療機器の安全確保
❷医薬品の安全管理体制
❷医療安全管理体制の整備
❷安全管理,感染管理,医薬品安全管理,医療機器安全管理の各部門に管理責任者の配置

患者の安全

❷指差呼称による確認を実践する.
❷医療機器の保守点検や安全管理を確実に実践する.
❷フェイルセーフ,フールプルーフの概念による機器設計を行う.
❷インシデント報告書は,事故発生後に原因究明にかかわらず,早急に医療事故の事実を報告する.
❷病棟での患者確認は,忙しいときでもフルネームやID番号などを確認する必要がある.

(5) 院内感染対策

○**標準予防策(スタンダードプリコーション)** 【33回】【34回】 ──────── ★★

❷すべての湿性生体物質は,何らかの感染性をもっている可能性があるという概念を前提にした対策の総称.
❷どの患者に対しても(感染の有無に関係なくすべての患者),また,どのような場合においても実施する基本的院内感染対策である.
❷必然的に,粘膜・損傷皮膚に接触する場合は,湿性生体物質に曝露する機会となるため,標準予防策を実施する.

❷感染リスクの分類（スポルディング分類）に基づく医療器材の消毒・滅菌を行う.

湿性生体物質とは
❷血液
❷体液
❷分泌物（汗は除く）
❷粘膜（口，鼻，眼，腔，消化管，直腸，肛門）
❷創傷のある皮膚（手あれや皮膚病変を含む）

スタンダードプリコーションの5つの主要対策
❷適切な手洗い
❷防護用具の使用
❷周囲環境対策
❷血液媒介病原体対策
❷患者配置

○ 院内感染対策 ─────────────────────── ★

手指衛生
❷手指を介した接触感染が院内感染経路として最も多い.
❷手指に目に見える汚染がある場合，まずは流水で洗い流す.
❷血液汚染物に接触した場合は手袋を装着していても手指消毒は必要である.

針刺し事故
❷使用済み注射針のリキャップは禁止である.
❷針刺し事故によってウイルスに曝露した可能性がある場合は，直ちに流水で洗う.
❷針刺し事故の際，HIV 感染症を予防するには，内服（抗ウイルス薬が開発されている）が有効である.

手術
❷皮膚消毒は手術部位から同心円状に周囲に向かって十分広い領域に対して行う.
❷手術部位の消毒に用いられるポビドンヨードの濃度は 10％である.
❷体毛が手術の支障となる場合以外は，術前の剃毛・除毛は行わない.
❷剃毛が必要な場合は手術の直前に手術用クリッパー（バリカン）を使用する.
❷抗菌薬は，手術開始前 60 分以内に初回投与し，術中は 3〜4 時間ごとに追加投与することが有効である.
❷紫外線は，手術用手洗いの水の殺菌に用いられる.

防護用具の使用
❷防護用具（手袋，ガウン，マスク，ゴーグル，フェイスシールドなど）は適切に使用する.
❷ガウンは滅菌済みである必要はない.
❷採血を行う場合はグローブを着用する.
❷血液や体液が飛散する恐れがある場合はマスクとゴーグルを着用する.
❷排泄物を取り扱う場合はビニールエプロンを着用する.
❷粘膜や損傷した皮膚に触れるときは手袋を着用する.

その他

❯MRSA（メチシリン耐性黄色ブドウ球菌）の消毒薬の感受性は高い.

❯呼吸器衛生（咳エチケット）：咳やくしゃみをする際は，マスクやティッシュ・ハンカチ等で口や鼻を押さえる.

❯患者に使用した医療器具の取り扱い：再使用する場合は適切な消毒・滅菌を行う.

❯患者配置：周囲環境を汚染する危険の高い患者は個室に配置する.

❯環境対策：床などを日常的に清掃する.

❯リネンの適切な取り扱い：感染性リネンは周囲を汚染しないように密封して搬送する.

❯腰椎穿刺時の感染防止手技：感染予防のため無菌操作で行う.

感染防止対策での抗体検査（医療従事者のワクチン接種が望ましいもの）

❯B 型肝炎

❯麻疹

❯風疹

❯流行性耳下腺炎

❯水痘　など

臨床工学技士国家試験問題　Check UP!

問題1 □□□　22A01

医療関係者に必要な事柄で適切でないのはどれか.

1. 専門職間で連絡，協調を保つ.
2. 礼儀正しい言葉遣いとあいさつをする.
3. 医療経営上の利益の確保を優先する.
4. 新しい知識と技術の吸収に努める.
5. 設備，環境を清潔に維持し快適さを保つ.

問題2 □□□　24A01

インフォームドコンセントで正しいのはどれか.

1. 医師法に規定されている.
2. 検査・治療の前に行う.
3. 患者を納得させるまで行う.
4. 最初に家族に対して説明する.
5. 一度同意したら撤回できない.

問題3 □□□　22P01

QOL（quality of life）で誤っているのはどれか.

1. がん患者の QOL 向上には生存期間の延長が不可欠である.
2. 健康寿命と密接に関連している.
3. がん患者の治療評価に用いられる.
4. 医療従事者は患者の QOL を重視しなければならない.
5. ヘルスプロモーションの重要な要素である.

問題4 □□□　30P23

スタンダードプリコーションについて誤っているのはどれか.

1. 患者の汗は感染性があるものとして扱う.
2. 損傷した皮膚に触れる場合はグローブを着用する.
3. 採血を行う場合はグローブを着用する.
4. 血液や体液が飛散する恐れがある場合はマスクとゴーグルを装着する.
5. 排泄物を取り扱う場合はビニールエプロンを着用する.

医療事故について正しいのはどれか.

- a. 医療過誤は医療機関・医療従事者の過失による.
- b. 臨床工学技士が医療過誤責任を問われることはない.
- c. 医療機器の不適切な使用による健康被害は製造物責任（PL 法）となる.
- d. 医療機器の欠陥の有無にかかわらず健康被害が発生すれば製造物責任（PL）が生じる.
- e. リスクマネージメントは医療事故を未然に防ぐことを目的とする.

1. a, b　2. a, e　3. b, c　4. c, d　5. d, e

病気の治療について誤っているのはどれか.

1. 心理療法は向精神薬を用いる治療である.
2. 理学療法は運動機能の回復を目的とする.
3. 化学療法は薬物治療の一つである.
4. 温熱療法はがん細胞の温度を上昇させて死滅させる方法である.
5. 言語聴覚療法は言葉によるコミュニケーションに障害があるものを対象とする.

クリニカルパス導入の効果で誤っているのはどれか.

1. チーム医療による相互チェックが強化される.
2. 治療が均一化される.
3. 医療事故の予防につながる.
4. 患者の理解が得られやすい.
5. 医師の裁量権が強化される.

医療従事者が患者との信頼関係を築くためには，患者との良好な共感的コミュニケーションを図ることが大切である. この場合の「共感」の意味に最も近いのはどれか.

1. 相手の気持ちに過剰に入り込む.
2. 相手の気持ちを完全に理解する.
3. 自分の気持ちに相手を巻き込む.
4. 自分の気持ちを可能な限り相手に理解させる.
5. 相手の気持ちを自分の気持ちのように実感する.

病院でのリスクマネージメントについて正しいのはどれか.

- a. 事故発生後に影響を最小限に抑えることである.
- b. インシデントレポートは重要な参考資料となる.
- c. 人間の過失は不可避であるという基本的認識に立つ.
- d. 各疾患の死亡率調査活動のことである.
- e. 医療機器とのインタフェースは考慮しなくてよい.

1. a, b　2. a, e　3. b, c　4. c, d　5. d, e

正しいのはどれか.

1. 医療法施行規則における医療機器の保守点検にはオーバーホールは含まれない.
2. ハインリッヒの法則は機器のライフサイクルに関するものである.
3. 医用安全管理の 4M のひとつは medicine である.
4. 医療事故の原因調査の第一目的は責任者の処罰である.
5. リスクマネージメントは戦争における人的資源の配置から始まった.

個人情報保護について誤っているのはどれか.

1. 患者の住所は保護の対象になる.
2. 院内で患者の治療のためにスタッフ間で情報共有する場合は対象外である.
3. 五十音順に並べられた患者名の一覧表は保護の対象となる.
4. コンピュータで検索可能な状態にされた患者名データは保護の対象となる.
5. 死亡した患者名の一覧表は保護の対象となる.

本人あるいは保護者の同意を得ないで次の行為を行った. 医療機関における個人情報の取り扱いとして適切でないのはどれか.

1. 意識不明の患者の病状を家族に説明した.
2. 検査のため採取した血液を患者氏名の書かれたスピッツに入れ検査業者に渡した.
3. 大震災直後に家族からの問合せに対し本人の生死を答えた.
4. 児童虐待が疑われたので,市町村に児童名を通告した.
5. 生徒の回復見込みについて,付き添ってきた担任教師に回答した.

終末期医療における事前の意思表示（リビング・ウィル）について誤っているのはどれか.

1. 本人の意思が最も優先されるべきである.
2. 単に死の瞬間を引き延ばす延命措置を受けずに済むことにつながる.
3. 医療チームから説明を受け,よりよい選択を行うことが推奨される.
4. 表明された意思が尊重され,誇りを持って最期を生きることにつながる.
5. 一時的に生命維持が困難になった際の回復目的の救命も拒むことにつながる.

医療行為を行う上で,患者の権利として法制化されていないのはどれか.

1. 安楽死希望の尊重
2. プライバシーの遵守
3. 情報開示の要求
4. 医療行為の拒絶
5. セカンドオピニオンの取得

医療安全について正しいのはどれか.

1. 医療行為により患者に重篤な損害を与えた事例をインシデントという.
2. アクシデントが発生する背景には数多くのインシデントが隠れている.
3. 患者がベッドから転落した場合,怪我がなければ報告しなくてよい.
4. 再診であれば患者確認作業は省略してよい.
5. 患者識別バンドを確認すればフルネームを名乗ってもらう必要はない.

PDCA サイクルに含まれないのはどれか.

1. 実　施
2. 処　置
3. 点　検
4. 依　頼
5. 計　画

院内感染の標準予防策として正しいのはどれか.

1. 患者の常在菌保有率の検査
2. 院内感染発生に関する患者説明会の開催
3. 電子カルテによる感染症データの一元化
4. 院内感染した職員の診療記録の全職員への開示
5. 感染リスクの分類に基づく医療器材の消毒滅菌

事故が発生した場合のリスクマネジメントのあり方として適切でないのはどれか.

1. 状況の把握
2. 原因の分析
3. 責任の追及
4. 再発防止策の立案
5. 対処策の事後評価

医療事故の防止について誤っているのはどれか.

1. 医療事故調査の目的は責任の追及である.
2. 疲労・ストレスや作業中断はエラーの発生要因である.
3. 感染予防にスタンダードプリコーションが重要である.
4. 医療事故に該当する事例は日本医療安全調査機構に報告する.
5. 事故や障害につながったかもしれない事例をインシデントと呼ぶ.

医療安全管理体制に関して医療機関に求められるのはどれか.

a. 医療機器安全管理責任者の配置
b. 院内感染防止対策委員会の設置
c. 健康増進事業実施者の配置
d. 地域医療連携体制整備責任者の配置
e. 医薬品安全管理責任者の配置

1. a, b, c　2. a, b, e　3. a, d, e
4. b, c, d　5. c, d, e

治験の説明として適切でないのはどれか.

1. 新薬の承認申請を目的とする.
2. Good Clinical Practice（GCP）に従う.
3. Institutional Review Board（IRB）の審査が必要である.
4. 被験者からの同意を口頭で得る.
5. 実施途中で同意の撤回ができる.

〈解答〉問題 1-3, 問題 2-2, 問題 3-1, 問題 4-1, 問題 5-2, 問題 6-1, 問題 7-5, 問題 8-5, 問題 9-3, 問題 10-1, 問題 11-5, 問題 12-5, 問題 13-5, 問題 14-1, 問題 15-2, 問題 16-4, 問題 17-5, 問題 18-3, 問題 19-1, 問題 20-2, 問題 21-4

2. 公衆衛生

(1) 公衆衛生の概念

○**環境と健康**
- ❯不快指数は気温と湿度から計算する.
- ❯有効温度とは,暑さを感じる主たる熱環境要素を 1 つの体感温度で表現したものである.
- ❯熱中症は突然死の可能性も高いので,塩分や水分の補給を心がける.
- ❯熱けいれんとは,熱中症の一つで,汗と一緒に塩分が失われて筋肉の強い痛みと痙攣が起こる.
- ❯人の温熱感覚は,温度,湿度,気流(風速),輻射熱(周壁面の温度)の温熱 4 要素で決まる.
- ❯輻射熱は絶対温度の 4 乗に比例して温度の高い方から低い方へ伝わる.
- ❯水道法に基づく水質基準では,大腸菌は検出されてはならない.
- ❯人の健康の保護に関する環境基準では,アルキル水銀,全シアン,PCB は検出されてはならない.

○**疾病・障害の概念**
要因と職業病

要因	職業病
高温・高湿	熱中症(脱水症)
局所振動	レイノー病(白ろう病)
紫外線	電気性眼炎,角膜潰瘍,皮膚疾患
赤外線	白内障,網膜火傷,皮膚疾患
放射線	再生不良性貧血,急性放射線症,白内障
VDT 作業・同一肢位保持	頸肩腕症候群
無機鉛	低色素性貧血
カドミウム	肺気腫
急激な減圧	減圧症,潜水病
騒音	難聴(感音型,高音部より)
ベンゼン	再生不良性貧血
遊離ケイ酸,石綿(アスベスト)	じん肺症(肺線維症)
無機水銀	手指の振戦,神経障害,腎障害

(2) 疫学と衛生統計

○**疫学の意義と調査方法**
- ❯疫学とは,人間集団における疾病の分布とその発生原因,発生条件を統計的に明らかにする研究である.
- ❯臨床疫学は根拠に基づく医療(EBM)に必要である.
- ❯バイアスとは,研究から得られた結果と事柄の真の状態との間に系統だった差異が存在する状況のこと.

〈層別抽出法〉
- ❯ 標本を無作為に抽出した場合, 母集団の構成がそのまま標本に反映されるとは限らない.
- ❯ そのため抽出に先立って, 等質のグループに分け, それぞれのグループから標本を抽出する方法.

〈相関関係〉
- ❯ 一方の変数が変化すると, 他方の変数も同時に変化する関係.
  - 例）身長の高い人は, 座高が高い.

〈因果関係〉
- ❯ 一方の変数が原因となって, 他方の変数の状態を結果的にもたらす関係.
- ❯ 因果関係の中には相関関係が含まれている（その逆は成り立たない）.
  - 例）親の身長が高いほど, 子どもの身長も高い.

臨床判断　【33回】【35回】 ──────── ★★

- ❯ 検査の有用性を評価する指標として感度と特異度がある.
- ❯ 感度, 特異度は特定の疾患（疾患群）について, その検査が疾患の有無をどの程度正確に判定できるかを示す定量的な指標である.
- ❯ 検査結果が陽性, 陰性のように定性的に得られるものとすると, その疾患の罹患患者群と非罹患患者群について右のような表を作成することができる.

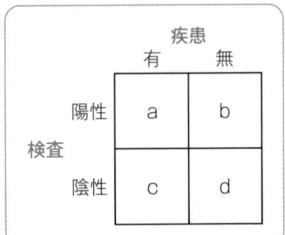

- ❯ 感度：疾患罹患者中の検査陽性者の割合
  感度＝真の陽性/(真の陽性＋偽陰性)＝a/(a＋c)
- ❯ 特異度：疾患非罹患者中の検査陰性者の割合
  特異度＝真の陰性/(偽陽性＋真の陰性)＝d/(b＋d)

国試 【31回】

ある疾患の検査結果を表に示す. 感度はいくつか.

		疾患	
		あり	なし
検査結果	陽性	真の陽性（TP） 80人	偽陽性（FP） 10人
	陰性	偽陰性（FN） 20人	真の陰性（TN） 90人

解答

感度＝真の陽性/(真の陽性＋偽陰性)
　　＝80/(80＋20)
　　＝0.80

国試 【33回】

ある疾患の検査結果を表に示す. 特異度はいくつか.

単位（人）

		疾患	
		あり	なし
検査	陽性	90	30
	陰性	10	70

解答

特異度＝真の陰性/(偽陽性＋真の陰性)
　　　＝70/(70＋30)
　　　＝0.70

〇人口統計

コホート研究，症例対照研究

	コホート研究	症例対照研究
時間軸	前向き研究	後ろ向き研究
調査の方法	疾病の発症や死亡の有無について追跡調査	過去の病歴を調査
バイアス（偏り）	母集団からの要因の有無別に対照群が抽出されるため偏りは小さい	被験者を抽出する段階で偏りが発生していることが多い
観察期間	十数年単位での長期間	なし
コスト	費用・労力が大きい	費用・労力が小さい
曝露情報の信頼性	現時点で起こっていることであり信頼性が高い	記憶に頼るので信頼性が低い
診断の正確性	診断方法が変化しうるため統一しないと正確性が低い	抽出の段階で診断方法を統一できるので正確性が高い
まれな疾患	調査困難	調査可能
相対危険度	直接計算できる	オッズ比で近似する（まれな疾患の場合）
寄与危険度	直接計算できる	計算できない

統計調査　【36回】 ────────────────── ★★

❏人口動態統計は戸籍法および死産の届出により届けられた出生，死亡，婚姻，離婚および死産の全数を対象とし，毎年報告される．

［令和4（2022）年度］

- 出生数：77万759人（昨年度より約5％減少）
- 合計特殊出生率（15～49歳までの女性1人が一生に生む子供の数の平均）：1.26（昨年度1.30）
- 死亡数：156万9,050人（前年度143万9,856人）
- 死亡率（人口千対）：12.9（前年度11.7）
- 平均寿命とは0歳における平均余命のことである．
- 平均寿命：男性で81.05年（前年度より0.42年下降），女性で87.09年（前年度より0.49年下降）

❏国勢調査（人口静態統計）は5年に1度実施される．

［令和4（2022）年度］

- 総人口：1億2,494万人
- 男性：6,075万8,000人
- 女性：6,418万9,000人
- 日本の人口ピラミッドの形は，70～72歳と45～48歳を中心とした2つの膨らみをもったつぼ型をしている．
- 年少人口（0～14歳）：1,450万3,000人（構成割合：11.6％）
- 生産年齢人口（15～64歳）：7,420万8,000人（構成割合：59.4％）
- 老年人口（65歳以上）：3,623万6,000人（構成割合29.0％）
- 75歳以上の高齢者：構成割合15.5％
- 少子高齢社会で，年少人口は少しずつ減少しており，老年人口は増加している．

人口指数 【33回】【36回】 ━━━━━━━━━━━━━━━━━━━━━ ★★

❷国勢調査による人口統計値では，以下の3段階に分類する．

・年少人口指数 $=\dfrac{0\sim14歳人口}{15\sim64歳人口}\times100$

・老年人口指数 $=\dfrac{65歳以上人口}{15\sim64歳人口}\times100$

・従属人口指数 $=\dfrac{0\sim14歳人口+65歳以上人口}{15\sim64歳人口}\times100$

国試 【33回改】

2017年の我が国の人口構成を表に示す．従属人口指数〔100×(年少人口+老年人口)/(生産年齢人口)〕に近いのはどれか．

総人口	0〜14歳	15〜64歳	65〜74歳	75歳以上
12,671万人	1,559万人	7,596万人	1,767万人	1,748万人

1. 10
2. 30
3. 50
4. 70
5. 100

解答

年少人口は0〜14歳，生産年齢人口は15〜64歳，老年人口は65歳以上の人口．

従属人口指数 ＝〔(1,559万人 ＋1,767万人 ＋1,748万人)/7,596万人〕×100≒66.8

○疾病・障害統計

死因の概要〔令和4（2022）年度〕【36回】 ━━━━━━━━━━━━━ ★★

❷第1位：悪性新生物　24.6%

❷第2位：心疾患　14.8%

❷第3位：老衰　11.4%

❷第4位：脳血管障害　6.8%

❷第5位：肺炎　4.7%

悪性新生物の部位別死亡数順位〔令和4（2022）年度〕

	全体	男性	女性
1位	肺	肺	大腸
2位	大腸	大腸	肺
3位	胃	胃	膵臓

国立がん研究センター：最新がん統計. https://ganjoho.jp/reg_stat/statistics/stat/summary.html（2024年6月27日閲覧）

（3）保健活動

○一次予防，二次予防，三次予防　【34 回】【35 回】 ━━━━━ ★★

分類	概要	例
一次予防	健康保持・増進 疾病の発生を未然に防ぐ	健康教育 過労の防止 生活習慣改善・体育 予防接種 減塩指導 下水道の塩素消毒 母子手帳 滅菌消毒　など
二次予防	早期発見・早期治療 悪化防止	集団検診，健康診断 がん検診 早期疾病治療 伝染病，合併症防止　など
三次予防	社会復帰の目的 病気の再発防止	リハビリテーション 機能回復訓練 デイサービス 作業療法 雇用促進 エイズ患者へのカウンセリングサービス 人工透析　など

○感染症の予防対策 ━━━━━━━━━━━━━━ ★

- ❯感染しても症状を表さない場合を不顕性感染という．
- ❯顕性感染とは，感染後，自覚的あるいは他覚的症状を示して発病する場合をいう．
- ❯母体から胎盤・産道を介して児に感染することを垂直感染という．
- ❯日和見感染とは，通常の健康人では感染症を起こし得ないような弱毒菌によって感染症を起こすことをいう．
- ❯感染してから発症するまでの期間を潜伏期という．
- ❯HIV に感染した場合，多くはさほど症状もなく経過し，大部分は感染後 6〜8 週間で抗 HIV 抗体が陽性となる．したがって，AIDS 患者数は HIV 感染者数に比べて極わずかである．
- ❯予防接種は努力義務である．
- ❯流行予測は集団免疫のレベルを参考にして行う．
- ❯我が国には存在せず外国から持ち込まれる感染症を外来感染症という．
- ❯空港と海港の検疫所において，人，貨物，動物について検査を実施することは検疫法によって定められている．

日本で接種できるワクチン 【33回】 ★★

〈定期接種〉

予防接種	予防できる感染症
B型肝炎	B型肝炎
ヒブ（インフルエンザ菌b型）	Hib感染症（特に細菌性髄膜炎，肺炎など）
小児用肺炎球菌	小児の肺炎球菌感染症（細菌性髄膜炎，肺炎など）
DPT-IPV（四種混合）	ジフテリア，百日咳，破傷風，ポリオ（急性灰白髄炎）
BCG	結核
MR [はしか（麻疹），風疹混合]	麻疹，風疹
日本脳炎	日本脳炎
DT（二種混合）	ジフテリア，破傷風
HPV（2種）	ヒトパピローマウイルス感染症（子宮頸癌）
水痘	水痘（みずぼうそう）
成人用肺炎球菌（高齢者）	中耳炎，肺炎，気管支炎，菌血症，髄膜炎など
インフルエンザ（高齢者）	インフルエンザ
ロタウイルス	ロタウイルス感染（ロタウイルス胃腸炎と脳炎などの重い合併症）

〈任意接種〉

おたふくかぜ	おたふくかぜ（流行性耳下腺炎）
インフルエンザ	インフルエンザ
A型肝炎	A型肝炎
髄膜炎菌	髄膜炎菌感染症
狂犬病	狂犬病

感染症分類（感染症法：2024年4月1日現在）【35回】【37回】 ★★

一類感染症	エボラ出血熱，クリミア・コンゴ出血熱，痘そう，南米出血熱，ペスト，マールブルグ病，ラッサ熱
二類感染症	鳥インフルエンザ (H5N1，H7N9)，急性灰白髄炎（ポリオ），結核，ジフテリア，重症急性呼吸器症候群（SARS），中東呼吸器症候群（MERS）
三類感染症	コレラ，細菌性赤痢，腸管出血性大腸菌感染症，腸チフス，パラチフス
四類感染症	E型肝炎，A型肝炎，炭疽，ボツリヌス症，狂犬病，野兎病，鳥インフルエンザ (H5N1，H7N9を除く)，黄熱，Q熱，マラリア　など
五類感染症	新型コロナウイルス感染症（COVID-19），インフルエンザ（鳥インフルエンザ及び新型インフルエンザ等感染症を除く），ウイルス性肝炎（E型肝炎及びA型肝炎を除く），クリプトスポリジウム症，クロイツフェルト・ヤコブ病，後天性免疫不全症候群，梅毒，麻疹，水痘，破傷風，先天性風疹症候群，アメーバ赤痢　など
新型インフルエンザ等感染症	新型インフルエンザ，再興型インフルエンザ　など

❍ 医師の届け出の義務

- 診断後，医師が直ちに保健所長を経由して知事に届け出る必要のある感染症は，一類～四類感染症および五類感染症の麻疹，風疹，侵襲性髄膜炎菌感染症，新型インフルエンザ等感染症，新感染症である．
- 診断後7日以内に届け出る必要があるのは，厚生労働省令で定める五類感染症の21疾患（アメーバ赤痢など）．

○保健・医療・福祉・介護の施設と機能
保健所の業務
- ❯地域保護に関する思想の普及・向上
- ❯住宅，水道，下水道，廃棄物の処理，清掃その他の環境の衛生（市町村へ）
- ❯保健師による病気の予防や健康の保持・増進のための保健活動
- ❯公共医療事業の向上・増進
- ❯母性，乳幼児，老人の保健（市町村保健センターへ）
- ❯エイズ，結核，性病，伝染病その他の疾病の予防
- ❯歯科保健
- ❯人口動態統計その他地域保健にかかわる統計
- ❯栄養の改善，食品衛生
- ❯医事，薬事
- ❯精神保健
- ❯治療が未確立の疾病，特殊な疾病により長期に療養を必要とする者の保健
- ❯健康危機管理
- ❯衛生上の試験・検査：飲料水の水質検査など
- ❯その他，地域住民の健康の保持，増進

（4）健康保持増進

○健康診断と健康管理
BMI（Body Mass Index）

- ❯$BMI = \dfrac{体重[kg]}{身長[m] \times 身長[m]}$
- ❯標準体重：BMI が 18.5〜25 未満

国試【25回】

身長 180 cm，体重 81 kg における BMI（Body Mass Index）の値はいくつか．

解答

$BMI = 81/(1.8 \times 1.8) = 25$

健康増進対策
- ❯集団の健康を知るためのものさし．病気や死の多少によって間接的に評価しようとする指標：平均余命，乳児死亡率，罹患率，有病率，受療率

（5）社会保障制度

○社会保険 ━━━━━━━━━━━━━━━━━━━━ ★
〈年金保険〉
- ❯老齢，廃疾，死亡など労働能力の長期的喪失に対する補償を給付する．

〈医療保険〉
❷医療機関の受診により生じた医療費について，その一部あるいは全部を保険者が給付する．
❷強制加入の公的医療保険と任意加入による私的医療保険からなる．

〈雇用保険〉
❷労働者の生活および雇用の安定と就職の促進のために，失業した人や教育訓練を受ける人などに対する失業等給付，育児のために休業する人に対する育児休業給付がある．

〈労働者災害補償保険（労災保険）〉
❷業務上の災害または通勤上の災害によって負傷したり，病気になったり，障害が残ったり，死亡した場合に，労働者やその遺族のために必要な保険給付を行う．

〈介護保険〉
❷介護（入浴，排泄，食事など）を必要とする人が適切なサービスを受けられるように介護を事由として支給される保険．

○医療保険，介護保険 ──────────────── ★

医療保険
❷我が国は国民皆保険制度：公的医療保険への加入が義務づけられている．
❷医療保険は現物支給方式である：看護，治療，投薬などの医療行為が給付される．
❷公的医療保険は大きく，被用者保険，国民健康保険，後期高齢者医療に分けられる．
❷保険料を徴収し給付を行うものを保険者という．
  ・全国健康保険協会管掌健康保険：保険者は全国健康保険協会（協会けんぽ）
  ・組合管掌健康保険：保険者は健康保険組合
  ・国民健康保険：保険者は市町村
  ・後期高齢者医療：保険者は後期高齢者医療広域連合
❷医療保険制度では療養の給付は7割である（3割が自己負担）．
  ・未就学児は8割，75歳以上は9割（自己負担は1割）となっている．
❷後期高齢者医療制度の給付対象は75歳以上，または65歳以上の法定の障害がある人である．
❷診療報酬の保険点数は実施した医療行為ごとに定められている．

介護保険
❷保険者は市町村．
❷第1号被保険者は市町村の区域内に住所を有する65歳以上の者，第2号被保険者は市町村の区域内に住所を有する40歳以上65歳未満の医療保険加入者である．
❷保険の給付を受けるには，要介護・要支援の認定を受けなければならない．
❷要介護は1〜5，要支援は1〜2に区分される．

○国民医療費
［令和3（2021）年度］厚生労働省–令和3（2021）年度国民医療費の概況より
❷国民全体の医療費：45兆359億円（前年度より4.4％増加）
❷国民1人あたりの医療費：35万8,800円

	推計額	構成割合	1人あたりの国民医療費
0～14歳	2兆4,178億円	5.4%	16万3,500円
15～44歳	5兆3,725億円	11.9%	13万3,300円
45～64歳	9兆9,421億円	22.1%	29万700円
65歳以上	27兆3,036億円	60.6%	75万4,000円

❷65歳以上の1人あたりの年間医療費は65歳未満（19万8,600円）の約3.8倍である.

❷65歳以上の医療費は全体の約60％を占める.

❷国民医療費の国内総生産（GDP）に対する比率は8.18％（前年度7.99％）となっている.

医療費内訳

❷国民医療費の医療種類別の内訳

  ・医科診療医療費（71.9％）：入院医療費（37.4％），入院外医療費（34.5％）

❷入院医療費は入院外医療費の約1.1倍である.

❷傷病別医療費で最も多いのは循環器系疾患（全体の18.9％）である.

❷財源別で最も多いのは保険料で50.0％を占める．公費負担は38.0％である.

国民医療費に含まれないもの

❷健康診断（人間ドックなど）：企業などの定期健康診断は医療保険の対象外.

❷予防接種

❷正常妊娠，分娩

❷介護保険

❷交通事故の損害保険：交通事故傷害保険から給付される.

❷医療事故の際の損害賠償

（6）生活環境

○環境（大気，水，放射線，騒音，振動など）と健康

公害

❷典型7公害：大気汚染，水質汚濁，土壌汚染，騒音，振動，地盤沈下，悪臭.

❷光化学オキシダントは二次性の大気汚染物質である.

❷環境アセスメントとは，道路やゴルフ場などを開発する際の環境への影響を評価する仕事をいう.

❷物理的環境要因とは，光や熱あるいは太陽から放射されるエネルギー，土壌中の栄養，水，大気などを指す.

❷LD$_{50}$値とは，化学物質の急性毒性を示す指標である.

公害環境問題 【34回】 ★★

〈環境問題〉

❷フロン──→オゾン層の破壊──→紫外線量の増加

❷森林の過剰伐採──→砂漠化

❷二酸化炭素──→温室効果

❷硫黄酸化物──→窒素酸化物が空気中の水蒸気と反応──→酸性雨

❷光化学オキシダント（紫外線と大気中の汚染物質が反応）─→光化学スモッグ

〈身体への影響〉

❷アスベスト──中皮腫，肺がん

❷紫外線──白内障，皮膚がん，免疫機能低下

❷ダイオキシン──催奇形，発がん性

❷光化学オキシダント──目や喉の刺激

❷鉛──貧血

❷クロム──鼻中隔穿孔

〈公害病〉

❷カドミウム──イタイイタイ病

❷メチル水銀──水俣病

❷二酸化硫黄──四日市喘息

❷ヒ素──ヒ素中毒

〈作業による身体への影響〉

❷難聴──騒音下での作業

❷眼精疲労──VDT 作業（コンピュータへの入力作業など）

❷じん肺──鉱山掘削作業

❷振動障害──削岩機作業

❷減圧症──潜水作業

○食品の安全性

❷遺伝子組み換えによって作られた食品は，その旨を表示しなくてはならない．

食中毒 ─────────────────────────── ★

［令和5（2023）年度　病因物質別の食中毒患者数］

❷第1位：ノロウイルス　48.6％

❷第2位：カンピロバクター　11.3％

❷第3位：ウエルシュ菌　10.5％

❷第4位：サルモネラ菌　6.5％

❷第5位：アニサキス　4.3％

厚生労働省：4. 食中毒統計資料. https://www.mhlw.go.jp/stf/seisakunitsuite/bunya/kenkou_iryou/shokuhin/syokuchu/04.html（2024 年 1 月 26 日閲覧）

問題 1 □□□ 30P02

診断した医師が，法律に基づき直ちに届け出なければならない感染症（1 類～4 類）はどれか．

a．結核
b．痘瘡
c．破傷風
d．C 型肝炎
e．重症急性呼吸症候群（SARS）

1. a，b，c　　2．a，b，e　　3．a，d，e
4. b，c，d　　5．c，d，e

問題 2 □□□ 29P01

エイズにおける三次予防はどれか．

1. コンドームの使用
2. 献血者などの HIV 抗体検査
3. 患者へのカウンセリングサービス
4. 医療事故後の追跡的 HIV 抗体検査
5. 日和見感染の予防

問題 3 □□□ 32P01

老齢，廃疾，死亡など労働能力の長期的喪失に対する補償を給付する社会保険はどれか．

1. 年金保険
2. 医療保険
3. 雇用保険
4. 労働者災害補償保険
5. 介護保険

問題 4 □□□ 32A02 改

令和 3 年度の病因物質別の食中毒患者数発生状況のうち，最も多かった病因はどれか．

1. ノロウイルス
2. カンピロバクター
3. 病原大腸菌
4. サルモネラ菌
5. ボツリヌス菌

問題 5 □□□ 33P17

ワクチンによる予防効果が期待されているのはどれか．

1. 膀胱癌
2. 前立腺癌
3. 卵巣癌
4. 子宮体癌
5. 子宮頸癌

問題 6 □□□ 35P01

集団検診における検査の陰性・陽性の区分を表に示す．特異度はどれか．

1. a/(a+b)
2. b/(a+b)
3. c/(c+d)
4. d/(c+d)
5. d/(b+d)

	陰性	陽性
疾患なし	a	b
疾患あり	c	d

問題 7 □□□ 35P02

「感染症の予防及び感染症の患者に対する医療に関する法律」において「新型インフルエンザ等感染症」に分類されるのはどれか．

1. 結核
2. 麻しん
3. エボラ出血熱
4. 腸管出血性大腸菌感染症
5. 新型コロナウイルス感染症

問題 8 □□□ 35A02

二次予防に含まれるのはどれか．

1. 減塩指導
2. リハビリテーション
3. デイサービス
4. 胃がん検診
5. 予防接種

問題 9　□□□　34A03

「感染症の予防及び感染症の患者に対する医療に関する法律」においてインフルエンザ（鳥インフルエンザ及び新型インフルエンザ等感染症を除く）はどれか.

1. 一類感染症
2. 二類感染症
3. 三類感染症
4. 四類感染症
5. 五類感染症

問題 10　□□□　34P02

疾病とその原因となる作業との組合せで誤っているのはどれか.

1. 難聴————騒音下での作業
2. 眼精疲労——VDT 作業
3. 減圧症————高圧線保守作業
4. じん肺————鉱山掘削作業
5. 振動障害——削岩機作業

問題 11　□□□　36P01 改

令和 2 年（2020）の我が国の人口構成を表に示す. 従属人口指数 [100×（年少人口＋老年人口)/(生産年齢人口)] に近いのはどれか.

1. 10
2. 30
3. 50
4. 70
5. 100

	令和 2 年 (2020)
総人口	12,615 万人
0〜14 歳	1,503 万人
15〜64 歳	7,509 万人
65〜74 歳	1,742 万人
75 歳以上	1,860 万人

問題 12　□□□　36A02

図は, 厚生労働省令和元年人口動態月報年計による「主な死因別にみた死亡率（人口 10 万対）の年次推移」である. 矢印のグラフはどれか.

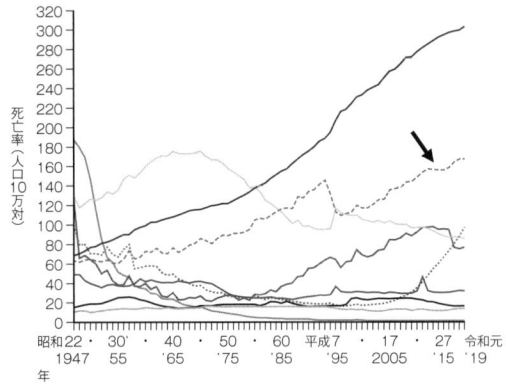

1. 悪性新生物
2. 脳血管疾患
3. 心疾患
4. 老　衰
5. 肺　炎

問題 13　□□□　37P01

感染症法に定められている 1 類感染症でないのはどれか.

1. エボラ出血熱
2. マールブルグ病
3. 痘そう（天然痘）
4. 鳥インフルエンザ（H5N1）
5. ペスト

〈解答〉問題 1-2, 問題 2-3, 問題 3-1, 問題 4-1, 問題 5-5, 問題 6-1, 問題 7-5, 問題 8-4, 問題 9-5, 問題 10-3, 問題 11-4, 問題 12-3, 問題 13-4

2．公衆衛生　25

（1）医事

○臨床工学技士法

生命維持管理装置

- ❷臨床工学技士法　第2条：「生命維持管理装置」とは，人の呼吸，循環又は代謝の機能の一部を代替し，又は補助することが目的とされている装置をいう.
- ❷臨床工学技士が関わる「生命維持管理装置」に含まれるもの
  - ・人工呼吸器
  - ・高気圧酸素療法
  - ・人工心肺装置
  - ・補助循環装置
  - ・体外式ペースメーカ
  - ・血液浄化装置（アフェレーシス療法装置を含む）
  - ・人工膵臓
  - ・除細動器　　など

臨床工学技士の業務　【36回】　────────────────────────── ★★

- ❷臨床工学技士は厚生労働大臣から免許を得て業務を行う.
- ❷臨床工学技士法　第2条第2項：医師の指示の下に生命維持管理装置の操作（政令で定める生命維持管理装置の先端部の身体への接続・身体からの除去を含む）および保守点検を行う.
- ❷臨床工学技士法施行令　第1条：生命維持管理装置の先端部の身体への接続又は身体からの除去は次のとおりとする.
  - ①人工呼吸装置のマウスピース，鼻カニューレその他の先端部の身体への接続又は身体からの除去（気管への接続又は気管からの除去にあっては，あらかじめ接続用に形成された気管の部分への接続又は当該部分からの除去に限る）
  - ②血液浄化装置の穿刺針その他の先端部のシャント，表在化された動脈若しくは表在静脈への接続又はシャント，表在化された動脈若しくは表在静脈からの除去
  - ③生命維持管理装置の導出電極の皮膚への接続又は皮膚からの除去

注意事項

- ❷気管内挿管は医師のみが行うことができる.
- ❷バスキュラーアクセスは医師が形成するが，バスキュラーアクセスへの穿刺は認められる.
- ❷針電極を皮膚に刺すことはできない.
- ❷医師の指示でも，医行為や身体への操作を行ってはならない.
- ❷医行為（診察），検査目的の補助行為（血圧測定など）は行ってはならない.
- ❷ペースメーカ植込み時のジェネレータと電極リードの接続は医行為であり，医師のみが実施することができる.

医師の具体的な指示が必要	業務の各段階で医師の指示が必要
・運転条件および監視条件の設定と変更には，必ず医師の具体的指示（書面指示）を必要とする. ・人工心肺装置，人工呼吸器などの運転条件の設定・変更 ・回路への薬剤注入 ・動脈留置カテーテルからの採血 ・人工心肺業務における留置カテーテルからの採血 ・高気圧酸素治療中の加圧時間の設定 ・除細動器の操作条件の設定	・治療前の確認や点検 ・バスキュラーアクセスへの穿刺 ・血液浄化におけるバスキュラーアクセスへの穿刺指示は直接口頭で受け内容を確認する. ・血液浄化装置先端部（穿刺針）の抜去後の止血処置 ・人工心肺装置などの条件設定の確認，高気圧酸素療法における条件設定の確認 ・ペースメーカ及びプログラマの始業点検 ・植込み型心臓ペースメーカへのプログラミングヘッドの設置 ・条件付き MRI 対応ペースメーカーの検査前確認 ・人工呼吸中の吸引による喀痰の除去

法令改正により 2021 年 10 月 1 日から新たに臨床工学技士が行える業務

❱ 手術室又は集中治療室で生命維持管理装置を用いて行う治療における静脈路への輸液ポンプ又はシリンジポンプの接続，薬剤を投与するための当該輸液ポンプ又は当該シリンジポンプの操作並びに当該薬剤の投与が終了した後の抜針及び止血（輸液ポンプ又はシリンジポンプを静脈路に接続するために静脈路を確保する行為についても，「静脈路への輸液ポンプ又はシリンジポンプの接続」に含まれる.）

❱ 生命維持管理装置を用いて行う心臓又は血管に係るカテーテル治療における身体に電気的刺激を負荷するための装置の操作

❱ 手術室で生命維持管理装置を用いて行う鏡視下手術における体内に挿入されている内視鏡用ビデオカメラの保持及び手術野に対する視野を確保するための当該内視鏡用ビデオカメラの操作

❱ 血液浄化装置の穿刺針その他の先端部の表在化された動脈若しくは表在静脈への接続又は表在化された動脈若しくは表在静脈からの除去

臨床工学技士の秘密保持の義務

❱ 業務上知り得た人の秘密を正当な理由がなく他人に漏らしてはならない.

❱ 秘密保持義務違反者は罰金に処される.

❱ 患者の申し出がなくても秘密保持の義務は発生する.

❱ 臨床工学技士でなくなった後も秘密保持義務はある.

❱ 秘密保持の義務に関しては医師の指示に従う必要はない.

記録の保存

❱ 診療記録：5 年間保存（医師法で決められている）

❱ 処方箋，X 線写真など：2 年間保存

❱ 特定生物由来製品（輸血など）：20 年間保存

◯ 医療法 【33 回】 ─────────────────────── ★★

❱ 医療法は医療のサービスを提供する「場」と「人」について定める.

・場：医療機関

・人：組織

医療法に規定されているもの

- ❯医療計画の策定
- ❯医療法人の認可
- ❯医療施設の開設・管理・施設要件
  - ・病院の管理
  - ・診療所の開設
  - ・特定機能病院要件

医療提供施設

- ❯「診療所」とは 19 人以下の患者を入院させるための施設.
- ❯「病院」とは 20 人以上の患者を入院させるための施設.
- ❯患者 1 人あたりの病室の床面積は 6.4 m² 以上であること.

特定機能病院，地域医療支援病院

特定機能病院	地域医療支援病院
・高度医療の開発・評価・研修を実施できること ・400 人以上の患者を入院させるための施設 ・厚生労働大臣の承認 ・医療機器における定期的研修（年 2 回程度）が必要 ・原則定められた 16 の診療科を標榜していること	・地域の医療従事者のための研修を実施 ・200 人以上の患者を入院させるための施設 ・都道府県知事の承認

医療事故調査

- ❯医療事故の定義：当該病院等に勤務する医療従事者が提供した医療に起因し，または起因すると疑われる死亡または死産であって，当該管理者が当該死亡または死産を予測しなかったものとして厚生労働省令で定めるものをいう.
- ❯事故が起こった際は，医療事故調査・支援センターへ報告を行う.

〈医療事故調査・支援センターの業務〉

- ❯報告の収集，情報の整理および分析を行う.
- ❯報告をした病院などの管理者に対し，情報の整理および分析の結果の報告を行うこと.
- ❯結果を管理者および遺族に報告すること.
- ❯医療事故調査に従事するものに対し，医療事故調査に係る知識および技能に関する研修を行うこと.
- ❯医療事故調査の実施に関する相談に応じ，必要な情報の提供および支援を行うこと.
- ❯医療事故再発の実施に関連する普及啓発を行うこと.
- ❯医療安全の確保を図るために必要な業務を行うこと.

臨床工学技士の責任

- ❯医事紛争の件数は，我が国では最近特に増加している.
- ❯臨床工学技士が機械の操作を誤って患者に被害を与えた場合，民事上の責任を問われることがある.
- ❯臨床工学技士の刑事上の責任は業務上過失致死・傷害罪などである.
- ❯臨床工学技士に対する行政上の処分は，民事・刑事とは直接の関係なしに行われる.
- ❯医師の誤った指示で臨床工学技士が装置を操作したために発生した事故に対しても，臨床工学技士は法的責任を負う.

○ 資格・その他

都道府県知事が与える資格（国家資格でない）

- ❯ 栄養士
- ❯ 准看護師　など

※獣医師は，農林水産大臣が任命

人工心肺装置，血液浄化装置の操作が行える職種

- ❯ 臨床工学技士
- ❯ 看護師
- ❯ 医師
- ❯ 准看護師
- ❯ 保健師
- ❯ 助産師

（2）薬事・保健

○ 医薬品医療機器等法

規制対象

- ❯ 医薬品
- ❯ 医薬部外品
- ❯ 化粧品
- ❯ 医療機器
- ❯ 再生医療等製品

※薬事を行う人（薬剤師）については，薬剤師法に規定されている．

関係法規
　p.31〜48
　医薬品医療機器等
　法
　p.78〜81
　廃棄物処理法
　p.84〜85
　健康増進法
最新 関係法規 2024
　p.65〜79
　医薬品医療機器等
　法
　p.98〜101
　廃棄物処理法
　p.85〜86
　健康増進法

医療機器分類 【33回】 　　　　　　　　　　　　　　　　　　　★★

分　類	リスクによる分類	例　示
高度管理医療機器（クラスⅣ）	生命の危険に直結する恐れがあるもの	ペースメーカ，人工心臓弁，中心静脈用カテーテル，冠動脈カニューレ，心血管用ステント，吸収性体内固定用ボルト，バルーンカテーテル，血管用カテーテルガイドワイヤ
高度管理医療機器（クラスⅢ）	人体へのリスクが比較的高いもの	輸液ポンプ，滅菌済み縫合糸，コンタクトレンズ，透析器，人工骨，人工呼吸器，人工心肺，粒子線治療装置
管理医療機器（クラスⅡ）	人体へのリスクが比較的低いもの	MRI，X線撮影装置，心電計，脳波計，レーザー血流計，電子式血圧計，電子体温計，電子内視鏡，消化用カテーテル，超音波診断装置，補聴器，歯科用合金，超音波歯周用スケーラ，家庭用マッサージ器
一般医療機器（クラスⅠ）	人体へのリスクが極めて低いもの	X線フィルム，体外診断機器（血液ガス，血球計数装置），メス・ピンセット等鋼製小物，手術用不織布ガーゼ，医療脱脂綿，ネブライザー，手術台，手術用照明器，歯科技工用機器，手術用顕微鏡，家庭用救急絆創膏，プラズマ滅菌器

医薬品添付文書 【36回】 　　　　　　　　　　　　　　　　　　★★

- ❯ 「警告」がある医薬品は右肩に赤帯が付される．
- ❯ 警告の内容については赤枠・赤字で記載する．
- ❯ 禁忌の内容については赤枠・黒字で記載する．

- 相互作用は医薬品の安全な処方のために必要な情報であり，臨床上注意を要する組み合わせを記載する．
- 副作用は「重篤な副作用」と「その他副作用」の2つに分けて記載する．

○ 廃棄物処理法　【37回】　　　　　　　　　　　　　　　　　　　　　　　★★

- 感染性廃棄物とは，医療機関等の施設から生じ，人が感染し，または感染するおそれのある病原体が含まれ，もしくは付着している廃棄物またはこれらのおそれのある廃棄物をいう．
- 感染性廃棄物を入れた容器にはバイオハザードマークをつける．

バイオハザードマーク

バイオハザードマークの色	内容物	梱包・容器の材質など
赤	血液など液状，泥状のもの	廃液などが漏洩しない密閉容器
黄	注射針，メスなど鋭利なもの	耐貫通性のある堅牢な容器
オレンジ	血液が付着したガーゼなど固形状のもの	丈夫なプラスチック袋を二重にして使用

○ 健康増進法

- 受動喫煙の防止について定めている法律には健康増進法がある．

臨床工学技士国家試験問題　Check UP!

問題1　□□□　　　31A40

臨床工学技士の業務に含まれないのはどれか．

1. 動脈留置カテーテルからの採血
2. 人工呼吸器の運転条件の設定
3. 人工呼吸中の気管吸引による喀痰除去
4. 血液浄化装置の先端部の内シャントへの穿刺
5. ペースメーカ植込み時のジェネレータと電極リードの接続

問題2　□□□　　　29A39

臨床工学技士の業務で医師の具体的な指示が必要なのはどれか．

a. 人工呼吸装置の回路の組み立て
b. 動脈留置カテーテルからの採血
c. 血液浄化装置の運転条件の変更
d. 人工呼吸装置の運転条件の変更
e. 高気圧酸素治療装置の消毒
1. a, b, c　2. a, b, e　3. a, d, e
4. b, c, d　5. c, d, e

臨床工学技士の秘密保持の義務について正しいのはどれか.

- a. 秘密保持義務違反者は罰金に処せられる.
- b. 業務上知り得た人の秘密の扱いは医師の指示に従う.
- c. 患者から申し出があった場合に秘密保持の義務が発生する.
- d. 臨床工学技士でなくなった後は秘密保持義務が免除される.
- e. 業務上知り得た人の秘密を正当な理由がなく他に漏らしてはならない.

1. a, b　2. a, e　3. b, c　4. c, d　5. d, e

喀痰吸引が業務として認められていないのはどれか.

1. 臨床工学技士
2. 作業療法士
3. 臨床検査技師
4. 薬剤師
5. 言語聴覚士

医療法に規定されているのはどれか.

- a. 病院の管理
- b. 医師の免許
- c. 感染症の類型
- d. 診療所の開設
- e. 特定機能病院の要件

1. a, b, c　2. a, b, e　3. a, d, e
4. b, c, d　5. c, d, e

医療機器の国際的なクラス分類でクラスⅣ（高度管理医療機器に相当）に分類されるのはどれか.

1. ペースメーカ
2. 電子体温計
3. 電子内視鏡
4. 汎用輸液ポンプ
5. 造影剤注入装置

医療法における医療事故に含まれるのはどれか.

1. 通院途上の転倒による捻挫
2. 院内感染での入院期間の延長
3. 医療に起因する死亡
4. 医師による不適切な発言
5. 臨床工学技士によるカルテの改ざん

臨床工学技士法および施行令，施行規則で定めている臨床工学技士の業務内容について誤っているのはどれか.

1. 臨床工学技士には担当患者の守秘義務が課せられる.
2. 臨床工学技士は内閣総理大臣から免許を得て業務を行う.
3. 医師の指示があれば患者の身体への電気的刺激負荷を行ってよい.
4. 臨床工学技士は生命維持管理装置の操作及び保守点検を行う.
5. 生命維持管理装置の先端部の身体への接続については具体的に施行令で定められている.

医薬品添付文書において赤枠で記載される項目はどれか.

- a. 禁忌
- b. 警告
- c. 副作用
- d. 効果又は効能
- e. 重要な基本的注意

1. a, b　2. a, e　3. b, c　4. c, d　5. d, e

図のマークについて正しいのはどれか.

1. 環境保全推進
2. 感染性廃棄物処理
3. 化学汚染防止
4. 放射線防護
5. 食品衛生管理

〈解答〉問題 1-5, 問題 2-4, 問題 3-2, 問題 4-4, 問題 5-3, 問題 6-1, 問題 7-3, 問題 8-2, 問題 9-1, 問題 10-2

4. 生化学の基礎

（1）生体物質

○**糖質** 【34回】【35回】 ━━━━━━━━━━━━━━━━━━━━━━━━━━━ ★★

❷ブドウ糖は単糖類である．

❷糖質は単糖類に分解されてから吸収される．

❷糖質は1gあたり4kcalのエネルギーに相当する．

単糖類	ガラクトース，グルコース，フルクトース，リボース，マンノース　など
二糖類	マルトース（麦芽糖）＝グルコース＋グルコース スクロース（ショ糖）＝グルコース＋フルクトース ラクトース（乳糖）＝グルコース＋ガラクトース
多糖類	グリコーゲン デンプン　　　構成単糖がグルコース セルロース

○**アミノ酸とタンパク質** 【35回】 ━━━━━━━━━━━━━━━━━━━━━ ★★

❷タンパク質はアミノ酸から構成される．

❷アミノ酸はカルボキシル基をもつ．

必須アミノ酸

❷必須アミノ酸とは体内で合成できず，食物などから摂取しなければならないアミノ酸．

必須アミノ酸	トリプトファン，ロイシン，リジン，バリン，スレオニン，フェニルアラニン，メチオニン，イソロイシン，ヒスチジン

○**脂質** 【35回】 ━━━━━━━━━━━━━━━━━━━━━━━━━━━━━━ ★★

必須脂肪酸

❷必須脂肪酸には，リノール酸，α-リノレン酸，アラキドン酸がある．

オメガ6系脂肪酸 （n-6系脂肪酸）	オメガ3系脂肪酸 （n-3系脂肪酸）
リノール酸 ガンマリノレン酸 アラキドン酸	α-リノレン酸 DHA（ドコサヘキサエン酸） EPA（エイコサペンタエン酸）

○**ヌクレオチドと核酸**

❷核酸にはDNA（デオキシリボ核酸）とRNA（リボ核酸）がある．

❷核酸は「リン酸 - 糖 - 塩基」で作られるヌクレオチドと呼ばれる構成単位が多数重合したものである．

○**酵素・補酵素** 【33回】【34回】【36回】 ━━━━━━━━━━━━━━━ ★★★

❷酵素は触媒作用を有する．

❷生体内の多くの化学反応は酵素によって触媒される．

- ❯酵素は生体内で起こる様々な反応の触媒として機能し，生体触媒とも呼ばれる．
- ❯触媒作用は特定の基質に限られる（基質特異性）．
  - ・1つの酵素は1つの基質に作用する．
  - ・基質は酵素が作用する物質を示す．
- ❯酵素の本体（基本構造）はタンパク質である．
- ❯酵素活性を最大にするpHを至適pHという．
  - ・1つの酵素の活性を最大化するpHが特定される．
  - ・多くの細胞内酵素の至適pHは中性付近．
  - ・胃酸で働くペプシン（消化酵素）の至適pHは1〜2．
- ❯酵素活性を最大にする温度を至適温度という．
  - ・1つの酵素を最大化する温度が特定される．
  - ・至適温度は37℃前後．
- ❯酵素は生体内反応を無理なく進行させる働きをもつ．

酵素の働き【基質濃度と反応速度の関係】

- ❯基質濃度（$[S]$）と反応速度（V）の関係を示す曲線は双曲線となり，数学的にはミカエリス・メンテン式と呼ばれる．

$$V = \frac{Vmax \cdot [S]}{Km + [S]}$$

- ❯Km（ミカエリス定数）はある特定の酵素量で，到達できる最大反応速度の1/2の反応速度を与える基質濃度である（図）．

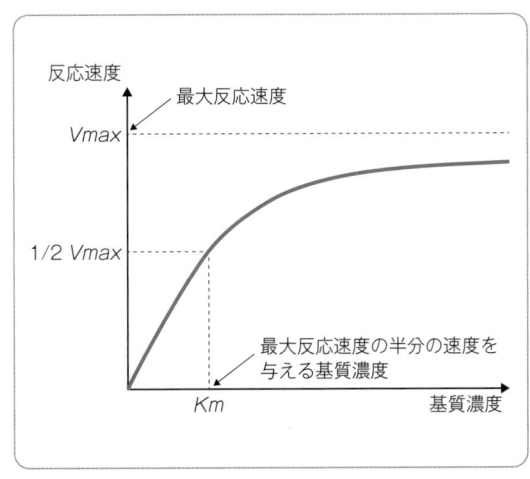

図　ミカエリス・メンテン式

酵素と基質の代謝の関係　【36回】　──────────────────────★★

- ❯生体内の物質代謝では，酵素反応が連続して起こり代謝物を生成する．

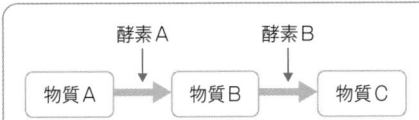

物質Aは酵素Aの働きを受けて，物質Bになる．
物質Bは酵素Bの働きを受けて，物質Cになる．
酵素の働きが低下した際は，代謝物の生成がされない．

プロテアーゼ（タンパク質を分解する酵素）
- ❯ペプシン（胃液）
- ❯トリプシン（膵液）
- ❯エラスターゼ（膵液）
- ❯アミノペプチターゼ（腸液）

酵素の機能異常
- ❯フェニルケトン尿症
- ❯メープルシロップ尿症

○ケトン体 【35回】 ★★
- ❯ケトン体は肝臓でアセチル CoA という物質から変換して作られる.
- ❯通常アセチル CoA は，糖を代謝する過程と脂肪酸を代謝する過程，アミノ酸の代謝によって生成され，クエン酸回路（TCA 回路）においてエネルギー（ATP）を産生する.

（2）代謝

○糖代謝 【35回】【37回】 ★★
- ❯解糖系では ATP の生成と消費の両方が行われる.
- ❯糖質代謝における嫌気性代謝で生じる乳酸は，ピルビン酸から生成される.
- ❯クエン酸回路（TCA 回路）では，アセチル CoA のアセチル基が酸化されて 2 分子の CO_2 を生成する.
- ❯ミトコンドリアの内膜には電子伝達系が存在し，解糖系やクエン酸回路などで生じた還元型補酵素（NADH，$FADH_2$）のエネルギーは，電子伝達系における酸化的リン酸化段階で ATP 産生に使われる.
- ❯ペントースリン酸回路ではリボースを合成する.
- ❯低血糖はインスリン過剰投与で誘発される.
- ❯低酸素下では，グルコース 1 分子あたり 2 分子の ATP 産生がなされる.
- ❯アドレナリンは血糖値を上昇させる.
- ❯糖新生
  - ・脂質やアミノ酸など糖質以外の物質からグルコースを合成する代謝経路.
  - ・主に肝臓で行われる.
  - ・ピルビン酸あるいは乳酸などからグルコースが作られる.
- ❯グルコースは肝臓や骨格筋でグリコーゲンとして貯蔵される.

○脂質代謝 【37回】 ★★
- ❯中性脂肪であるトリグリセリドは，ホルモン感受性リパーゼなどによって加水分解され，グリセロールと脂肪酸に分解される.
- ❯β 酸化とは，脂肪酸代謝において脂肪酸を段階的に酸化し，アセチル CoA を生成する代謝経路.
- ❯生成されたアセチル CoA は，クエン酸回路などへ取り込まれてエネルギー生産に利用される.
- ❯脂肪酸の β 酸化はミトコンドリアのマトリックスで行われ，2 炭素ずつ切断されてア

セチル CoA が生成される．切断された後の脂肪酸は，再び β 酸化を受ける．

◯ エネルギー代謝

好気的代謝

❯ 一定量のブドウ糖から産生できる ATP 量が多いのは好気的代謝である．

❯ 化学反応のステップ数が多いのは好気的代謝である．

❯ ミトコンドリアの中で行われるのは，ブドウ糖の好気的代謝である．

❯ 酸素が消費されるのは好気的代謝である．

嫌気的代謝

❯ 解糖系のすべての反応は細胞質基質で行われ，酸素を必要としないため嫌気呼吸（嫌気的代謝）と呼ばれる．

❯ 不完全燃焼にたとえられるのは嫌気的代謝である．

❯ 乳酸はグルコースの酸素供給のない嫌気的解糖により生じる．

◯ ビタミン 【36回】 ──────────────────────── ★★

水溶性ビタミン	脂溶性ビタミン
ビタミン B	ビタミン A
ビタミン C	ビタミン D
葉酸	ビタミン E
	ビタミン K

❯ ビタミン A は，視細胞で光刺激反応に関与するロドプシンを合成する材料になる．

❯ ビタミン B_{12} の吸収には，胃から分泌される内因子が必要である．

❯ ビタミン C は抗酸化作用を持つ．

❯ ビタミン D の生成には，日光に含まれる紫外線（UV-B）を浴びることが必要である．

臨床工学技士国家試験問題 Check UP!

問題 1 □□□ 27P02

水溶性ビタミンはどれか．

a. ビタミン A
b. ビタミン B
c. ビタミン C
d. ビタミン D
e. ビタミン E
1. a, b 2. a, e 3. b, c 4. c, d 5. d, e

問題 2 □□□ 27A02

嫌気的代謝と好気的代謝について誤っているのはどれか．

1. 酸素が消費されるのは好気的代謝である．
2. 一定量のブドウ糖から産生できる ATP 量が多いのは嫌気的代謝である．
3. 化学反応のステップ数が多いのは好気的代謝である．
4. ミトコンドリアの中で行われるのはブドウ糖の好気的代謝である．
5. 不完全燃焼にたとえられるのは嫌気的代謝である．

必須アミノ酸でないのはどれか.

1. バリン
2. ロイシン
3. アルギニン
4. メチオニン
5. イソロイシン

正しいのはどれか.

a. ブドウ糖は二糖類である.
b. 核酸は脂質を含む.
c. タンパク質はアミノ酸から構成される.
d. アミノ酸はカルボキシル基をもつ.
e. 酵素は触媒の作用を有する.
1. a, b, c　2. a, b, e　3. a, d, e
4. b, c, d　5. c, d, e

体内のエネルギー源にならないのはどれか.

1. ブドウ糖
2. 脂肪酸
3. コレステロール
4. アミノ酸
5. ケトン体

酵素について誤っているのはどれか.

1. 触媒の一種である.
2. 基質は酵素が作用する物質を示す.
3. 体内での至適温度は 25℃付近である.
4. 酵素ごとの至適 pH が存在する.
5. タンパク質で構成される.

単糖はどれか.

a. マルトース
b. ガラクトース
c. フルクトース
d. スクロース
e. ラクトース
1. a, b　2. a, e　3. b, c　4. c, d　5. d, e

糖代謝について誤っているのはどれか.

1. アドレナリンは血糖値を低下させる.
2. 解糖とはグルコースがピルビン酸あるいは乳酸まで分解する過程をいう.
3. 糖新生は主に肝臓で行われる.
4. グルコースは肝臓でグリコーゲンとして貯蔵される.
5. 糖質のカロリーは 4 kcal/g である.

酵素反応について正しいのはどれか.

1. 酵素は活性化エネルギーを大きくする.
2. 酵素にはステロイドのものがある.
3. 反応は酵素分子の特定部位で生じる.
4. 温度と反応速度は正比例する.
5. 基質濃度と反応速度は正比例する.

図のように基質 X から酵素 A により代謝物 Y が生成され, さらに代謝物 Y から酵素 B により代謝物 Z が生成される. ある患者では酵素 A の活性は正常で, 酵素 B の活性が極度に低下していた. この患者の体内における Y, Z の量について正しいのはどれか. ただし, 基質 X は十分に供給され, 代謝物 Z は正常に排泄されるものとする.

$$基質 X \xrightarrow{酵素 A} 代謝物 Y \xrightarrow{酵素 B} 代謝物 Z$$

	代謝物 Y	代謝物 Z
1.	減　少	減　少
2.	不　変	減　少
3.	不　変	増　加
4.	増　加	減　少
5.	増　加	不　変

脂肪酸の代謝について誤っているのはどれか.

1. 中性脂肪が分解すると脂肪酸とグリセロールが生じる.
2. 脂肪酸の β 酸化によってアセチル CoA が生じる.
3. 脂肪酸の β 酸化はミトコンドリアのマトリックスで行われる.
4. β 酸化が 1 回転すると脂肪酸の分子鎖が炭素 1 つ分短くなる.
5. 脂肪酸の代謝にはクエン酸回路（TCA サイクル）が関与する.

糖質の代謝について正しいのはどれか.

1. 解糖系では ATP の生成と消費の両方が行われる.
2. 1 分子のグルコースから 1 分子のピルビン酸が生じる.
3. 嫌気代謝で生じる乳酸はアセチル CoA から生成される.
4. クエン酸回路（TCA サイクル）で H_2O が生じる.
5. 電子伝達系はミトコンドリアのマトリックスに存在する.

〈解答〉問題 1-3，問題 2-2，問題 3-3，問題 4-5，問題 5-3，問題 6-3，問題 7-3，問題 8-1，問題 9-3，問題 10-4，問題 11-4，問題 12-1

5. 薬理学の基礎

（1）薬物の投与・吸収・排泄

○薬物動態 【37回】 ────────────────────────── ★★

❷すべての薬物は体内に入ってから，吸収，分布，代謝，排泄という過程を経る．

吸収	・薬物は投与方法によって，消化管，皮膚，肺などを通じて血管内に入る． ・剤形，薬物の特性，食事，併用薬の有無，年齢などは吸収に影響を与える．
分布	・血液中の薬物は，タンパク質と結合して生体内を移動する． ・タンパク質と結合していない薬物（遊離型）は薬理作用を起こす臓器で受容体と結合して薬効を発揮する．
代謝	・水溶性薬物は腎糸球体から濾過され，一部は尿細管から分泌されて排泄される． ・脂溶性薬物は肝臓・腎臓・肺などで代謝を受ける． ・多くの薬剤は肝臓で代謝を受け，その活性（薬物としての効力）を失う．また一方で，代謝を受けることで薬物の活性を発現するものもある（プロドラッグ）．
排泄	・腎臓，胆管，腸管，肺，その他の分泌物を介して体外に排泄される． ・循環器系および腎臓に障害のある患者では薬物の排泄が遅くなり，体内に蓄積しやすい．

○投与経路，吸収 【36回】 ────────────────────── ★★

〈与薬方法による効果発現のスピード〉

❷静脈内注射＞吸入＞筋肉内注射＞皮下注射＞経口投与（内服）

❷内服薬（経口投与）は吸収に時間がかかるため，薬効発現までに一定時間を要する．

❷静脈内注射の吸収は迅速，初回投与通過効果を受けないため，作用は確実である．

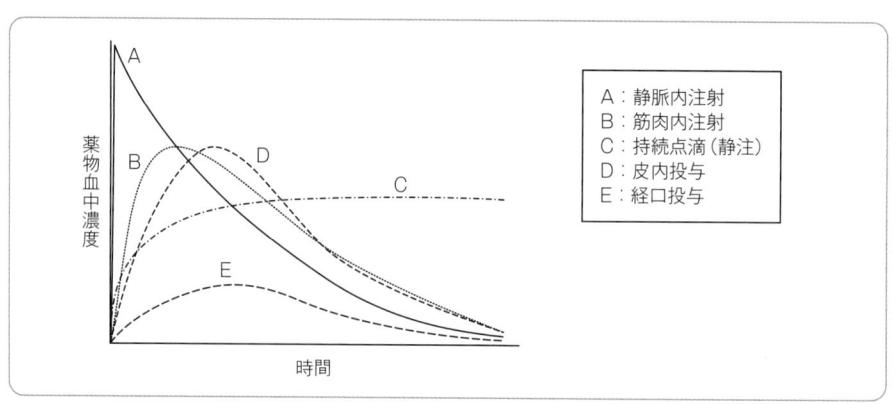

図　各注射薬と内服薬の吸収速度
臨床工学技士国家試験　第26回午後問題03より

〈与薬方法による作用持続性〉

❷経口投与（内服）＞皮下注射＞筋肉内注射＞吸入＞静脈内注射

〈年齢による代謝速度〉

❷高齢者においては成人よりも薬物代謝が遅くなる．

初回通過効果 ────────────────────────────── ★

❷初回通過効果：経口投与された薬は小腸で吸収され門脈を通って肝臓に入り代謝される．

❷初回通過効果を受けやすい薬剤（特に経口薬）は，代謝された後に全身に行くため投与された一部の効果となる．
❷初回通過効果を受けない薬剤（門脈を通らない）
　・舌下薬
　・吸入薬
　・直腸内投与（坐薬）
　・静脈内投与

○治療薬物モニタリング（TDM）【33回】 ━━━━━━━━━━━━ ★★

❷薬物血中濃度の治療域と中毒域が大きくかけ離れている薬物は，モニタリングの必要性は低い．

モニタリングが必要なとき
❷薬物の有効血中濃度の範囲が狭い．
❷薬物の体内動態における個人差が大きい．
❷薬物血中濃度の治療域と中毒域の接近している薬物．
❷安全域の狭い薬物．
❷腎障害，肝障害のある患者に薬物を投与するとき．

治療薬物モニタリング（TDM）の対象薬物
❷ジギタリス製剤（強心薬）
❷抗菌薬
❷免疫抑制薬
❷抗てんかん薬
❷気管支拡張薬

（2）薬物の効果

○薬物治療に影響を与える因子 【34回】 ━━━━━━━━━━━━ ★★

生体側因子	薬物側因子
個体差（遺伝的素因，感受性，耐性など） 疾患の有無 年齢 体重 プラセボ効果	投与方法・投与経路 投与量 併用薬剤，栄養補助食品 食事の有無 薬剤の保管状況

○薬理作用と副作用 【33回】 ━━━━━━━━━━━━ ★★

❷徐放剤は1回の服用で作用が持続するように設計された製剤である．
❷同一抗菌薬の連用は耐性菌の発現を招きやすい．
❷治療係数（LD50/ED50）が大きいほど安全性が高い．
❷血漿蛋白と結合したものは薬理作用を持たない．
❷生体内利用率とは経口投与薬物のうち全身を循環する薬物の割合を示す．
❷薬理作用は薬側と生体側の両者の要因から影響を受ける．
❷プラセボとは，先入観や心理効果の影響によって得られた治療効果である．
❷薬の連用により，次第に薬効が減少していくことを耐性発現という．

❷薬物 A の繰り返し投与によって耐性が生じた状態では，薬物 A を代謝する酵素の誘導合成は増加して，薬物 A の排泄は増加する：排泄が増加されることで体内濃度が速やかに低下してしまうことで，薬効が生じていない．

高齢者の薬物動態
❷自律神経系の反射機能低下によって，薬剤に起因される低血圧を生じやすくなる．
❷肝臓での代謝や腎臓での排泄能が低下する．
❷脂溶性薬物の半減期が長くなる．
❷体内水分量が減少するため，水溶性薬物の血中濃度は上昇しやすい．
❷ベンゾジアゼピン系薬物への感受性が高い．
・アルブミンなどのタンパク質が減少しているため，タンパク結合率の高い薬剤では遊離型薬剤の濃度が上昇する．

○用量反応曲線
治療係数
❷一般的に治療指数が大きいほど安全性が高く，治療に使う薬として好ましいとされる．
❷計算式は，LD50/ED50．薬を投与した動物の半数が死亡する「半数致死量（LD50）」を，投与した動物の半数が最小限の効果を示す「半数効果用量（ED50）」で割る．

○効果を規定する因子
❷薬物の分布は，血液脳関門により制限されるため，脳には全身循環からの薬物は移行しにくい．

半減期
❷半減期とは，血中の薬物濃度がある量から半分に減少するのに要する時間である．
❷薬物の生物学的半減期を延長させる要因
・肝臓の代謝能力の低下
・腎臓の排泄能力の低下

血中濃度

例題

　ある投与薬物の生物学的半減期の 4 倍の時間が経過したとき，その薬物の血中濃度は投与後のピーク値の何倍になるか．

解答

　生物学的半減期の時間が経過したとき，その薬物の血中濃度は投与後ピーク値の 1/2 になる．

　生物学的半減期の 2 倍の時間が経過したときは，その薬物の血中濃度は投与後ピーク値の 1/2×1/2 で 1/4 となる．

　本題の場合，生物学的半減期の 4 倍の時間が経過したときなので，その薬物の血中濃度は投与後ピーク値の 1/2×1/2×1/2×1/2＝1/16 倍になる．

（3）薬物の種類と特徴

循環作動薬 【34 回】【35 回】 ━━━━━━━━━━━━━━━━━━━━ ★★

血圧を上げる薬剤	血圧を下げる薬剤
アドレナリン ノルアドレナリン ドパミン ジギタリス（ジゴキシン） エピネフリン テオフィリン	アンギオテンシン変換酵素阻害薬（ACE 阻害薬） β 遮断薬 カルシウム拮抗剤（ニフェジピン） 利尿薬 ニトログリセリン プロスタグランジン サイアザイド系利尿薬 アンギオテンシンⅡ受容体拮抗薬

- ❯ジギタリスは低カリウム血症時に中毒を起こしやすい.
- ❯ジギタリス製剤は，高度徐脈，心室性期外収縮，房室ブロック，各種頻脈の予防に用いる.
- ❯ノルアドレナリンは血管収縮作用を有する.
- ❯アドレナリンは気管支筋弛緩作用がある.
- ❯ニトログリセリンは静脈容量血管を拡張させる.
- ❯プロスタグランジン製剤は抗血小板凝集作用を有する.
- ❯カルシウム拮抗薬は，抗高血圧，抗狭心症，抗不整脈に用いられる.

抗結核薬の副作用 ━━━━━━━━━━━━━━━━━━━━━━━━━━ ★

- ❯イソニアジド（INH）──末梢神経炎
- ❯カナマイシン（KM）──難聴，腎障害
- ❯エタンブトール（EB）──視力障害
- ❯ピラジナミド（PZA）──肝障害，関節炎
- ❯リファンピシン（RFP）──肝障害

抗不整脈薬

- ❯リドカイン
- ❯カルシウム拮抗薬
- ❯キニジン
- ❯カリウムチャネル遮断薬
- ❯β 遮断薬

気管支拡張薬

- ❯β_2 受容体刺激薬
- ❯テオフィリン薬
- ❯抗コリン薬
- ❯アドレナリン

ワルファリン

- ❯ビタミン K を阻害し，肝臓でのプロビタミン（Ⅱ），Ⅶ，Ⅸ，Ⅹ因子などの生合成を抑制し，凝固作用・血栓形成を予防する.

〈ワルファリンの効果を弱めるもの（ビタミン K が豊富）〉
- ビタミン K 製剤
- 納豆
- 緑葉野菜
- クロレラ
- 海藻類　など

ペニシリン系薬

有効	無効
グラム陽性菌：ガス壊疽菌など グラム陰性菌 スピロヘータ：梅毒	EB ウイルス（伝染性単核球症） MRSA カンジダ

血液凝固を阻止する薬剤
- ヘパリンナトリウム
  - ・中和剤：プロタミン
- クエン酸ナトリウム
- ワルファリン
- アルガトロバン
- メシル酸ナファモスタット
- アスピリン——抗血小板薬，抗血栓薬
- プロスタグランジン——血小板凝集抑制

その他薬剤　【33回】 ━━━━━━━━━━━━━━━━━━━━━━━━━━━━ ★★
- ドブタミン——強心薬
- ニフェジピン——降圧薬
- ミダゾラム——麻酔導入薬・鎮静薬
- アトロピン——抗コリン薬
- デキサメダゾン——副腎皮質ホルモン

問題 1　□□□　27A03

薬物について正しいのはどれか.

1. 治療係数（LD50/ED50）が大きいほど安全性が低い.
2. 血漿蛋白と結合したものは薬理作用をもたない.
3. 坐薬投与では初回通過効果（first pass effect）を受ける.
4. 経口（内服）投与の方が筋肉内注射よりも薬効持続時間が短い.
5. 抗てんかん薬は治療薬物モニタリング（TDM）の対象とならない.

問題 2　□□□　28A04

薬物について正しいのはどれか.

a. 脳には全身循環から薬物が移行しやすい.
b. 直腸内投与の方が経口投与よりも効果発現は早い.
c. 血漿蛋白と結合したものは薬理作用を持たない.
d. 生体内利用率とは経口投与薬物のうち全身を循環する薬物の割合を示す.
e. 生物学的半減期は投与薬物が血中から消失するまでの時間の1/2の時間である.

1. a, b, c　2. a, b, e　3. a, d, e
4. b, c, d　5. c, d, e

問題 3　□□□　30P04

ある投与薬物の生物学的半減期の3倍の時間が経過したとき, その薬物の血中濃度は投与後のピーク値の何倍になるか.

1. 1/3
2. 1/4
3. 1/6
4. 1/8
5. 1/9

問題 4　□□□　25P05

薬物血中濃度モニタリングの必要性が低いのはどれか.

1. 薬物の有効血中濃度の範囲が狭い.
2. 薬物の体内動態における個人差が大きい.
3. 薬物血中濃度の治療域と中毒域が大きく離れている.
4. 薬効と副作用が薬物の血中濃度とよく相関する.
5. 腎障害のある患者に薬物を投与する.

問題 5　□□□　26A04

薬物の生物学的半減期を延長させるのはどれか.

a. 消化管からの吸収能力の低下
b. 血液から各組織への移行速度の低下
c. 肝臓の代謝能力の低下
d. 腎臓の排泄能力の低下
e. 総投与量の減少

1. a, b　2. a, e　3. b, c　4. c, d　5. d, e

問題 6　□□□　31A04

血液中に移行する前に肝臓で代謝を受ける（初回通過効果がある）薬剤の投与方法はどれか.

1. 舌下
2. 経口
3. 吸入
4. 直腸内
5. 静脈注射

問題 7 ☐☐☐ 36A04

投与後に最高薬物血中濃度に達するのが最も早い投与経路はどれか.

1. 静脈内注射
2. 筋肉内注射
3. 皮下注射
4. 直腸内投与
5. 経口投与

問題 8 ☐☐☐ 27A12

ワルファリンの効果を弱めるのはどれか.

a. うなぎ
b. そば
c. 納豆
d. ビタミンK剤
e. カリウム剤

1. a, b　2. a, e　3. b, c　4. c, d　5. d, e

問題 9 ☐☐☐ 24P05

気管支を拡張させるのはどれか.

1. アドレナリン
2. アセチルコリン
3. バソプレッシン
4. プロラクチン
5. アルドステロン

問題 10 ☐☐☐ 32P11

抗結核薬の副作用の組合せで正しいのはどれか.

a. イソニアジド（INH）———末梢神経炎
b. ピラジナミド（PZA）———心筋炎
c. リファンピシン（RFP）———髄膜炎
d. カナマイシン（KM）———難聴
e. エタンブトール（EB）———視力障害

1. a, b, c　2. a, b, e　3. a, d, e
4. b, c, d　5. c, d, e

問題 11 ☐☐☐ 34A05

薬剤治療に影響を与える因子として考えにくいのはどれか.

1. 投与経路
2. ABO式血液型
3. 体重
4. 併用薬
5. 年齢

問題 12 ☐☐☐ 34A10

アナフィラキシーショックの患者の血圧を上昇させるために用いる薬剤として最も適切なのはどれか.

1. アトロピン
2. アドレナリン
3. リドカイン
4. グルココルチコイド
5. 抗ヒスタミン薬

問題 13 ☐☐☐ 35A04

降圧薬に含まれないのはどれか.

1. β受容体作動薬
2. アンギオテンシン変換酵素阻害薬
3. カルシウム拮抗薬
4. サイアザイド系利尿薬
5. アンギオテンシンII受容体拮抗薬

問題 14 ☐☐☐ 37A03

薬物動態の過程として適切でないのはどれか.

1. 吸収
2. 分布
3. 合成
4. 代謝
5. 排泄

〈解答〉問題1-2, 問題2-4, 問題3-4, 問題4-3, 問題5-4, 問題6-2, 問題7-1, 問題8-4, 問題9-1, 問題10-3, 問題11-2, 問題12-2, 問題13-1, 問題14-3

6. 病理学概論

（1）病気の種類

○循環障害 【35回】 ★★

充血	・ある臓器や組織の動脈と毛細血管の血液量が正常よりも増加した状態をいう．この代表として炎症性の充血があるが，機能性の充血もある． ・動脈を圧迫すると，圧迫部から中枢部に充血が生じ，末梢側は虚血となる．
虚血	・臓器や組織の局所の動脈血が減少または停止したとき． ・虚血によって最も早く不可逆的傷害を受けるのは脳である．
貧血	・循環血液量の絶対量の不足あるいは，赤血球およびヘモグロビンの不足状態をいう．
うっ血	・静脈血の循環障害の結果，臓器や組織に血液が溜った状態． ・うっ血が長く続くとチアノーゼを来す． ・包帯などの圧迫でうっ血が生じる． ・慢性心不全では全身性のうっ血が生じる．
出血	・血液が血管外へ出た状態．
血栓	・血管内での血液の凝固物を血栓という． ・血管内皮障害，血流低下は血栓形成を促進させる．
塞栓	・凝血塊，脂肪，空気，腫瘍塊などが血流にのって末梢に運ばれ，末梢血管を閉塞して循環不全を起こす． ・血栓などが剥離して血流にのり，血管を閉塞することをいう． ・肺塞栓の原因として深部静脈血栓症が挙げられる．
チアノーゼ	・血液中の酸素分圧が低くなり，皮膚などが暗紫色となる．
浮腫	・組織液の異常な増加状態をいう． ・血管性浮腫は静脈・毛細血管でのうっ血でも生じる． ・血漿膠質浸透圧低下により生じる． ・リンパ浮腫は腫瘍や炎症により生じる．
梗塞	・動脈の閉塞による局所の壊死． ・虚血により細胞組織が壊死に陥った状態を梗塞と呼ぶ．
側副循環	・血管の吻合により，血液が通常と異なるルートに流れることによって血流を確保すること． ・静脈に多い． ・動脈閉塞時の組織壊死範囲を軽減する．

○炎症 【34回】【37回】 ★★

定義

➙炎症とは，生体の防御反応の１つであって組織の変質，循環障害と滲出，ならびに組織の増殖を伴う複雑な病変である．

徴候

➙ケルノスの４徴候：発赤，腫脹，発熱，疼痛

➙ガレノスの５徴候：発赤，腫脹，発熱，疼痛　＋　機能障害

急性炎症によって局所の血管透過性亢進を来す物質（炎症性メディエータ）

➙キニン

➙ヒスタミン

➙ロイコトリエン

❷プラスミン：キニンの産生をコントロール

炎症の早期過程
- ❷血管拡張による血流量の増加
- ❷血漿タンパク質や白血球が血管外に出やすくなるような微小血管の構造の変化
- ❷白血球の微小血管からの遊走と傷害部位への集積
- ❷炎症性メディエータの放出
- ❷血栓形成
- ❷好中球の遊走
- ❷血管透過性の亢進　→液性成分の滲出
- ❷組織圧の上昇

炎症期→慢性期へ移行 ★
- ❷線維芽細胞の増殖
- ❷血管内皮細胞の増殖
- ❷マクロファージの増殖
- ❷肉芽組織と局所上皮細胞の再生性増殖

サルコイドーシス
- ❷病理学的に非乾酪性類上皮細胞肉芽腫形成を特徴とする.
- ❷原因不明の全身性疾患で，若年と中年に好発する.
- ❷陽性であったツベルクリン反応が陰性化することがある.
- ❷目のぶどう膜炎が頻発する.
- ❷胸部単純 X 線像で両側肺門リンパ節腫脹を呈する.
- ❷血液検査
  - ・血清 γ-グロブリン分画の増加
  - ・高 Ca 血症
  - ・血清アンギオテイシン変換酵素（ACE）活性の上昇
  - ・血清リゾチーム活性の上昇

○新生物
定義

異型度	腫瘍細胞および腫瘍細胞の構成する組織構造の正常からの隔たりの程度のこと.
分化度	腫瘍細胞が発生した母細胞のもつ特徴をもつ程度のこと. 人体は細胞分裂を繰り返すうちに様々な形態をもつ細胞に変化する. 発生母地となった組織構造との類似の程度. ・近似のとき（正常な細胞に似ているほど）：高分化 ・隔たりが大きいとき（正常な細胞にかけ離れているほど）：低分化
悪性度	腫瘍の増殖速度が速い，転移しやすい，再発しやすい，死亡率が高いなどという生命予後に対する影響の程度のこと.
転移度	血管・リンパ管を介して遠隔臓器に転移する程度.
浸潤度	既存の組織に増殖する程度.
播種	散布性に広がること.
再発	手術や放射線治療などによって除去され消失した腫瘍と同じ腫瘍が発生することをいう.

良性腫瘍

❱ 発育速度が遅く，膨張性に増殖し，転移を来さない．

❱ 膨張性に発育（非浸潤性増殖）するため，腫瘍と非腫瘍部位の境界が鮮明である．

❱ 膨張性発育を示す腫瘍は摘出後の予後がよい．

❱ 良性腫瘍は悪性腫瘍と比べ

　・細胞の分化度が高い．

　・細胞の核分裂が少ない．

　・局所で膨張性に発育する．

　・発育速度は遅い．

悪性腫瘍 【36回】 ─────────────────── ★★

❱ 発育速度が速く，浸潤性に増殖し，転移を来す．

❱ 脈管侵襲を示す．

　・血管やリンパ管への侵入が多く，特にリンパ系を経由した転移が多い．

❱ 浸潤性に発育するため，境界が不鮮明で，転移や播種が起こる．

❱ 播種とは，腫瘍細胞が腹膜などに散布状に広がることをいう．

❱ 肝や肺には癌の血行性転移が起こりやすい．

❱ リンパ行性転移は癌腫で多くみられる．

❱ 個体にも影響を与え，悪液質や貧血を生じる．

❱ 細胞の分化度が低いほど予後が悪い．

❱ 細胞の核酸含有率が高い．

❱ 悪性腫瘍が発生した部位に限局している状態を初期癌，進展している状態を浸潤癌という．

❱ 細胞の異型性が強い．

　・細胞の形が不揃い，核の大小不同，核と細胞質の比率（N/C比）が大きい．

〈皮膚癌の原因〉

❱ 紫外線照射

❱ 放射線照射

悪性・良性腫瘍　特徴まとめ

	悪性腫瘍	良性腫瘍
発育速度	速い	遅い
局所の発育	浸潤性	圧排性（膨張性）
組織の境界	不鮮明	鮮明
腫瘍の周りの皮膜	ない	ある
転移	する	しない
播種	起こる	起こらない
再発	しやすい	まれ
ウイルスが原因	原因となる	原因とならない
悪液質	あり	なし
宿主への影響	著しい	少ない
細胞の分化度	悪い（低い）	良い（高い）
核の占有率（N/C比）	高い	高くない
細胞の形態	異型性が強い	発生母地組織に近似（異型性が弱い）
自然治癒	滅多にない	多い

腫瘍の分類まとめ

良性腫瘍	上皮性	乳頭腫（膀胱） 腺腫（消化管，甲状腺・脳下垂体などの内分泌臓器） 嚢胞腺腫（卵巣など）
	非上皮性	線維腫 粘液腫 脂肪腫 平滑筋腫 血管腫 軟骨腫 骨腫
悪性腫瘍	上皮性　（癌腫） ※上皮組織の存在する臓器に発生	腺腫（胃癌，大腸癌，肺癌，子宮体部癌など） 扁平上皮癌（肺癌，口腔癌，食道癌，咽頭癌，子宮頸癌，皮膚癌など） 移行上皮癌（腎盂，尿管，膀胱などの尿路癌） 未分化癌（肺癌など） 肝細胞癌，腎細胞癌，甲状腺癌などの臓器特有の癌
	非上皮性　（肉腫）	平滑筋肉腫，横紋筋肉腫，脂肪肉腫，線維肉腫，軟骨肉腫，骨肉腫，悪性穿刺組織球肉腫，悪性リンパ腫，白血病など

（2）細胞組織の変化

○細胞傷害の適応現象　【36 回】【37 回】　★★

- 細胞傷害に対して細胞・組織が恒常性を維持するため，様々な適応現象が起こる．
- 肥大，過形成（増殖，増生），萎縮，化生と呼ばれる現象がある．

○進行性病変（肥大，過形成，化生，再生）　【33 回】　★★

定義

- この病変に属する変化は，生体が受けつつある被害に対して，生体が一歩でもこれを押し返し，はねのけようとしている状態．

肥大	・臓器，あるいは組織を構成する細胞がその数を増やさずに細胞の大きさを増すことによって増加した負荷に対応する反応である． ・心肥大など
過形成 （増殖，増生）	・臓器あるいは**組織の構成細胞の数を増すこと**により，増加した負荷に対応する生体反応である． ・過形成は，思春期以後の乳腺，子宮内膜，精細管上皮，胃炎のときの胃の腺上皮などに起こる． ・増殖は，腫瘍の際の「自然増殖」を指す． ・増生は，「刺激などによる数の増加」を指す．
化生	・一度完全に分化してしまった組織が他の組織に変化することをいう（臓器固有の細胞ではなく，異なった種類の細胞に置き換わること）． ・**他の系統の分化した細胞への変化．**
再生	・組織あるいは臓器の一部が欠損したとき欠損部をもとの組織，あるいは臓器で補う生体の反応である． ・表皮，爪，毛髪，血球，子宮や胃腸管の粘膜など日常生理的に繰り返されているものもある．これを生理的な再生とし，病的なものと区別する．

再生能力 【33回】 ★★

❷再生能力は，組織や細胞の分化の程度が低いほど強く，分化の程度が高いほど低い.

再生能力のない細胞・組織	中枢神経細胞，心筋細胞（永久細胞），水晶体
再生能力の弱い細胞・組織	骨格筋，平滑筋など
再生能力の強い細胞・組織	皮膚表皮細胞，消化管上皮細胞，粘膜上皮，血液，結合組織，血管内皮，末梢神経線維，神経膠細胞，骨髄造血幹細胞など

○萎縮と変性

萎縮	・いったんは正常大に発育するが，実質細胞の容積減少，数的減少を伴うもの. ・細胞内のグリコーゲン，脂肪の消失により細胞質が縮小する.
変性	・代謝障害の結果，通常生体にはみられない物質や，正常にもみられる物質であるが，より大量の物質が臓器組織や細胞内に沈着した場合をいう.

○壊死（ネクローシス）・アポトーシス 【37回】 ★★

❷生体内の局所の死をいう.

❷壊死（ネクローシス）とは，不可逆的な細胞障害によって引き起こされる細胞死.

❷アポトーシスとは，遺伝子レベルでプログラムされている細胞死（発生過程で起こる生理学的死）.

・たとえば，オタマジャクシからカエルに変態する際に尻尾がなくなるのはアポトーシスによる.

凝固壊死	・阻血のために起こり，細胞核が消失するにもかかわらず，細胞の輪郭ならびに組織の構造が保たれ，しかも臓器の硬さが増す. ・心筋梗塞のときの壊死がこの代表的なものである.
液化壊死 （融解壊死）	・壊死に陥った組織や臓器が液化してやわらかくなる場合. ・細胞質のタンパク質の変性が高度に起こる. ・脳軟化症はその代表的疾患である.
乾酪壊死	・結核性滲出性病変の中心部は壊死に陥るが，この壊死巣は一般炎症の化膿による融解壊死と異なり凝固性の壊死となり，黄色調のチーズ状の壊死物質を形成する．これを乾酪壊死という.
壊疽	・皮膚や皮下組織などが死滅して暗褐色や黒色に変色する状態で，重症の血流障害や細菌感染（嫌気性菌など）が加わった，特殊な壊死の形態を壊疽という.

問題 1 □□□ 22P05

正しいのはどれか.

a. チアノーゼは局所の充血で生じる.
b. 浮腫は局所の充血が続くことで生じる.
c. 包帯などの圧迫でうっ血が生じる.
d. 慢性心不全では全身性のうっ血が生じる.
e. 動脈を圧迫すると末梢側に充血が生じる.

1. a, b 　2. a, e 　3. b, c 　4. c, d 　5. d, e

問題 2 □□□ 30P11

サルコイドーシスに特徴的なのはどれか.

a. 乾酪性類上皮細胞肉芽腫
b. ぶどう膜炎
c. 両側肺門リンパ節腫脹
d. 高カルシウム血症
e. アンギオテンシン変換酵素の低下

1. a, b, c 　2. a, b, e 　3. a, d, e
4. b, c, d 　5. c, d, e

問題 3 □□□ 27P03

循環障害の病態でないのはどれか.

1. 浮腫
2. 虚血
3. 側副循環
4. 梗塞
5. 新生物

問題 4 □□□ 28A05

血栓形成を促進するのはどれか.

a. 血管内皮障害
b. 血流低下
c. 線溶系亢進
d. 貧血
e. 血管透過性の亢進

1. a, b 　2. a, e 　3. b, c 　4. c, d 　5. d, e

問題 5 □□□ 26P04

炎症と関連が低いのはどれか.

1. 発赤
2. 冷汗
3. 腫脹
4. 疼痛
5. 機能障害

問題 6 □□□ 32P04

循環障害について誤っているのはどれか.

1. 動脈硬化粥腫病変の破綻による血栓性閉塞を塞栓症と呼ぶ.
2. 虚血により細胞組織が壊死に陥った状態を梗塞と呼ぶ.
3. 側副血行は動脈閉塞時の組織壊死範囲を軽減する.
4. 肺塞栓の原因として深部静脈血栓が挙げられる.
5. 粥状硬化は動脈狭窄の原因の一つである.

問題 7 □□□ 33A06

再生能力が高いのはどれか.

a. 心筋細胞
b. 中枢神経細胞
c. 皮膚表皮細胞
d. 骨髄造血細胞
e. 消化管上皮細胞

1. a, b, c 　2. a, b, e 　3. a, d, e
4. b, c, d 　5. c, d, e

問題 8 □□□ 32A04

誤っているのはどれか.

1. 壊死————プログラムされた生理的な細胞死
2. 過形成————細胞数の増加
3. 肉芽腫————類上皮細胞の増殖と巨細胞からなる病変
4. 化膿性炎————多数の好中球が滲出してくる炎症
5. 化生————他の系統の分化した細胞への変化

循環障害について正しいのはどれか.

　a．動脈血栓は抗血小板薬で予防する.
　b．急性心筋梗塞は冠動脈の閉塞で起こる.
　c．腫瘍や炎症によりリンパ浮腫が起こる.
　d．血漿膠質浸透圧上昇により浮腫が起こる.
　e．組織内血流量低下により充血が起こる.
　1. a, b, c　　2. a, b, e　　3. a, d, e
　4. b, c, d　　5. c, d, e

炎症の 5 徴に含まれないのはどれか.

　1．発赤
　2．発熱
　3．掻痒感
　4．疼痛
　5．機能障害

悪性腫瘍の特徴として適切でないのはどれか.

　1．多段階遺伝子異常
　2．細胞異型性
　3．非浸潤性増殖
　4．リンパ行性転移
　5．血行性転移

傷害に対する細胞の適応現象として適切なのはどれか.

　a．萎　縮
　b．肥　大
　c．増　生
　d．壊　死
　e．アポトーシス
　1. a, b, c　　2. a, b, e　　3. a, d, e
　4. b, c, d　　5. c, d, e

急性炎症が慢性期に移行したことを示唆する所見はどれか.

　1．好中球の遊走
　2．血管透過性の亢進
　3．液性成分の滲出
　4．組織圧の上昇
　5．線維芽細胞の増殖

正しいのはどれか.

　a．プログラムされた細胞死をネクローシスという.
　b．凝固壊死はアポトーシスの一種である.
　c．出血は炎症の 4 徴の一つである.
　d．肉芽組織の形成は創傷治癒過程の第 1 相である.
　e．液性免疫は B 細胞を介する.
　1. a, b　　2. a, e　　3. b, c　　4. c, d　　5. d, e

〈解答〉問題 1-4，問題 2-4，問題 3-5，問題 4-1，問題 5-2，問題 6-1，問題 7-5，問題 8-1，問題 9-1，問題 10-3，問題 11-3，問題 12-1，問題 13-5，問題 14-5

II. 人体の構造及び機能

1. 生 物 学 的 基 礎

（1）細胞の構造と機能

○ 細胞内液と細胞外液
- ❯ 水分（体液）60％，固形成分 40％
- ❯ 体液の分布
  - ・細胞内液 40％，細胞外液 20％（間質液 15％，血漿ほか 5％）
- ❯ 体液の主な電解質組成
  - ・細胞外液：Na^+，Cl^-
  - ・細胞内液：K^+，HPO_4^{2-}
- ❯ 体液の pH：7.4（正常範囲 7.35〜7.45），弱アルカリ性
- ❯ 細胞外液
  - ・pH が 7.35 未満であればアシドーシスであると判断できる．
  - ・細胞外液量は細胞内液の 1/2 である．
  - ・細胞外液量が増大すると，電解質コルチコイドの分泌は減少する．
  - ・浸透圧が上昇すると抗利尿ホルモン（ADH）の分泌が増す．

細胞内・外液のイオン組成 ━━━━━━━━━━━━━━ ★

組成	細胞外液 (mEq/L)	細胞内液 (mEq/L)
Na^+	143	14
K^+	4	157
Ca^{2+}	5	–
Mg^{2+}	3	26
HCO_3^-	27	10
Cl^-	117	–
HPO_4^{2-}	2	110
SO_4^{2-}	1	–
有機物＋タンパク質	74	8

諸臓器の水分含有率
- ❯ 臓器によって水分含有比が異なる．

臓器	重量あたりの水分当量
骨髄，血液	94〜99％
脳	85％
筋肉	75〜78％
皮膚，肝臓	70〜72％
骨	20％
脂肪	6〜10％

人体の水の重量比
- ❯人体の重量の約 2/3〜3/4 が水分から成り立っている.
- ❯体重 60 kg の健常成人の全体液量：31〜40 L（成人：体重の約 60%）
- ❯体内総水分量は年齢により異なる.
  - ・新生児および乳児　70〜80%
  - ・男性（若年者）　約 60%
  - ・女性（若年者）　約 50〜55%（男性と比べ脂肪量が多いため低い）
  - ・高齢者　約 50%
  - ・肥満者　約 50%
  - ・著しくやせた人　約 65%

○細胞膜と膜電位 ───────────────────────── ★
- ❯細胞は細胞膜を境にして内側と外側との間に常に一定の電位差がある．これは細胞内液と細胞外液との間で K^+ と Na^+ のそれぞれの濃度が不均等であることによる.
- ❯静止状態では細胞外に対し，細胞内は負に電荷している：-50〜-90 mV.
- ❯静止膜電位の発生には主に K^+ が関与する.
- ❯細胞が電気的興奮を生じる最低の刺激を閾刺激（閾値）といい，この電位を閾膜電位という.
- ❯閾値以上の刺激を与えても興奮はそれ以上増大せず，活動電位の発生は「全か無かの法則」に従う.
- ❯クロナキシーとは，基電流の 2 倍量の電流を流したときの興奮に至る最短通電時間.
- ❯神経細胞などが興奮する，いわゆる「活動電位」は，興奮時に細胞膜が Na^+ の透過性を増大させた結果である．これにより Na^+ は平衡電位に近づく．この細胞内外の電位差が減少する現象を脱分極といい，その後，再分極して再び静止膜電位に戻る.
- ❯細胞外電位を超える部分をオーバーシュートと呼ぶ：$+40$ mV.
- ❯細胞膜でいったん活動電位が生じた場所は，一定の時間興奮できない状態になる．これを不応期と呼び，絶対不応期と相対不応期に区分される.
- ❯絶対不応期では，いかなる強い刺激を与えても反応しない.
- ❯絶対不応期は神経線維で 0.4〜1 ms，骨格筋で 1〜2 ms である.
- ❯相対不応期では，比較的強い刺激である場合には反応する.
- ❯過分極は静止膜電位よりもマイナスに変化する.

○膜透過速度 【35回】 ──────────────────────── ★★
- ❯細胞膜にはリン脂質部分を通過する脂質経路と，チャネルタンパク質を通過する細孔経路があり，単純拡散の膜透過速度は，Fick の法則に従う.
- ❯単純拡散は膜を隔てた両側の，薬物の濃度勾配（濃度の差）を駆動力とした輸送となる.
- ❯Fick の法則

$$V = \frac{D \cdot A \cdot K}{h} \cdot (C_h - C_i)$$

（D：拡散定数，K：膜/溶媒間の分配係数，A：膜面積，h：膜の厚さ，C_h：高濃度側の薬物濃度，C_i：低濃度側の薬物濃度）

核	核	・染色体と核小体を含む. ・DNA の複製, 遺伝情報の転写など. ・核小体では rRNA の転写やリボソームの構築が行われる.
	核酸	・核酸は「リン酸-糖-塩基」で作られるヌクレオチドという構成単位が多数重合したもの. ・DNA（デオキシリボ核酸）と RNA（リボ核酸）がある. ・遺伝情報は DNA（デオキシリボヌクレオチド三リン酸）に塩基配列として保存されている. ・塩基は, アデニン（A）, グアニン（G）, シトシン（C）, チミン（T）, ウラシル（U）の 5 種類が存在する. ・DNA では A, G, C, T が含まれる. ・RNA では A, G, C, U が含まれる. ・DNA では A-T, G-C が互いに水素結合を介して向かい合って結合する. ・DNA は二本鎖で二重らせん構造をとる. ・イノシンは DNA を構成する塩基ではない.
細胞質	細胞膜	・細胞内外の物質代謝, 膜電位の発生, 脂肪二重層（静電容量 $1\,\mu F/cm^2$ のコンデンサ）. ・脂肪の二重層（コレステロール, タンパク質, リン脂質）：ヒトの細胞膜を構成する.
	ミトコンドリア（糸粒体）	・ATP を合成, 供給. ・細胞内呼吸. ・細胞のエネルギー代謝を司る細胞内小器官であり, 内膜のひだ状構造には多数の酸化的リン酸化酵素が付着している.
	ゴルジ体	・分泌物質の合成と貯蔵. ・タンパク質への糖付加.
	中心体	・細胞分裂に関与. ・中心小体は細胞質内に存在する直径 $0.15\,\mu m$ の小さな円筒形の小器官であり, 9 組の筒状構造物により構成される.
	リボソーム	・タンパク質の合成の場.
	粗面小胞体	・リボソームが結合している小胞体. タンパク質の合成.
	滑面小胞体	・リボソームが結合していない小胞体. 脂質の生合成.
	リソソーム（ライソソーム）	・加水分解酵素を含み, 不要物質を分解処理. ・リソソームはゴルジ体で形成される小胞状の小器官で, 細胞質全体に散在し, 不要な細胞内物質を消化する役割を担っている.
細胞骨格		・細胞形態の維持, 細胞質の支持体として細胞をまとめたり, 細胞内小器官を形成.

転移 RNA（tRNA）

❷リボソームは rRNA とタンパク質の複合体で, それぞれの顆粒の表面や顆粒の連結部が複雑な形をしており, そこに mRNA や tRNA が結合できる場所になっている.

❷転移 RNA（tRNA）は mRNA 上の遺伝暗号と, アミノ酸を結合してタンパク質合成を行っているリボソームにアミノ酸を供給する.

○**遺伝子と染色体**
遺伝子損傷

❷電離放射線（アルファ線, 重陽子線, 陽子線, ベータ線, 電子線, 中性子線, ガンマ線および X 線）や化学物質によって起こる.

細胞周期

●真核細胞の細胞分裂周期は，4つの段階に
分けられている．
・M期　→G1期　→S期　→G2期　→
M期

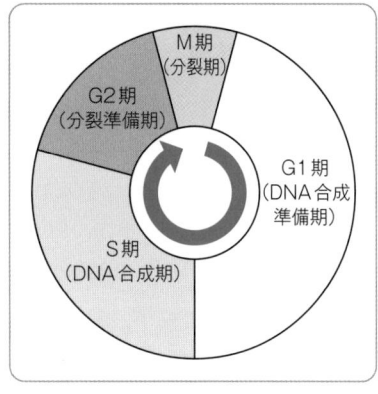

図　細胞周期

（2）組織

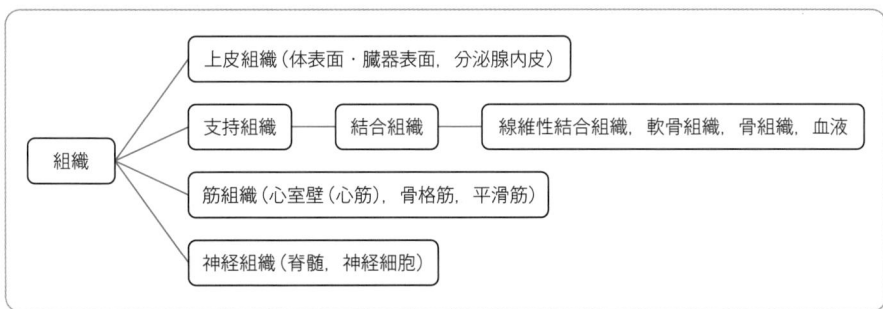

上皮組織

種類		代表的な部位	働き・役割
	単層扁平上皮	血管内皮，肺胞	交換
	重層扁平上皮	皮膚（表皮），口腔，食道，腟	保護
	（単層）円柱上皮	消化管粘膜上皮（胃，小腸，大腸）	吸収
	線毛（多列線毛）上皮	気管，鼻腔，卵管	運搬
	移行上皮	膀胱，尿管，腎盂，腎杯	貯留
	（単層）立方上皮	尿細管，甲状腺の濾胞上皮	その他

○結合組織と支持組織
　線維性結合組織
　　❯半月板
　　❯皮下脂肪
　　❯アキレス腱
　　❯真皮
　　❯腱
　　❯靱帯

臨床工学技士国家試験問題　Check UP!

問題 1　□□□　28P02

DNA を構成する塩基でないのはどれか.

1. アデニン
2. チミン
3. グアニン
4. シトシン
5. キサンチン

問題 3　□□□　29A06

細胞の電気的現象で正しいのはどれか.

1. 静止状態では細胞外は細胞内に対して負の電位を示す.
2. 静止電位は Cl^- が細胞内に流入することで発生する.
3. 活動電位は Na^+ が細胞外に流出することで発生する.
4. 細胞外の電位が上昇して 0 に近づくことを脱分極という.
5. 細胞内の電位が上昇してあるレベルに達すると活動電位が発生する.

問題 2　□□□　31P08

細胞外液濃度よりも細胞内液濃度の方が高いイオンはどれか.

a. K^+
b. Cl^-
c. Na^+
d. HCO_3^-
e. HPO_4^{2-}
1. a, b　2. a, e　3. b, c　4. c, d　5. d, e

問題 4　□□□　29P04

重層扁平上皮をもつのはどれか.

a. 胃粘膜
b. 腟粘膜
c. 食道粘膜
d. 膀胱粘膜
e. 気管支内腔
1. a, b　2. a, e　3. b, c　4. c, d　5. d, e

問題 5　□□□　　　　　　23P06

結合組織（支持組織）からなるのはどれか.

- a．心室壁
- b．脊髄
- c．半月板
- d．皮下脂肪
- e．アキレス腱

1. a，b，c　　2. a，b，e　　3. a，d，e
4. b，c，d　　5. c，d，e

問題 6　□□□　　　　　　35P04

ある薬物の細胞膜を介した移動が Fick の拡散法則に従うとき，最も影響の小さいパラメータはどれか.

1. 膜厚
2. 膜面積
3. 薬剤の膜透過性
4. 膜を介した浸透圧差
5. 膜を介した薬剤の濃度差

問題 7　□□□　　　　　　34P05

細胞について正しいのはどれか.

- a．細胞膜は主にフィブリンで構成される.
- b．ゴルジ装置は ATP 産生を担う.
- c．リボゾームはタンパク合成を担う.
- d．リソソームは物質を分解処理する.
- e．核は DNA を含む.

1. a，b，c　　2. a，b，e　　3. a，d，e
4. b，c，d　　5. c，d，e

問題 8　□□□　　　　　　35P03

アミノ酸をリボソームに運搬するのはどれか.

1. DNA
2. tRNA
3. rRNA
4. mRNA
5. miRNA

問題 9　□□□　　　　　　36A06

細胞小器官について正しいのはどれか.

- a．リボソームはタンパク質を合成する.
- b．細胞膜は電位勾配を形成する.
- c．ゴルジ体は ATP を産生する.
- d．リソソームは分泌を行う.
- e．染色体は核内にある.

1. a，b，c　　2. a，b，e　　3. a，d，e
4. b，c，d　　5. c，d，e

問題 10　□□□　　　　　　37A05

細胞内で ATP 合成を担うのはどれか.

1. 核
2. ゴルジ装置
3. 小胞体
4. リソソーム
5. ミトコンドリア

〈解答〉問題 1-5，問題 2-2，問題 3-5，問題 4-3，問題 5-5，問題 6-4，問題 7-5，問題 8-2，問題 9-2，問題 10-5

2. 身体の支持と運動

（1）骨・軟骨・関節

○**骨の生理機能**
- カルシウムの約99％がリン酸カルシウム（ハイドロキシアパタイト）として骨や歯に貯蔵され，必要に応じて血液中のカルシウム量を調節する．
- 骨髄は赤血球産生の場となる．
- 血漿カルシウム濃度を調節する．
- 骨量は破骨細胞と骨芽細胞によるリモデリングで増減される．
- 女性は閉経後（エストロゲンの減少）に骨密度が低下する．

○**骨代謝に関わるホルモンの作用**
- 低カルシウム血症では，神経・筋の興奮性が高まり，テタニー，けいれんなどの症状が出てくる．
- カルシトニンは破骨細胞の活性を低下させる：代謝の抑制．
- 副甲状腺ホルモン（パラソルモン，PTH）は破骨細胞を活性化（刺激）させる：代謝の促進．
- PTHは腎尿細管におけるカルシウムイオン再吸収を促進させる．
- 活性型ビタミンDは腸管でのカルシウムの吸収促進とともに，腎でのカルシウム再吸収を促進させる．

○**全身の骨格**
- 左右の頭頂骨の間には矢状縫合がある．
- 頭頂骨は左右1個ずつで，計2個からなる．
- 鎖骨は胸骨と関節をもつ．
- 肋骨は12対ある．
- 坐骨は腸骨の下部にある．
- 坐骨，恥骨，腸骨の3つを合わせて寛骨と呼ぶ．
- 骨盤は，腸骨＋恥骨＋仙骨＋坐骨の4つの骨の総称である．
- 右前腕には2本の長管骨（橈骨，尺骨）がある．
- 右大腿には1本の長管骨（大腿骨）がある．
- 脛骨は下肢の骨である．

椎体
〈脊柱を構成する骨の名称とその数〉

名称	数
頸椎	7個
胸椎	12個
腰椎	5個
仙椎	5個
尾椎	3〜6個

❷頸椎のうち最も頭側のものは環椎と呼ばれる.

❷軸椎は第2頸椎（C2）である.

❷胸骨と胸椎は胸郭を構成する骨である.

❷腰椎には生理的前弯がある.

❷仙椎は坐骨に接続する.

○関節の運動

屈曲	骨同士の角度を小さくする.
伸展	屈曲の反対. 骨同士の角度や距離を大きくする.
外転	四肢のどれかを，身体の正中面から遠ざける運動. つまり上下肢を身体の外側に広げる運動.
内転	外転の反対. 四肢を正中面に近づける.
描円（分まわし運動）	円を描くような動き. たとえば肩関節を支点に腕をぐるぐる回す動き.
回旋	骨の縦軸を軸に回転させる運動. たとえば，首の左右横向き動作.
回内	前腕を差し出し，上を向いた手掌（手のひら）を伏せる運動.
回外	回内の反対. 手掌を上に向ける運動. このとき，橈骨と尺骨が平行位.
内反	足底面（足の裏）を内側にひるがえす. たとえば足の裏を合わせるときの運動.
外反	内反の反対.
背屈	つま先を上げたり，かかとで立つ運動.
底屈	背屈の反対. つま先立ちの運動.

（2）筋

○筋組織の構造と機能 【37回】 ★★

	骨格筋	心筋	平滑筋
所在	骨格周囲（骨格筋），横隔膜	心臓（心筋）	内臓（内臓筋）
核	多核	単核	単核
細胞	細長い	あまり長くない	紡錘形で短い
横紋	あり	あり	なし
神経支配	運動神経	自律神経	自律神経
随意・不随意	随意	不随意	不随意
収縮度	収縮度大，急速（瞬間的）	収縮度大，急速	収縮小，緩慢（持続的）
疲労	疲労しやすい	疲労しにくい	疲労しにくい
分布	手指の屈曲，呼吸，腕，脚，横隔膜など	心臓の拍動	血管，胃，腸（内臓），膀胱の収縮など

❷横隔膜は吸気時に収縮する.

❷上腕三頭筋は伸筋である.

❷胸鎖乳突筋は身体の長軸に対し斜走する.

❷僧帽筋は菱形をしている.

❷三角筋は上肢にある.

問題 1　□□□　28P06

誤っているのはどれか.

1. 横隔膜は吸気時に収縮する.
2. 上腕三頭筋は伸筋である.
3. 胸鎖乳突筋は身体の長軸に対し斜走する.
4. 僧帽筋は菱形をしている.
5. 三角筋は臀部にある.

問題 2　□□□　24A07

関節の運動で誤っているのはどれか.

1. 手掌を前方に向ける運動を外転という.
2. 足の甲を持ち上げる運動を背屈という.
3. 肘関節をまっすぐにする運動を伸展という.
4. 首を左右に回す運動を回旋という.
5. 膝関節を曲げる運動を屈曲という.

問題 3　□□□　27A06

椎体について誤っているのはどれか.

1. 頸椎は7つある.
2. 頸椎のうち一番頭側のものは環椎と呼ばれる.
3. 胸骨は胸椎の一部である.
4. 腰椎には生理的前弯がある.
5. 仙椎は坐骨に接続する.

問題 4　□□□　30P06

骨について誤っているのはどれか.

1. 頭頂骨は1個の骨からなる.
2. 頸椎は7個の椎体からなる.
3. 右前腕には2本の長管骨がある.
4. 肋骨は12対ある.
5. 右大腿には1本の長管骨がある.

問題 5　□□□　29P05

骨について誤っているのはどれか.

1. 脛骨は下腿の骨である.
2. 鎖骨は胸骨と関節をもつ.
3. 坐骨は腸骨の頭側にある.
4. 左右の頭頂骨の間には矢状縫合がある.
5. 軸椎は第2頸椎（C2）である.

問題 6　□□□　23A08

カルシウムについて正しいのはどれか.

a. 骨には成人体内のカルシウムの約80%が含まれている.
b. 血漿カルシウム濃度低下で神経・筋の興奮性が低下する.
c. カルシトニンは破骨細胞の活性を低下させる.
d. パラソルモンは腎臓におけるカルシウム再吸収を促進する.
e. 活性型ビタミンDは骨からのカルシウム放出を調整する.

1. a, b　2. a, e　3. b, c　4. c, d　5. d, e

問題 7　□□□　37A06

横紋筋が主体の臓器はどれか.

a. 心　臓
b. 大動脈
c. 気管支
d. 大　腸
e. 横隔膜

1. a, b　2. a, e　3. b, c　4. c, d　5. d, e

〈解答〉問題1-5, 問題2-1, 問題3-3, 問題4-1, 問題5-3, 問題6-4, 問題7-2

3. 呼 吸

（1）呼吸器の構造

○上気道・下気道 【34回】【35回】　★★

- 喉頭蓋は嚥下するときに閉じることで，気管への食塊の侵入を防ぐ役割をもつ．
- 声門は咽頭にある．
- 気管の壁には，馬蹄形（U字型）の軟骨がみられる．
- 終末細気管支までは呼吸運動に伴ってガスが通る通路であり，ここではガス交換は行われない．
- 呼吸細気管支から肺胞にてガス交換が行われる．
- 咽頭上部，喉頭，気管は線毛上皮で覆われている．
- 気管は食道の前方に位置する．
- 気管の後面には食道が接し，下方では左気管支と交差する．
- 気管は喉頭の下から始まる．
- 気管の後壁は平滑筋よりなる．
- 気管は喉頭に続く長さ10〜12 cm，直径2 cmの管で，食道に沿って胸腔を下る．
- 気管は左右気管支に分かれる．右気管支は左気管支より短く，分岐角度が小さい（右気管支分岐角度25°，左気管支分岐角度45°）．
- 右主気管支の方が垂直に近く，体の長軸方向に分岐している．
- 細気管支以下の気道壁には軟骨がみられない．
- 細気管支は平滑筋や弾性線維を含む膠原線維結合組織からなる．
- 気管支壁は杯細胞を含む，多列線毛上皮で覆われる．
- 気道は肺胞にいくほど総面積が大きい．

気道の分岐と名称

気道系（道管部）						肺胞実質系（ガス交換）		
気管	主気管支	葉気管支	気管支	細気管支	終末細気管支	呼吸細気管支	肺胞道	肺胞嚢

死腔 ←

→ 軟骨は存在しない

○肺 【34回】【35回】　★★

- 右肺は上葉・中葉・下葉の3葉に，左肺は上葉・下葉の2葉に分かれる．
- 水平裂は右肺に存在する．
- 肺の頭側の頂点部を肺尖という．
- 肺の内側面の中央に肺門がある．
- 肺胞面積：60〜70 m^2（体表面積の50倍）．
- 肺には左右ともにそれぞれ，10区画の肺区域に分けられる．

○横隔膜，胸腔，縦隔 【35回】 ★★

- 胸膜は臓側胸膜と壁側胸膜からなる．
- 2つの胸膜のうち，肺側にあるものを臓側胸膜と呼ぶ．
- 自発呼吸下の吸気時に肺胞内圧は常に陰圧である．
- 胸腔内は常に陰圧である．
  - 吸息時 -6～$-7\ cmH_2O$
  - 呼息時 -2～$-4\ cmH_2O$
- 横隔膜は，頸髄（頭神経叢）から出る横隔神経によって支配される．
- 横隔膜は，胸腔と腹腔の境となる膜状の骨格筋である．
  - 腱中心を停止部とする膜状の骨格筋である．
  - 腱中心の上面には心膜，下面には肝臓がつく．
- 横隔膜には3カ所の孔があり，血管などがそれぞれ通過している．
  - 大動脈裂孔を大動脈と胸管が通過．
  - 食道裂孔を食道と迷走神経が通過．
  - 大静脈孔を下大静脈が通過．

呼吸運動 【33回】【35回】 ★★

- 吸息運動は横隔膜が収縮して降下するときに起こる．
- 外肋間筋吸気筋は吸気時に収縮する．
- 安静時の吸息において肺に入る気体の70～80％は横隔膜の運動，20～30％は外肋間筋の運動による．
- 安静時の自発呼吸の呼気時には吸気筋（横隔膜）が弛緩して胸郭の大きさに戻る．
- 吸気のメカニズムは肺の受動的な拡張である．
- 呼吸筋の活動は低い．
  - 安静時呼気は吸気筋の弛緩が主であり，安静時呼気筋（腹筋，肋間筋など）の活動はわずかである．
- 横隔膜と腹筋との同時収縮で腹圧を上昇させる．

○ 肺気量分画 【36回】　　　　　　　　　　　　　　　　★★

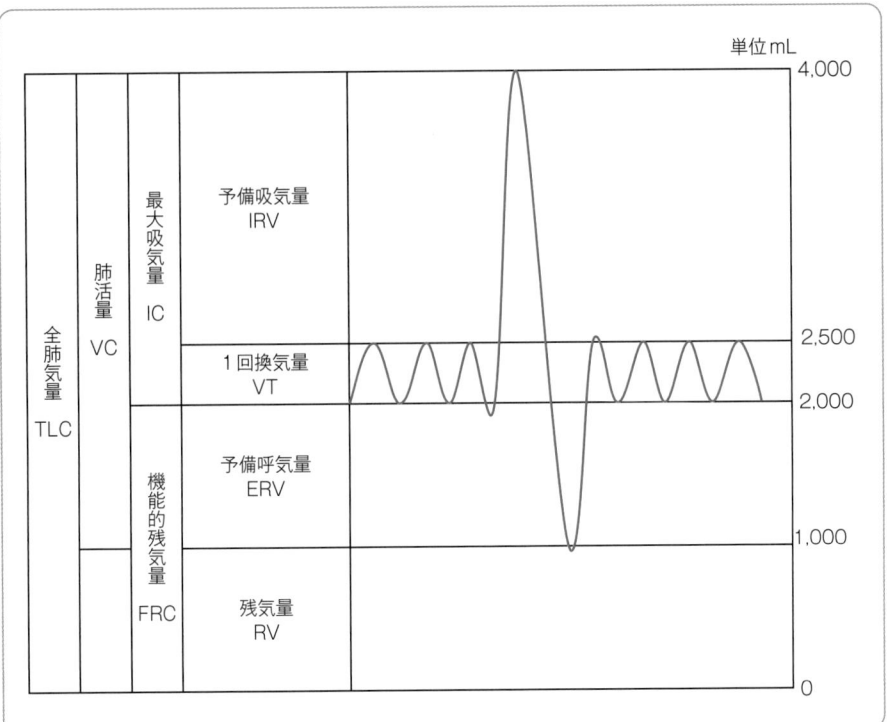

- 最大呼気時の肺に残る空気量は残気量を示し，成人の基準値は 1,000〜1,500 mL である．
- 残気量はスパイロメータで測定できない．
- 成人の安静時 1 回換気量は 400〜500 mL 程度である．
- 安静時の呼吸回数：14〜20 回/分
- 機能的残気量は，安静時呼気終末時（1 回換気量が呼出された後）に肺に残っている空気量である．
- 肺活量の平均値は，日本人の成人男性で約 3,000〜4,000 mL，女性で 2,000〜3,000 mL である．
- 解剖学的死腔は約 150 mL．
- 予備呼気量はスパイロメータで測定できる．
- 1 秒率（$FEV_{1.0}$）は最大努力で呼出した際の最初の 1 秒間に呼出された空気の量である．

〈換気量計算式〉
- 1 回肺胞換気量＝1 回換気量［mL］−死腔量［mL］
- 分時換気量＝1 回換気量［mL］×換気回数［回/分］
- 分時死腔換気量＝解剖学的死腔量［mL］×換気回数［回/分］
- 分時肺胞換気量＝（1 回換気量［mL］−死腔量［mL］）×換気回数［回/分］

> **例題**
>
> 　1回換気量 500 mL，死腔量 150 mL，呼吸回数 12 回/分であるときの分時肺胞換気量はいくつか？
>
> **解答**
> 　　分時肺胞換気量＝（1回換気量－死腔量）×換気回数
> 　　　　　　　　　＝（500 mL/回－150 mL）×12 回/分
> 　　　　　　　　　＝4,200 mL/分

〈予測肺活量（日本呼吸器学会）〉

- ❷肺活量の予測値を求めるのに必要な項目：身長，年齢，性別
- ❷男性：予測 VC [mL]＝0.045×身長 [cm]－0.023×年齢－2.258
- ❷女性：予測 VC [mL]＝0.032×身長 [cm]－0.018×年齢－1.178

◯ ガス交換とガス運搬，ヘモグロビン酸素解離曲線

肺胞 ────────────────────────── ★

- ❷肺胞でガス交換が行われる．
- ❷肺胞内に吸い込まれた空気の湿度は 100 % である．
- ❷健常者の肺胞内は無菌状態である．
- ❷肺コンプライアンスが大きいと肺は膨らみやすい．
- ❷肺胞上皮細胞にはⅠ型とⅡ型の上皮細胞がある．
- ❷Ⅰ型細胞：ガス交換に関与する扁平上皮細胞．
- ❷Ⅱ型細胞：肺胞表面張力を低下させる界面活性物質（サーファクタント）を分泌する．肺コンプライアンスの上昇．

ガス交換

- ❷肺胞気から血液への酸素（O_2）の移動は拡散による（受動的）．
- ❷血液から肺胞気への二酸化炭素（CO_2）の移動も拡散による（受動的）．
- ❷CO_2 の拡散能は O_2 の拡散能の約 20 倍大きい．
- ❷肺動脈血の二酸化炭素分圧は肺静脈血のそれよりも高い．
- ❷血液が 1 回肺を通過すると約 100 % のヘモグロビンが酸素で飽和される．
- ❷酸素消費量　250 mL/分

ガス分圧　【34 回】 ──────────────── ★★

	肺胞気	動脈血	静脈血
酸素分圧	約 100 mmHg	約 100 mmHg	約 40 mmHg
二酸化炭素分圧	約 40 mmHg	約 40 mmHg	約 46 mmHg

※大気圧の O_2 分圧（PO_2）は約 150 mmHg

- ❷吸入気酸素分圧（PIO_2）[mmHg]
  ＝（大気圧 [mmHg]－飽和水蒸気圧 [mmHg]）×酸素濃度

例題

大気圧が 760 mmHg の平地における吸入気酸素分圧（P_IO_2）[mmHg] はおよそいくらか．ただし，体温は 37℃，大気の酸素濃度は 21%，飽和水蒸気圧は 44 mmHg である．

解答

吸入気酸素分圧（P_IO_2）[mmHg] は以下の式により求められる．なお，空気は気道にて，37℃の水蒸気圧（47 mmHg）で飽和される．

吸入気酸素分圧（P_IO_2）=（大気圧 − 飽和水蒸気圧）× 酸素濃度

$$=(760−44)×0.21=150.36\ [mmHg]$$

肺拡散能力 【37回】 ★★

● 酸素の肺拡散能は，1 mmHg の分圧差で単位時間（1 分間）に通過する酸素量を示している．

● 酸素の肺拡散能 DLO_2 [mL/(mmHg・分)]
= 酸素摂取量/(肺胞気の酸素分圧 PAO_2−肺毛細血管血の酸素分圧 PcO_2)

例題

分時換気量が 5500 mL の安静呼吸時において，吸気の酸素濃度が 21%，呼気の平均酸素濃度が 12%，肺胞の酸素分圧が 100 mmHg，肺毛細血管の平均酸素分圧が 78 mmHg のとき，酸素の肺拡散能 [mL/(mmHg・分)] はおよそいくらか．

解答

酸素の肺拡散能 [mL/(mmHg・分)] は，酸素摂取量/(肺胞−毛細血管酸素分圧差) より求められる．

酸素摂取量 = 分時換気量 ×（吸気酸素濃度 − 呼気平均酸素濃度）

$$=5500[mL/分]×(0.21−0.12)$$

$$=495[mL/分]$$

（肺胞−毛細血管酸素分圧差）= 肺胞酸素分圧 − 肺毛細血管平均酸素分圧

$$=100[mmHg]−78[mmHg]$$

$$=22[mmHg]$$

よって，酸素の肺拡散能 [mL/(mmHg・分)] = 495[mL/分]/22[mmHg]

$$=22.5[mL/(mmHg・分)]$$

動脈血液ガスの正常値

● pH：$7.4±0.05$
● PaO_2：80〜100 mmHg（80〜100 Torr）
● $PaCO_2$：40±5 mmHg（40±50 Torr）
● $HCO_3^−$：22±2 mEq/L
● BE：0±2 mEq/L
● SaO_2：95%以上

酸素解離曲線の偏位

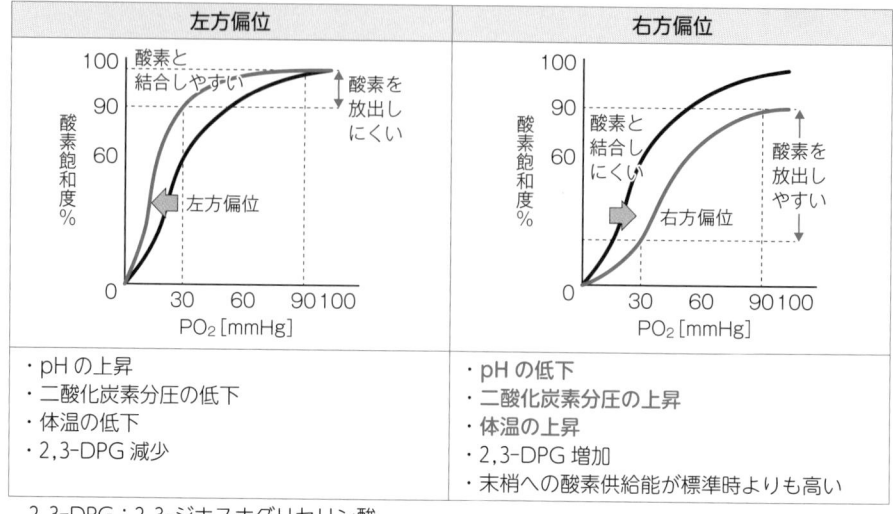

左方偏位	右方偏位
・pH の上昇 ・二酸化炭素分圧の低下 ・体温の低下 ・2,3-DPG 減少	・pH の低下 ・二酸化炭素分圧の上昇 ・体温の上昇 ・2,3-DPG 増加 ・末梢への酸素供給能が標準時よりも高い

2,3-DPG：2,3-ジホスホグリセリン酸

酸塩基平衡

➔血液の水素イオン濃度（pH）：7.4（基準値）

➔呼吸性アシドーシス：二酸化炭素の蓄積　→ pH 低下

➔呼吸性アルカローシス：二酸化炭素の過剰排泄　→ pH 上昇

アシドーシスとアルカローシスの分類

	代謝性	呼吸性
アシドーシス	糖尿病（糖尿病性ケトアシドーシス） 慢性腎不全 薬物中毒 下痢　など	慢性閉塞性肺疾患（COPD） 気管支喘息 CO_2 ナルコーシス 睡眠時無呼吸症候群（SAS）　など
アルカローシス	嘔吐 HCO_3^- の過剰投与　など	急性呼吸窮迫症候群（ARDS） 過換気症候群　など

○肺循環　★

➔気管支動脈は肺の栄養血管である.

➔肋間動脈は，肋間隙上縁を走行する.

➔解剖学的シャントは心拍出量の 2〜4%.

問題 1　□□□　33A07

自発呼吸の吸気時に生じない現象はどれか.

1. 外肋間筋の収縮
2. 肺胞の拡張
3. 横隔膜の降下
4. 胸腔内圧の低下
5. 静脈還流量の減少

問題 2　□□□　32A06

呼吸器の構造について誤っているのはどれか.

1. 肋間動脈は肋骨上縁を走行する.
2. 右主気管支の分岐角度（体軸に対しなす角）は左主気管支よりも小さい.
3. 2つの胸膜のうち肺側にあるものを臓側胸膜と呼ぶ.
4. 気管の後壁は平滑筋よりなる.
5. 水平裂は右肺に存在する.

問題 3　□□□　31P06

呼吸機能について誤っているのはどれか.

1. 自発呼吸下の吸気時に肺胞内圧は陰圧である.
2. 機能的残気量は予備呼気量と残気量の和である.
3. 肺コンプライアンスが小さいと肺は膨らみやすい.
4. 肺動脈血の二酸化炭素分圧は肺静脈血のそれよりも高い.
5. 酸素は二酸化炭素よりも肺胞での拡散能が小さい.

問題 4　□□□　34P06

誤っているのはどれか.

1. 右主気管支は左主気管支よりも短い.
2. 中葉は右肺に存在する.
3. 肺胞でガス交換が行われる.
4. 気管は食道の背側を走行する.
5. 胸膜腔は壁側胸膜と臓側胸膜に囲まれている.

問題 5　□□□　35P06

正しいのはどれか.

1. 嚥下するとき, 喉頭蓋は開く.
2. 右肺は2葉からなる.
3. 吸気時に横隔膜は弛緩する.
4. 胸膜は臓側胸膜と壁側胸膜からなる.
5. 主気管支の分岐角度は右より左の方が小さい.

問題 6　□□□　34A07

大気圧が 480 mmHg の高地における吸入気酸素分圧（PIO_2）[mmHg] はおよそいくらか. ただし, 体温は 37℃, 大気の酸素濃度は 21%, 飽和水蒸気圧は 47 mmHg である.

1. 91
2. 100
3. 150
4. 160
5. 433

解剖学的死腔が 150 mL の人が，以下に示す A から E の換気を行った．誤っているのはどれか．

　　[換気 A]　1 回換気量：500 mL，分時換気回数：12 回
　　[換気 B]　1 回換気量：400 mL，分時換気回数：12 回
　　[換気 C]　1 回換気量：400 mL，分時換気回数：20 回
　　[換気 D]　1 回換気量：300 mL，分時換気回数：20 回
　　[換気 E]　1 回換気量：400 mL，分時換気回数：24 回

1. 換気 A と換気 D の分時換気量は等しい．
2. 換気 A と換気 B の分時死腔換気量は等しい．
3. 換気 C と換気 D の分時肺胞換気量は等しい．
4. 1 回肺胞換気量は換気 A が一番多い．
5. 分時肺胞換気量は換気 E が一番多い．

分時換気量が 6000 mL の安静呼吸時において，吸気の酸素濃度が 21%，呼気の平均酸素濃度が 16%，肺胞の酸素分圧が 100 mmHg，肺毛細血管の平均酸素分圧が 85 mmHg のとき，酸素の肺拡散能 [mL/(mmHg・分)] はおよそいくらか．

1. 15
2. 20
3. 25
4. 75
5. 80

〈解答〉問題 1-5，問題 2-1，問題 3-3，問題 4-4，問題 5-4，問題 6-1，問題 7-3，問題 8-2

4. 循環

1）心臓，血管の構造

○ 心臓の構造 ────────────────────── ★

心臓壁

❂ 内側から心内膜・心筋層・心外膜からなる.

❂ 心筋は横紋筋であるが，不随意筋である.

❂ 左心室壁は右心室壁よりも厚い.

心臓の弁 【33回】 ──────────────── ★★

❂ 左房室弁（僧帽弁），右房室弁（三尖弁），大動脈弁，肺動脈弁

❂ 大動脈弁は左心室からの流出路に位置する.

❂ 三尖弁は右房と右室の間に存在する.

❂ 右心室が収縮すると三尖弁が閉鎖する.

❂ 腱索は心室内の乳頭筋に付着している.

❂ 乳頭筋は心室内に存在する.

❂ 房室弁（三尖弁，僧帽弁）は，心室収縮期に心室の高い圧力で心房に反転しないように，腱索で乳頭筋に連結する.

❂ 弁開閉順序：僧帽弁閉鎖　→大動脈弁開放　→大動脈弁閉鎖　→僧帽弁開放

〈心臓の弁の構造〉

❂ 2枚：僧帽弁

❂ 3枚：三尖弁，肺動脈弁，大動脈弁

❂ 半月弁：肺動脈弁，大動脈弁

○ 心臓の支配神経

❂ 心臓は自律神経に支配されている.

❂ 交感神経刺激によって心拍数が増加する.

❂ 交感神経が心臓の運動を促進し，副交感神経（迷走神経）で抑制される.

○ 血管の構造 ───────────────────── ★

❂ 動脈壁，静脈壁は内膜，中膜，外膜の3層からなる.

❂ 血管の平滑筋には交感神経が分布している.

○ 冠循環 【33回】【37回】 ──────────── ★★

冠状動脈

❂ 心臓は左右2本の冠動脈より血液の供給を受ける.

❂ 冠状動脈は上行大動脈から左右一対が分岐する.

❂ 冠状動脈は上行大動脈起始部から出る.

❂ 左冠状動脈は前室間溝を通る短い主幹部より2本（左前下行枝と左回旋枝）に分かれる.

❂ 左冠状動脈血流は拡張期に増加する.

❂ 右冠状動脈は大動脈基部のバルサルバ洞にて大動脈弁右冠尖に開口部をもち分岐する.

❷安静時の冠血流量は心拍出量の 5 ％であり，約 250 mL/分である．

❷運動時の冠血流は安静時の 4 倍に増加する．

❷冠循環血流の約 70 ％が冠状静脈洞を通って右心房に返る．

最新 生体計測装置学
p.45～53

（2）心臓の収縮と血液の拍出

○心臓の興奮とその伝播

刺激伝導系 【34 回】 ━━━━━━━━━━━━━━━━━━━━━━━━ ★★

❷洞房結節は右房（右心房の近傍）に存在する．

❷洞房結節の自動興奮により拍動リズムが開始される．

❷歩調とり＝洞（房）結節（右心房の上大静脈開口部付近）　→房室結節　→房室結節（ヒス束）　→心室　→プルキンエ線維

❷プルキンエ線維は特殊な心筋細胞からなり，主に心室筋の収縮を担う．

❷心臓は体外に取り出しても一定条件を与えれば拍動する．

❷心室壁にあるもの

・右脚，左脚

・プルキンエ線維

心電図の基礎 ━━━━━━━━━━━━━━━━━━━━━━━━━━━━━ ★

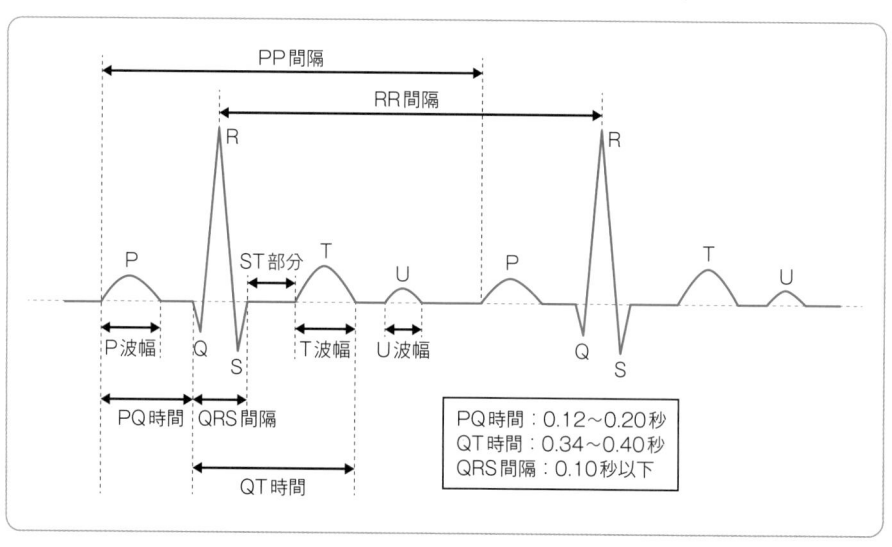

PQ時間：0.12～0.20秒
QT時間：0.34～0.40秒
QRS間隔：0.10秒以下

❷正常の心周期では拡張期は収縮期より長い．

❷ST 部分は心筋虚血と関係する．

❷心電図の P 波に続いて心房が収縮する．

P 波	幅	0.06～0.10 秒	心房の脱分極を反映
	高さ	0.2 mV	
QRS 波	幅	0.06～0.10 秒	心室の脱分極に相当.心室肥大では心室壁の起電力が大きくなるため,QRS 波が増高する.
	高さ	誘導部位によって異なる	
T 波	幅	0.10～0.25 秒	心室の再分極に相当し,頂点付近は受攻期にあたり,この部分に刺激が加わると心室細動を起こす.
	高さ	0.5 mV（四肢誘導） 1.0 mV（胸部誘導）	
U 波	幅	0.16～0.25 秒	
	高さ	0.05 mV（四肢誘導） 0.1 mV（胸部誘導）	
PQ 時間	幅	0.12～0.20 秒	房室伝導時間.房室ブロックで延長し,WPW 症候群で短縮する.
QT 時間	幅	0.34～0.40 秒	心室の脱分極開始より心室の再分極終了までに要する時間（電気的心室収縮時間）.

○心周期 【35 回】 ★★

I：等容性収縮期
- ❖心電図の QRS 群が出現すると心室収縮が始まり,心室内圧は上昇する.
- ❖心室内圧が急に高まり房室弁が閉じる（I 音）.
- ❖このとき心室内圧が動脈圧を超えるまで大動脈弁・肺動脈弁は閉じている.

II：駆出期
- ❖心内圧が動脈内圧を上回り,大動脈弁・肺動脈弁が開き心室内の血液は駆出される.
- ❖駆出が終わると動脈内圧が心室内圧より高くなり大動脈弁・肺動脈弁が閉じる（II 音）.
- ❖II 音は T 波の終わり付近で聞こえる.
- ❖急速駆出期（II a）,緩徐駆出期（II b）に分けられる.

III：等容性弛緩期
- ❖心室筋の弛緩が始まる.
- ❖血液が大動脈・肺動脈へ駆出された後,心室内圧は低下していくが,心室内圧はまだ心房内圧より高いため,房室弁は閉じた状態.

IV：充満期
- ❖心室内圧が低下し房室弁が開き,心房の血液が心室へ流れ込む.
- ❖この時早い充満があると心室の振動音が聴取されることがある.（III音）

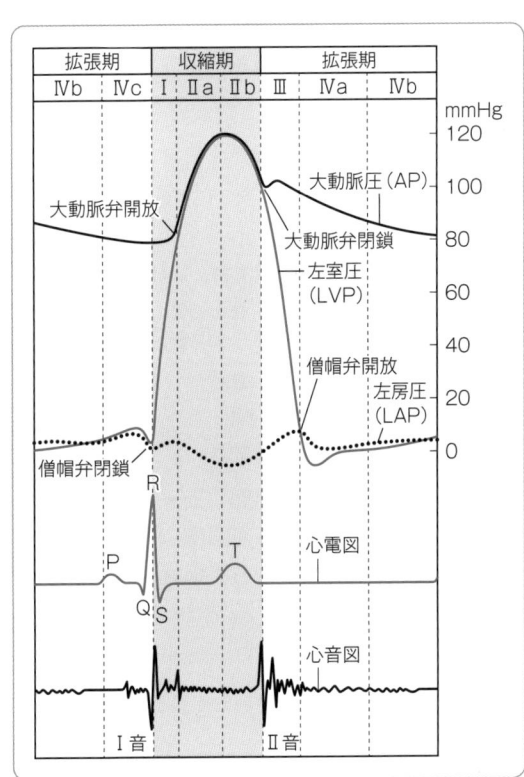

❯急速充満期（Ⅳ a），緩徐充満期（Ⅳ b），心房収縮期（Ⅳ c）に分けられる．

血液の拍出
❯健常成人の体重あたりの循環血液量：75 mL/kg
❯安静時の1回心拍出量：約70 mL
❯駆出率は1回拍出量を拡張末期容積で割って求める．

（3）血液の循環

○ 血液循環系 ────────────────────────── ★

動脈
❯脳血流は内頸動脈と椎骨動脈によって供給される．
❯右総頸動脈は腕頭動脈から分岐する．
❯右肺動脈は上行大動脈の背側を通る．
❯上行大動脈は主肺動脈の背側を走行する．
❯冠循環では動脈間吻合は少ない．
❯吻合とは，分岐の途中，隣り合った血管が相互に交通枝をもっていることをいう．
❯終動脈は，その末梢側に吻合のない動脈をいう．

静脈
❯中心静脈とは，右心房に還流する最も太い静脈を指す．
❯門脈は肝臓に流入する．
　・小腸の静脈血は門脈に集められる．
　・門脈は腹腔内の消化管や脾臓からの血液を肝臓に送る太い静脈である．
　・脾静脈と上下腸間膜静脈が合流して門脈を形成し，これが肝臓に流れ込む．
　・肝臓に入った後の静脈血は，毛細血管網を作った後に肝静脈に集まって下大静脈に注ぐ．
❯大伏在静脈は皮下静脈である．

機能血管と栄養血管

肺	機能血管	肺動脈，肺静脈
	栄養血管	気管支動脈
心臓	機能血管	上・下大静脈，肺動脈，肺静脈，大動脈
	栄養血管	冠動脈
肝臓	機能血管	門脈
	栄養血管	肝動脈

❯心臓に出入りする血管：上・下大静脈，冠状静脈洞　→右心房　→右心室　→肺動脈　→肺　→肺静脈　→左心房　→左心室　→大動脈
❯心臓の栄養血管：上行大動脈　→左・右冠状動脈　→左心室中隔前部・右心室中隔後部　→冠状静脈洞

○ 血圧とその調整

各血管の血圧 ──────────────────────────── ★

大動脈	収縮期圧　約 120 mmHg
上腕動脈	収縮期圧　約 100 mmHg
毛細血管	約 20 mmHg
肺動脈	収縮期圧　約 20 mmHg
上大静脈	約 2〜4 mmHg

❖ 観血式血圧測定では，動脈内にカテーテルを留置する.

❖ 非観血式血圧測定では，カフ部の高さを心臓と同じにする.

❖ 脈圧の左右差は動脈閉塞性疾患でみられる.

○ 脈拍と血圧 【33回】【36回】 ──────────────── ★★

❖ 頸動脈洞には血圧を感知する圧受容器が備わっている.

❖ 正常心では拡張期末期心室容積が大きいほど，心拍出量が増大する：スターリングの法則.

❖ 心臓から拍出された血液が末梢に到達する前に脈拍として触れる.

❖ 前腕における脈拍の触知は橈骨動脈で行う.

❖ 血圧に関与する迅速かつ強力なものは細動脈の収縮によるものである.

❖ 心臓迷走神経は心拍数を低下させる.

❖ カテコラミンは血圧を上昇させる.

❖ 聴診法による血圧測定は，心臓の拍動に応じて血管壁の振動によって発生するコロトコフ音を聴取する.

脈圧 【36回】 ──────────────────────── ★★

❖ 脈圧の左右差は動脈閉塞性疾患でみられる.

❖ 脈圧は収縮期血圧と拡張期血圧の差のことである.

❖ 脈圧を増大する因子
  ・1回心拍出量の増加
  ・動脈のコンプライアンスの低下

❖ 正常な脈圧：約 50 mmHg

血圧上昇の原因 【33回】【36回】 ──────────── ★★

❖ 心拍出量の増加

❖ 血管抵抗の上昇

❖ 交感神経活動の亢進

❖ 循環血液量の増加

❖ 心拍数の増加

❖ 遺伝的素因

平均血圧　【36回】 ★★

❯ 平均血圧＝脈圧/3＋拡張期血圧

❯ 脈圧＝収縮期血圧−拡張期血圧

> **国試**　【16回】
>
> 　上腕で間接法により血圧を測定したところ，最高血圧 120 mmHg，最低血圧 90 mmHg であった．このときの平均血圧はいくつか．
>
> **解答**
>
> $$平均血圧 = \frac{脈圧}{3} + 拡張期血圧 = \frac{(120-90)}{3} + 90 = 100 \text{ mmHg}$$

（4）リンパ

❯ 右上半身からのリンパ管は右静脈角に流入する．

❯ 胸管は左静脈角に入る．

臨床工学技士国家試験問題　Check UP!

問題1 □□□　27A07

心臓に関係する解剖について誤っているのはどれか．

1. 右心壁は左心壁よりも薄い．
2. 左冠動脈は前下行枝と回旋枝に分かれる．
3. 右肺動脈は上行大動脈の背側を通る．
4. 僧帽弁は二尖弁である．
5. 腱索は心房に認められる．

問題2 □□□　30P07

誤っているのはどれか．

1. 脳血流は内頸動脈と椎骨動脈によって供給される．
2. 頸動脈に圧受容体が存在する．
3. 心臓迷走神経は心拍数を低下させる．
4. カテコラミンは血圧を上昇させる．
5. 冠動脈血流量は拡張期より収縮期の方が多い．

問題3 □□□　31A07

心血管の構造について誤っているのはどれか．

1. 洞結節は右心房の近傍に存在する．
2. 左冠動脈は二本に分岐する．
3. 僧帽弁は三尖よりなる．
4. 右総頸動脈は腕頭動脈から分岐する．
5. 大動脈壁は三層構造よりなる．

問題4 □□□　29A08

心電図について誤っているのはどれか．

1. P波は心房興奮からの回復を表す．
2. QRS波は心室筋の興奮を表す．
3. ST部分は心筋虚血と関係する．
4. T波は心室興奮からの回復を表す．
5. T波の後にU波が現れることがある．

問題 5 □□□ 22A07

心臓の刺激伝導系の興奮伝播で正しいのはどれか.

1. 洞結節→房室結節→ヒス束→プルキンエ線維→右脚/左脚
2. 洞結節→房室結節→ヒス束→右脚/左脚→プルキンエ線維
3. 房室結節→洞結節→ヒス束→右脚/左脚→プルキンエ線維
4. ヒス束→洞結節→房室結節→右脚/左脚→プルキンエ線維
5. ヒス束→房室結節→洞結節→プルキンエ線維→右脚/左脚

問題 6 □□□ 28A07

血圧上昇の原因とならないのはどれか.

1. 心拍出量の増加
2. 血管抵抗の上昇
3. 静脈還流量の減少
4. 交感神経活動の亢進
5. 循環血液量の増加

問題 7 □□□ 27P07

脈拍と血圧について誤っているのはどれか.

1. 前腕における脈拍の触知は橈骨動脈で行う.
2. 観血式血圧測定では動脈内にカテーテルを留置する.
3. 非観血式血圧測定ではカフ部の高さを心臓と同じにする.
4. 脈圧は収縮期血圧と拡張期血圧との平均値である.
5. 脈圧の左右差は動脈閉塞性疾患でみられる.

問題 8 □□□ 35P07

心周期について正しいのはどれか.

a. Ⅰ音と共に収縮期が始まる.
b. 拡張期は収縮期より長い.
c. QRS 波と共にⅡ音が聴取される.
d. 拡張期には左心房圧は左心室圧より低い.
e. 拡張期には大動脈圧は左心室圧より高い.
1. a, b, c　2. a, b, e　3. a, d, e
4. b, c, d　5. c, d, e

問題 9 □□□ 34A24

心電図について誤っているのはどれか.

1. P 波は心房筋の興奮を表す.
2. PQ 時間の延長は洞結節の障害を表す.
3. QRS 波は心室筋の興奮を表す.
4. ST 部分の下降は心筋虚血の指標である.
5. T 波は心室筋が興奮から回復する時期に現れる.

問題 10 □□□ 34P07

心臓の刺激伝導系と心電図について正しいのはどれか.

a. 洞房結節と房室結節の間にヒス束がある.
b. プルキンエ線維は主に心室筋の収縮を担う.
c. P 波は心房筋の興奮を表す.
d. 心房細動では P 波を認めない.
e. QRS 波とともに拡張期が始まる.
1. a, b, c　2. a, b, e　3. a, d, e
4. b, c, d　5. c, d, e

問題 11 □□□ 36P07

上腕動脈の血圧について正しいのはどれか.

a. 平均血圧は収縮期血圧と拡張期血圧の加算平均である.
b. 聴診法による血圧測定ではクスマウル音を聴取する.
c. 収縮期血圧と拡張期血圧との差が脈圧である.
d. 細動脈の血管抵抗増加により上昇する.
e. 交感神経興奮により上昇する.
1. a, b, c　2. a, b, e　3. a, d, e
4. b, c, d　5. c, d, e

問題 12 □□□ 37P08

冠循環について誤っているのはどれか.

1. 運動時に増大する.
2. 心筋への栄養供給を担う.
3. 主に収縮期に血流がある.
4. 狭心症の発症に関与する.
5. 心拍出量の約 5% を占める.

〈解答〉問題1-5，問題2-5，問題3-3，問題4-1，問題5-2，問題6-3，問題7-4，問題8-2，問題9-2，問題10-4，問題11-5，問題12-3

5. 血液

（1）血液の組成と機能

◯ 血漿成分 【33回】【36回】　　　　　　　　　　　　　　　　　　★★

- ❯ 血漿からフィブリノゲンを除いたものを血清と呼ぶ.
- ❯ 血漿タンパク質で最も多いのはアルブミンである.
- ❯ 鉄を輸送する主要な血漿タンパクは, トランスフェリンである.

◯ 血球成分

赤血球 【33回】【36回】　　　　　　　　　　　　　　　　　　★★

核	なし
大きさ	8〜10 μm
基準値	男性：約500万/μL（mm^3） 女性：約450万/μL（mm^3）
寿命	120日
役割	酸素運搬
造血因子	エリスロポエチン

- ❯ 血液全体のうち, 赤血球の容積比をヘマトクリットという.
- ❯ 赤血球新生のために必要な物質
  - ・一般の細胞が必要とするもの（タンパク質, 脂質, 糖質などの栄養素）
  - ・エリスロポエチン
  - ・抗貧血ビタミン（ビタミン B$_{12}$, 葉酸）
  - ・鉄
- ❯ 赤血球は TCA 回路によって嫌気的にエネルギー（ATP）を得る.

血小板

核	なし
大きさ	2〜4 μm（円盤状）
基準値	20〜50万/μL（mm^3）
寿命	10日前後
役割	血液凝固（一次止血）
造血因子	トロンボポエチン
その他	巨核球（骨髄）からつくられる

- ❯ アスピリン製剤は血小板凝集を抑制する作用がある.
- ❯ 血小板第4因子はヘパリンの抗凝固作用を阻害する.

白血球 【33回】 ★★

核	あり
大きさ	10～20μm
基準値	4,000～9,000/μL（mm^3）
寿命	3～10日
役割	食作用，免疫

	分類	百分比(%)	直径(μm)	機能
顆粒白血球	好中球	40～65	10～15	・炎症部位に動員され，貪食・殺菌する. ・細菌感染時に増加.
	好酸球	2～5		・アレルギー性疾患，寄生虫病で増加する. ・アレルギー炎症を起こしている組織内で細胞内の物質を放出する. ・貪食力は弱い，ヒスタミン不活性化.
	好塩基球	0～1		・ヒスタミンなどを放出し血管透過性亢進や平滑筋収縮を伴う即時型アレルギーを引き起こす. ・肥満細胞に関与. ・炎症に関与.
無顆粒白血球	リンパ球	25～45	6～12	・T細胞とB細胞がある. ・T細胞は細胞性免疫を担う（末梢血リンパ球の60～70%．胸腺で成熟）. ・B細胞は体液性免疫を担う（骨髄で最終的に形質細胞に分化する）.
	単球	4～7	15～20	・血管外へ遊出し，組織内でマクロファージとなる. ・異物（抗原）を貪食して，これに関する情報をヘルパーT細胞に伝え（抗原提示），B細胞に抗体産生を促す. ・加水分解酵素を産生.

○ 造血機構

多能性造血幹細胞（造血幹細胞） ★

❷ 多能性造血幹細胞は様々な血球（白血球，血小板，赤血球など）に分化していく.

分化に作用するサイトカイン

❷ 赤血球——エリスロポエチン

❷ 顆粒球——顆粒球コロニー刺激因子

❷ マクロファージ（単球）——腫瘍壊死因子（TNF）

❷ 血小板——トロンボポエチン

（2）止血と血液凝固

○ 血液凝固 【33回】【36回】 ★★

❷ 凝固因子が活性化し，止血が行われる過程を二次止血といい，活性化経路には内因系と外因系がある.

❷ 内因系経路とは，血液が異物と触れることで第XII因子が活性化することで凝固反応が開始される.

❷ 外因系経路は，組織細胞が傷害を受けた際に組織因子（TF）が放出され，第7凝固因子（VII）が活性化することで凝固反応が開始される.

血液凝固を阻止する薬剤

〈採血直後の血液に添加し，凝固を阻止するもの〉

- ❯EDTA
- ❯ヘパリン
- ❯シュウ酸ナトリウム
- ❯クエン酸ナトリウム

○線溶系　【35回】 ━━━━━━━━━━━━━━━━━━━━ ★★

- ❯プラスミン：フィブリンを分解する．
- ❯ウロキナーゼ：プラスミノーゲンをプラスミンに変換する．

（3）血液型

○赤血球の血液型　【37回】 ━━━━━━━━━━━━━━━━ ★★

- ❯ABO 血液型で A 型の血清中には抗 B 抗体が存在する．
  - ・A 型の赤血球上には A 抗原と血清中に抗 B 抗体が存在する．
  - ・ABO 血液型のオモテ検査では，赤血球の A 抗原，B 抗原の有無を調べるため，抗 A 抗体，抗 B 抗体を用いて判定を行う．

血液型	オモテ検査 赤血球の抗原をチェック		ウラ検査 血清中の抗体をチェック		
	抗 A 抗体	抗 B 抗体	A 型血球	B 型血球	O 型血球
A 型	+	−	−	+	−
B 型	−	+	+	−	−
O 型	−	−	+	+	−
AB 型	+	+	−	−	−

- ❯Rh 血液型は赤血球の血液型である．

○その他の血液型

- ❯HLA は白血球の血液型である．
- ❯HPA は血小板の血液型である．

問題 1 □□□　27A08

誤っているのはどれか.

1. 細胞外液で最も多い陽イオンは Na^+ である.
2. 血清はフィブリノーゲンを含む.
3. ABO 血液型で A 型の血清中には抗 B 抗体が存在する.
4. 好酸球は顆粒白血球である.
5. 血小板は血液凝固に関係する.

問題 2 □□□　29A03

鉄を輸送する主要な血漿蛋白はどれか.

1. トランスフェリン
2. ヘモグロビン
3. リポ蛋白
4. セルロプラスミン
5. アルブミン

問題 3 □□□　31A21

血液細胞の構造と機能について正しいのはどれか.

a. 多能性造血幹細胞は白血球に分化できない.
b. 網赤血球は赤血球造血の指標になる.
c. T 細胞は細胞性免疫に関与する.
d. 単球はマクロファージに分化する.
e. 好酸球は即時型アレルギーを起こす.
1. a, b, c　2. a, b, e　3. a, d, e
4. b, c, d　5. c, d, e

問題 4 □□□　23A18

血球成分とサイトカインとの組合せで正しいのはどれか.

a. 赤血球———エリスロポエチン
b. 顆粒球———顆粒球コロニー刺激因子
c. 好酸球———腫瘍壊死因子（TNF）
d. リンパ球———組織トロンボプラスチン
e. 血小板———トロンボポエチン
1. a, b, c　2. a, b, e　3. a, d, e
4. b, c, d　5. c, d, e

問題 5 □□□　29P07

ヒスタミン顆粒をもつものはどれか.

1. 単球
2. 好中球
3. 好酸球
4. 好塩基球
5. リンパ球

問題 6 □□□　35A07

フィブリンを分解するのはどれか.

1. ヘパリン
2. トロンビン
3. カルシウム
4. プラスミン
5. ワルファリン

誤っているのはどれか.

1. マクロファージは貪食能をもつ.
2. 赤血球の寿命は 120 日である.
3. 第 7 凝固因子は外因系凝固に関与する.
4. 血漿タンパク質で最も多いのはアルブミンである.
5. 全血液に対する血漿の容積比をヘマトクリットという.

ある血液の血液型を調べるために血球と血清を混合する交差試験を行った. 以下の表はその結果である. 空欄（Ⅰ）～（Ⅳ）の組合せが正しいのはどれか.
ただし, ABO 式血液型以外の血液型で凝集は生じないものとする.

	試験対象の血球		試験対象の血清
A 型血清	凝集する	A 型血球	（Ⅰ）
B 型血清	凝集する	B 型血球	（Ⅱ）
O 型血清	凝集する	O 型血球	（Ⅲ）
AB 型血清	凝集しない	AB 型血球	（Ⅳ）

1. （Ⅰ）凝集しない　（Ⅱ）凝集する　（Ⅲ）凝集しない（Ⅳ）凝集する
2. （Ⅰ）凝集する　（Ⅱ）凝集しない　（Ⅲ）凝集しない（Ⅳ）凝集する
3. （Ⅰ）凝集する　（Ⅱ）凝集する　（Ⅲ）凝集しない（Ⅳ）凝集する
4. （Ⅰ）凝集しない　（Ⅱ）凝集しない　（Ⅲ）凝集しない（Ⅳ）凝集する
5. （Ⅰ）凝集しない　（Ⅱ）凝集しない　（Ⅲ）凝集しない（Ⅳ）凝集しない

〈解答〉問題 1-2, 問題 2-1, 問題 3-4, 問題 4-2, 問題 5-4, 問題 6-4, 問題 7-5, 問題 8-5

6. 腎・泌尿器

（1）腎・泌尿器の構造と機能

最新 血液浄化療法装置
p.13～16

○腎臓の構造 ★

- 肝臓があるため，右腎は左腎よりも下方にある．
- 腎動脈は腎門から入る．
- 腎小体は糸球体とボウマン嚢からなる．
- 腎小体は皮質にある．
- 腎小体とそれに続く尿細管を合わせてネフロンという．
- ボウマン嚢はリンパ液を含まない．
- ネフロンは1つの腎あたり約100万個存在する．
- 糸球体は皮質にある．
- 緻密斑は遠位尿細管にある．
- ヘンレループ（ヘンレ係蹄）は髄質で迂曲する．

○腎臓の機能

- 代謝産物を排泄する．
- 体内水分量を調節する．
- 腎不全はアシドーシスを起こす．
- 腎機能が低下すると血清クレアチニン濃度が上昇する．

○泌尿器の構造と機能 【37回】 ★★

- 腎盂から膀胱への尿の移動は，尿管の蠕動運動によって行われる．
- 膀胱の収縮は副交感神経の興奮により生じる．
- 尿意は膀胱壁の伸展により生じる．
- 排尿時には，排尿筋（平滑筋）を収縮させ，不随意筋の内尿道括約筋を弛緩させる．
  さらに，随意筋である外尿道括約筋を弛緩させ，腹圧をかけることによって排尿を行う．
- 前立腺は尿道を取り囲む．

（2）尿生成のメカニズム

最新 血液浄化療法装置
p.17～23, 45

○糸球体機能

- 糸球体濾過は血管壁内外の圧差によって行われる．
- 糸球体血圧は50 mmHg前後である．
- 原尿に含まれる水の99％は再吸収される．

○尿細管機能 【34回】【35回】【36回】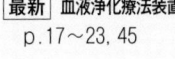

- 近位尿細管でブドウ糖，アミノ酸はほぼ100％再吸収される．
- ヘンレ係蹄では浸透圧勾配が形成される．
- 尿細管の対向流系は尿の濃縮に重要である．
  ・腎臓のヘンレ係蹄（尿細管の対向流系）は尿を濃縮する働きがある．
- 遠位尿細管では K^+ や HCO_3^- が分泌される．

- 集合管の水透過性は ADH（バソプレシン）による調節を受ける.
- アルドステロンは集合管に作用する.
  - 再吸収：水，Na^+，Cl^-
  - 分泌：K^+，H^+
- 健常人でも尿中に常時排出されているのは，カリウム，ナトリウム，尿毒素である.

近位尿細管	
再吸収	分泌
水（約70%） ナトリウム カリウム クロール ブドウ糖・アミノ酸 （ほぼ100%再吸収）	尿酸 アンモニア

○ 腎血流量と糸球体濾過量 ─────────────────── ★

腎血流量（RBF）	1,000〜1,200 mL/分
腎血漿流量（RPF）	500〜700 mL/分
糸球体濾過量（GFR）	100〜150 mL/分
濾過率（FF）：（GFR/RPF）	0.2

〈腎血流量（RBF）〉
- 1分間に腎臓に流れた血液流量.
- 成人の基準値は，心拍出量の約25%（1/4）.

〈腎血漿流量（RPF）〉
- 1分間に腎臓に流れた血漿量.
- パラアミノ馬尿酸を参考にする.

〈糸球体濾過量（GFR）〉
- 血液が糸球体の毛細血管を流れることで1分間に濾過される尿量.
- 血清クレアチニンを測定する.
- 成人の基準値は約120〜150 mL/分（約180 L/日）.
- 尿量が1.5 L/日程度であるため，濾過量の99%以上が尿細管で再吸収されていることとなる.

〈濾過率 FF（GFR/RPF）〉
- 腎血漿流量のうち実際に濾過された濾過流量の割合.
- 成人の基準値は0.2（1/5）.
- 腎血漿流量の20%が濾過尿となる.

○ 腎機能評価

eGFR（推算糸球体濾過量）【33回】 ────────────── ★★
- 糸球体機能検査である.
- 腎機能の指標としては，簡便に評価することができるクレアチニン（Cr）による推定糸球体濾過量（eGFR）が用いられる.
- eGFR 90 mL/分/$1.73 m^2$ 未満を腎機能低下とする.
- 慢性腎臓病（CKD）の重症度分類の規定因子である.

〈eGFR算出する際の必要項目〉
- 血清Cr値
- 年齢
- 性別

〈eGFRの式〉
- 男性　$eGFR = 194 \times 血清Cr値^{-1.094} \times 年齢^{-0.287}$
- 女性　男性の式に0.739を乗ずる.

クリアランス

❷健常人の腎臓においてクリアランスがゼロである物質：100％再吸収するもの
- ・グルコース
- ・アミノ酸

❷クリアランスの指標となるもの（糸球体から通過後，再吸収も分泌もしない）
- ・クレアチニン
- ・イヌリン

クレアチニンクリアランス

❷糸球体機能検査である.

❷クレアチニンクリアランスは，1日の尿中へのクレアチニンの排泄量を血清クレアチニン濃度で除して求める. 体格によっても変動があるので体表面積で補正する.

❷クレアチニンクリアランス［mL/分］

$$= \frac{\text{尿中クレアチニン濃度}[mg/dL] \times \text{1分間尿量}[mL/分]}{\text{血清クレアチニン濃度}[mg/dL]} \times \frac{1.73 (\text{標準体表面積}[m^2])}{\text{体表面積}[m^2]}$$

❷体表面積は身長と体重から求める.

❷正確に求めるには尿量が必要であるが，簡易的に血清クレアチニン濃度からクレアチニンクリアランスを推測する方法もある.

例題

成人において，1日の尿量 1,728 mL/日，血清クレアチニン 3.0 mg/dL，尿中クレアチニン 60 mg/dL であった.

この患者のクレアチニンクリアランス［mL/min］はいくつか.

解答

1分当たりの尿量は，$\dfrac{1,728\,mL}{日} = \dfrac{1,728\,mL}{60分 \times 24時間} = 1.2\,mL/min$

クレアチニンクリアランス $= \dfrac{\text{1分間尿量} \times \text{尿中クレアチニン}}{\text{血清クレアチニン}} = \dfrac{1.2 \times 60}{3.0} = 24.0\,mL/min$

例題

ある物質 A の血漿中濃度が 40 mg/dL，1分間の尿中排泄量が 11 mg であった. 糸球体濾過量が 110 mL/分のとき，物質 A は濾過されたうちのおよそ何％が排泄されているか. ただし，物質 A は血中で代謝を受けず糸球体で自由に濾過されるものとする.

解答

物質 A は血中で代謝を受けず糸球体で制限なく濾過されること，また糸球体濾過量が 110 mL/分であるため，1分間に濾過される物質 A の量は，

110［mL/分］×40［mg］/100［mL］＝44［mg/分］

実際に1分間に尿中に排泄された量が 11 mg のため

11［mg/分］/44［mg/分］×100＝25％　が排泄されたことになる.

（3）体液・電解質バランス

○ **腎における酸塩基平衡の調整**

❯ 腎臓で行われる酸塩基平衡の調整は以下の２つがある．

- 近位尿細管における糸球体で濾過された塩基（HCO_3^-）の再吸収
- 集合管における H^+ の排泄とそれに伴う塩基（HCO_3^-）の分泌

代謝性アシドーシス

❯ HCO_3^- の減少によって，pH が酸性に傾いた状態である．

❯ 呼吸はこの変化を代償しようとして換気を促進するため，PCO_2 は低下する．

❯ 原因：腎不全に伴う酸（H^+）の排泄障害，HCO_3^- の再吸収障害など

代謝性アルカローシス

❯ HCO_3^- の増加によって，pH がアルカリ側に傾いた状態である．

❯ 呼吸はこの変化を代償しようとして換気を抑制するため，PCO_2 は上昇する．

❯ 原因：H^+ の喪失（嘔吐，利尿剤投与など），HCO_3^- の投与（重炭酸ナトリウムなど）

○ **腎に関連するホルモン・血管作動性物質**　【36 回】 ━━━━━━ ★★

❯ 主に腎臓で分泌されるホルモン

- エリスロポエチン：赤血球の産生を促進．
- レニン：血管収縮，血圧上昇など．

❯ アルドステロンは集合管に作用する．

❯ アルドステロンの作用は Na^+ と水の再吸収と，K^+ や H^+ の排泄．

❯ 抗利尿ホルモン（ADH，バソプレシン）は集合管に作用する．

❯ 抗利尿ホルモンの作用は，水を再吸収し，体液の浸透圧を調節する．

❯ レニン・アンギオテンシン系は血圧を調節する．

- アンギオテンシノーゲンはレニンの作用を受けて，アンギオテンシン I となる．
- アンギオテンシン I は ACE（アンギオテンシン変換酵素）の作用を受けて，アンギオテンシンⅡとなる．
- アンギオテンシンⅡは平滑筋に作用し，細動脈（末梢血管）を収縮する．副腎皮質に作用してアルドステロンの分泌を促進させる．

❯ 心房性 Na 利尿ペプチドは水の再吸収を抑制する．

問題 1　□□□　28P08

腎臓について誤っているのはどれか.

1. 右腎は左腎よりも下方にある.
2. 腎動脈は腎門から入る.
3. 腎小体は糸球体とボウマン嚢からなる.
4. 腎小体は髄質に存在する.
5. 腎小体とそれに続く尿細管を合わせてネフロンという.

問題 2　□□□　29A09

腎臓について誤っているのはどれか.

1. 糸球体血圧は 50 mmHg 前後である.
2. ブドウ糖は近位尿細管で吸収される.
3. ヘンレループ（係蹄）は腎盂にある.
4. 緻密斑は遠位尿細管にある.
5. アルドステロンは集合管に作用する.

問題 3　□□□　31A08

近位尿細管で再吸収されないのはどれか.

1. 水
2. アンモニア
3. Cl⁻
4. Na⁺
5. ブドウ糖

問題 4　□□□　30A08

バソプレシンが作用するのはネフロンのどの部位か.

1. 糸球体
2. 近位尿細管
3. ヘンレ係蹄
4. 遠位尿細管
5. 集合管

問題 5　□□□　22A08

体液循環に関わる物質の作用で正しいのはどれか.

a. レニンは血中アンギオテンシンを減少させる.
b. アンギオテンシンⅡは細動脈を拡張させる.
c. アルドステロンは Na⁺ の再吸収を促進する.
d. バソプレシンは水の再吸収を促進する.
e. 心房性 Na 利尿ペプチドは水の再吸収を抑制する.
1. a, b, c　　2. a, b, e　　3. a, d, e
4. b, c, d　　5. c, d, e

問題 6　□□□　26P23

eGFR（推算糸球体濾過量）の計算に必要なのはどれか.

a. 血清クレアチニン値
b. 尿中クレアチニン値
c. 一日尿量
d. 年齢
e. 性別
1. a, b, c　　2. a, b, e　　3. a, d, e
4. b, c, d　　5. c, d, e

問題 7　□□□　24P23

クレアチニンクリアランスの測定時に必要でないのはどれか.

1. 血清クレアチニン値
2. 一日尿量
3. 身長
4. 体重
5. 腹囲

問題 8　□□□　34A08

糖が最も再吸収されるのはどの部位か.

1. 糸球体
2. 近位尿細管
3. ヘンレ係蹄
4. 遠位尿細管
5. 集合管

問題 9   □ □ □   35A08

ナトリウムイオンの再吸収率が最も高い部位はどれか.

1. 糸球体
2. 近位尿細管
3. ヘンレ係蹄
4. 遠位尿細管
5. 集合管

問題 10   □ □ □   31P09

クレアチニンの血漿中濃度 2.0 mg/dL, 尿中濃度 60 mg/dL,
1 時間の尿量は 120 mL であった. クレアチニンクリアラン
ス〔mL/min〕はどれか.

1. 20
2. 30
3. 60
4. 90
5. 120

問題 11   □ □ □   32P08

ある物質 A の血漿中濃度が 30 mg/dL, 1 分間の尿中排泄
量が 11 mg であった. 糸球体濾過量が 120 mL/分のとき,
物質 A は濾過されたうちのおよそ何%が排泄されているか.
ただし, 物質 A は血中で代謝を受けず糸球体で自由に濾過
されるものとする.

1. 10%
2. 30%
3. 50%
4. 70%
5. 90%

問題 12   □ □ □   36A08

腎臓の集合管に作用するホルモンはどれか.

a. レニン
b. アンジオテンシンII
c. アルドステロン
d. バソプレシン
e. エリスロポエチン

1. a, b   2. a, e   3. b, c   4. c, d   5. d, e

問題 13   □ □ □   36P08

ネフロンにおいてアミノ酸のほとんどが再吸収される部位
はどれか.

1. A
2. B
3. C
4. D
5. E

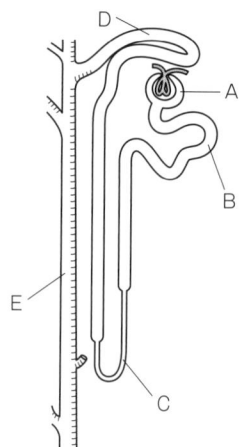

問題 14   □ □ □   37A08

誤っているのはどれか.

1. 腎盂から膀胱への尿の移動は尿管の蠕動運動による.
2. 膀胱の収縮は副交感神経の興奮により生じる.
3. 尿意は膀胱壁の伸展により生じる.
4. 内尿道括約筋は随意筋である.
5. 前立腺は尿道を取り囲む.

〈解答〉問題1-4, 問題2-3, 問題3-2, 問題4-5, 問題5-5, 問題6-3, 問題7-5, 問題8-2, 問題9-2, 問題10-3, 問題11-2, 問題
12-4, 問題13-2, 問題14-4

7. 消化と吸収

（1）消化器の構造

○口腔・咽頭・食道 【33回】 ★★
- ❖咽頭は下部で，喉頭と下咽頭に分かれ，喉頭は気管へ，下咽頭は食道へ連続する．

○消化管 【37回】 ★★
- ❖消化壁の構造は粘膜，筋層，漿膜の3層からなる．
- ❖筋層には輪走筋と縦走筋があり，どちらも平滑筋である．
- ❖副交感神経は消化管運動を促進する．

胃 【33回】 ★★
- ❖食道は胃の噴門と連続する．
- ❖噴門から上部の胃を胃底部，中央を胃体部，出口手前を前庭部という．
- ❖胃の幽門は十二指腸に連続する．
- ❖幽門には括約筋がある．
- ❖ガストリンは胃酸分泌を促進する．

小腸・大腸・直腸 【33回】 ★★
- ❖結腸は上行結腸，横行結腸，下行結腸，S状結腸と連続し，S状結腸は直腸に連続する．
- ❖直腸は肛門に連続する．

○肝臓 ★
- ❖肝右葉は左葉より大きい．
- ❖肝小葉の中で肝細胞は放射状に配列している．
- ❖肝小葉の中心には中心静脈がある．
- ❖肝臓の栄養血管は肝動脈である．
- ❖門脈は肝臓に入る．
- ❖肝静脈は肝臓の後上面から出て，横隔膜の下で下大静脈に注ぐ．

肝臓の働き
- ❖糖代謝
  - ・血糖の調節を行う．　→肝臓不全になると低血糖となる．
  - ・グリコーゲンの貯蔵：肝細胞はグルコースをグリコーゲンとして蓄える．
  - ・糖新生：脂質やアミノ酸など糖質以外の物質から，グルコースを合成する．
- ❖タンパク代謝
  - ・アミノ酸合成
  - ・グロブリン以外の血漿タンパク合成：アルブミン，フィブリノゲン，プロトロンビンの合成
- ❖脂質代謝
- ❖胆汁の生成と分泌　→肝機能障害で灰白色便，脂肪便，ビタミンK欠乏となる．

❷解毒作用　→肝不全で機能しなくなると，アンモニアが増えて昏睡となる．
❷体温調節
❷血液の貯蔵

○**胆嚢**
❷胆汁は肝臓から分泌されて胆管を経ていったん胆嚢に蓄えられ，十二指腸に送り出される．
❷総胆管は十二指腸に開く．

○**膵臓**
❷膵臓は腹膜腔の後ろにあり，後腹壁に接している．
❷膵管は膵液を十二指腸に流出する経路である．
❷主膵管が副膵管を分岐した後，総胆管と合流して Vater 乳頭（十二指腸乳頭）に開口する．
❷膵臓は消化液を分泌する外分泌腺であり，また内分泌腺でもある．
❷ランゲルハンス島でない部分（膵液を分泌する部分）を外分泌部と呼ぶ．
❷膵臓外分泌部からは，1 日に約 500〜1,000 mL の膵液が分泌される．
❷内分泌部はランゲルハンス島（膵島）という．
❷ランゲルハンス島 β 細胞からは血糖を低下させるインスリン，α 細胞からは血糖を上昇させるグルカゴン，δ 細胞からはインスリンやグルカゴンの分泌を抑制するソマトスタチンが分泌される．
❷インスリンが欠乏すると糖尿病となる．

○**腹腔**　【37回】──────────────────────────────── ★★
❷小網は肝臓に付着する．
❷大網は胃の尾側に存在する．
❷腸間膜は 2 枚からなる．
❷膀胱は腹腔の外にある．
❷膵臓は腹腔の外にある．
❷腸間膜には，腸間膜小腸間膜，横行結腸間膜，S 状結腸間膜などがあり，後腹膜の前傍腎腔（二次性後腹膜）と連続している．
❷漿膜には，心膜，胸膜，腹膜などがあり，胸膜腔や腹膜腔などの体腔に面している部位に存在する．

○**後腹膜臓器**
❷十二指腸
❷膵臓
❷腎臓，副腎
❷尿管
❷腹部大動脈
❷下大静脈
〈場合によっては後腹膜臓器に含める〉
❷上・下結腸
❷直腸

◐膀胱

（2）消化管の機能

○ 栄養素の消化と吸収

消化酵素　【36回】 ──────────────── ★★

消化液	消化酵素	基質	分解産物	1日の分泌量
唾液	アミラーゼ	デンプン	デキストリン, マルトース	1,000～1,500 mL
	プチアリン	デンプン	デキストリン	
胃液	ペプシン	タンパク質	ポリペプチド, オリゴペプチド	1,000～3,000 mL
膵液	トリプシン	タンパク質, ポリペプチド	オリゴペプチド	500～1,000 mL
	キモトリプシン	タンパク質, ポリペプチド	オリゴペプチド	
	カルボキシペプチダーゼ	タンパク質 (C末端)	アミノ酸	
	膵アミラーゼ	デンプン	オリゴ糖	
	膵リパーゼ	トリグリセリド	脂肪酸, グリセリン	
腸液	アミノペプチダーゼ	タンパク質 (N末端)	アミノ酸	1,500～3,000 mL
	ジペプチダーゼ	ジペプチド	アミノ酸	
	マルターゼ	マルトース	グルコース	
	ラクターゼ	ラクトース	グルコース, ガラクトース	
	スクラーゼ	スクロース	グルコース, フルクトース	
	エンテロキナーゼ	タンパク質	アミノ酸	

問題 1　□□□　28P09

正しいのはどれか.

1. 肝臓の栄養血管は門脈である.
2. 肝静脈は胃腸からの血液を肝臓に運ぶ.
3. 胆管は胆汁を空腸に運ぶ.
4. 肝小葉の中で肝細胞は放射状に配列している.
5. 肝細胞はブドウ糖からアルブミンを作る.

問題 2　□□□　27P09

肝・胆・膵について誤っているのはどれか.

1. 門脈は肝臓に入る.
2. 胆囊は胆汁を産生する.
3. 膵臓は胃の背側にある.
4. 肝右葉は左葉よりも大きい.
5. 膵液は十二指腸内腔に排出される.

問題 3　□□□　25A08

膵液に含まれないのはどれか.

a. トリプシン
b. アミラーゼ
c. マルターゼ
d. ペプシン
e. リパーゼ
1. a, b　2. a, e　3. b, c　4. c, d　5. d, e

問題 4　□□□　33A09

消化管の順序として誤っているのはどれか.

1. 咽頭は食道に連続する.
2. 噴門は十二指腸に連続する.
3. 上行結腸は横行結腸に連続する.
4. 下行結腸はS状結腸に連続する.
5. 直腸は肛門管に連続する.

問題 5　□□□　32A09

腹(膜)腔について誤っているのはどれか.

1. 小網は肝臓に付着する.
2. 大網は胃の尾側に存在する.
3. 腸間膜は2枚からなっている.
4. 膵臓は腹(膜)腔の中にある.
5. 膀胱は腹(膜)腔の外にある.

問題 6　□□□　36P09

消化酵素と消化液との組合せで誤っているのはどれか.

a. ペプシン————胃　液
b. トリプシン————膵　液
c. アミラーゼ————胆　汁
d. スクラーゼ————唾　液
e. リパーゼ————膵　液
1. a, b　2. a, e　3. b, c　4. c, d　5. d, e

問題 7　□□□　37P09改

腹腔内の消化管について誤っているのはどれか.

1. 幽門には括約筋がある.
2. ガストリンは胃酸分泌を抑制する.
3. 副交感神経は消化管運動を促進する.
4. 輪走筋と縦走筋はどちらも平滑筋である.
5. 漿膜は腸間膜を介して腹膜に連続している.

〈解答〉問題1-4，問題2-2，問題3-4，問題4-2，問題5-4，問題6-4，問題7-2

8. 内臓機能の調節

（1）自律神経の種類と機能

○ **交感神経と副交感神経** 【36回】 ──────────────── ★★

	交感神経	副交感神経
心臓	心拍数増加 心筋収縮力増大	心拍数減少 心筋収縮力減弱
末梢血管	一般に収縮（骨格筋はコリン性拡張）	一般に拡張
血圧	上昇	低下
消化管	運動抑制（括約筋収縮），分泌抑制	運動促進（括約筋弛緩），分泌促進
腸蠕動運動	抑制	亢進
気管支平滑筋	弛緩（拡がる）	収縮（狭まる）
胆嚢	弛緩	収縮
膀胱	弛緩（括約筋収縮）→閉尿	収縮（括約筋弛緩）→排尿
副腎髄質	分泌亢進	
瞳孔	散大	縮小
眼（毛様体筋）	弛緩（水晶体が薄くなる）	収縮（水晶体が厚くなる）：遠近調節
涙腺		分泌促進
唾液腺	分泌抑制（粘性：軽度促進）	分泌促進（水様）
汗腺	分泌（コリン性）	
立毛筋	緊張・収縮	

❯副交感神経線維を含む脳神経は，迷走神経である．

（2）内分泌

○ **内分泌器官と分泌されるホルモン** 【33回】【34回】【37回】 ──── ★★★

産生部位		ホルモン	作用部位	主要作用	疾患
視床下部		ソマトスタチン	下垂体前葉	成長ホルモンの分泌抑制 ランゲルハンス島からのインスリン，グルカゴンの産生・分泌の抑制 消化管からの栄養吸収の抑制 セクレチン・ガストリン，胃液，胃酸の分泌抑制	
		成長ホルモン放出ホルモン，ゴナドトロピン放出ホルモンなど	下垂体前葉	下垂体前葉ホルモンの放出または抑制	
下垂体	前葉	成長ホルモン（GH）	骨・筋，体組織	身体成長促進・血糖上昇	高値：末端肥大症（巨人症） 低値：小人症
		プロラクチン	乳腺	乳汁分泌促進	
		卵胞刺激ホルモン（FSH）	卵巣・精巣	エストロゲン分泌促進	
		黄体形成ホルモン（LH）	卵巣・精巣	プロゲステロンやテストステロンの分泌促進	

産生部位		ホルモン	作用部位	主要作用	疾患
下垂体	前葉	副腎皮質刺激ホルモン (ACTH)	副腎皮質	副腎皮質刺激 (糖質コルチコイド分泌亢進)	
		甲状腺刺激ホルモン (TSH)	甲状腺	甲状腺刺激	
	後葉	抗利尿ホルモン (ADH) (バソプレシン)	尿細管, 集合管	水分の再吸収	低値：尿崩症, 乏尿
		オキシトシン	乳腺	子宮筋の収縮 (分娩時)	
甲状腺	濾胞細胞	トリヨードサイロニン (T3) サイロキシン (T4)	全身	代謝亢進	FT₃, FT₄ 増加： バセドウ病 FT₃, FT₄ 減少： クレチン症, 粘液水腫, 橋本病
	傍濾胞細胞	カルシトニン	骨	血漿 Ca²⁺ 濃度低下 骨形成 (骨芽細胞) 促進	
副甲状腺		パラソルモン (PTH)	骨, 腎臓 (尿細管)	血漿 Ca²⁺ 濃度増加 骨吸収 (破骨細胞) 促進	低値：テタニー
心臓		心房性 Na 利尿ペプチド	腎遠位尿細管	Na 再吸収抑制, 血管拡張	
膵臓	A (α) 細胞	グルカゴン	肝臓, 筋, 脂肪組織	血糖値上昇	
	B (β) 細胞	インスリン	肝臓, 筋, 脂肪組織	血糖値低下	低値：糖尿病
	D (δ) 細胞	ソマトスタチン	下垂体前葉	成長ホルモンの分泌抑制 ランゲルハンス島からのインスリン, グルカゴンの産生・分泌の抑制 消化管からの栄養吸収の抑制 セクレチン・ガストリン, 胃液, 胃酸の分泌抑制	
副腎	皮質	アルドステロン (電解質コルチコイド)	遠位尿細管, 集合管	Na 再吸収増大, 血管収縮, K 排泄	高値： アルドステロン症
		コルチゾール (糖質コルチコイド)	体組織	血糖値上昇	高値：クッシング症候群 低値：アジソン病
		テストステロン (微量)(男性ホルモン)		タンパク質合成 (筋)	
		アンドロゲン(男性ホルモン)			
	髄質	アドレナリン	循環器系, 肝臓, 筋肉	心機能亢進, 血糖値上昇	高値：褐色細胞腫
		ノルアドレナリン	中枢神経	末梢血管収縮, 血圧上昇	
腎臓		レニン	副腎皮質	アンギオテンシン I 産生	高値：腎性高血圧症
		エリスロポエチン (腎：9割, 肝：1割)	骨髄	赤血球生成誘発・成熟	低値：腎性貧血
卵巣	卵胞	エストロゲン(女性ホルモン)		子宮内膜増殖, 排卵促進	
	黄体	プロゲステロン(女性ホルモン)		黄体形成, 排卵抑制	
精巣		テストステロン(男性ホルモン)		タンパク質合成 (筋)	
		アンドロゲン(男性ホルモン)			
神経細胞		アセチルコリン	神経細胞	神経伝達物質	

○ フィードバック機構　【35回】【36回】【37回】

甲状腺刺激ホルモン（TSH）におけるネガティブフィードバック機構

- ❖ 甲状腺刺激ホルモン（TSH）は，視床下部から分泌される甲状腺刺激ホルモン放出ホルモン（TRH）により調節される．

- ❖ 甲状腺刺激ホルモン（TSH）は，甲状腺から分泌されるトリヨードサイロニン（T3），サイロキシン（T4）の分泌を促進する．

- ❖ 甲状腺刺激ホルモン（TSH）および甲状腺刺激ホルモン放出ホルモン（TRH）の分泌は，甲状腺ホルモン（T3，T4）によるネガティブフィードバックにより抑制される．

- ❖ バセドウ病における甲状腺刺激ホルモン（TSH）の分泌はネガティブフィードバックにより分泌は抑制される．

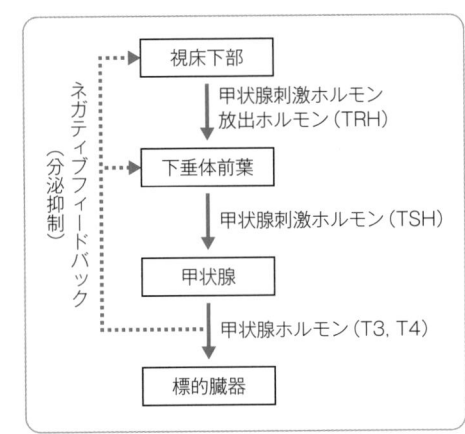

○ ホルモンの作用機序と分泌調整　【37回】 ★★

カルシウムとリンに関係するホルモン

- ❖ 副甲状腺ホルモン：血中 Ca 濃度を上昇させ，血中 P 濃度を減少させる．
- ❖ 活性型ビタミン D：血中 Ca 濃度を上昇させ，血中 P 濃度も上昇させる．
- ❖ カルシトニン：血中 Ca 濃度を減少させ，血中 P 濃度も減少させる．

血糖値に関与するホルモン

〈血糖値を上昇させるホルモン〉
- ❖ グルカゴン：肝臓でのグリコーゲン合成を抑制する．糖新生を促進する．
- ❖ アドレナリン：筋肉でのグリコーゲン分解を促進する．
- ❖ コルチゾール（糖質コルチコイド）：末梢組織でのグルコース分解を抑制する（糖新生抑制作用）．
- ❖ 成長ホルモン

〈血糖値を下げるホルモン〉
- ❖ インスリン

インスリン　【35回】 ★★

- ❖ 膵臓 β 細胞から分泌される．
- ❖ 血糖値を抑制する．
- ❖ 肝臓における糖新生の抑制をする．
- ❖ 骨格筋における糖，アミノ酸の取り込みの促進，タンパク質合成の促進．
- ❖ グリコーゲンや脂肪などの貯蔵物質の合成を促進する．
- ❖ 1 型糖尿病では分泌が低下する．
- ❖ 肥満ではインスリン感受性が低下する．

月経周期の調節に関わるホルモン　【36回】 ★★

- ❯視床下部から分泌…ゴナドトロピン（性腺刺激ホルモン）放出ホルモン
- ❯下垂体前葉から分泌…卵胞刺激ホルモン，黄体形成ホルモン
- ❯卵巣から分泌…卵胞：エストロゲン，黄体：プロゲストロン

血圧が低下したときに分泌亢進するホルモン

- ❯レニン
- ❯抗利尿ホルモン
- ❯副腎髄質ホルモン（アドレナリン，ノルアドレナリン）
- ❯アルドステロン

ホルモン作用　その他 ★

- ❯水溶性ホルモンの受容体は細胞膜表面にある．
- ❯副腎皮質刺激ホルモン（ACTH）は糖質コルチコイドの分泌を刺激する．
- ❯糖質コルチコイドはステロイドホルモンである．
- ❯ヨード（ヨウ素）は甲状腺ホルモンを産生するための材料となる．
- ❯サイロキシンはヨード（ヨウ素）を含む．
- ❯レニンはタンパク分解酵素である．
- ❯レニンはアンギオテンシノーゲンをアンギオテンシンⅠにする．
- ❯アンギオテンシンⅡは末梢血管を収縮させ血圧を上げる．
- ❯メラトニンは，副交感神経を優位にして，覚醒から睡眠に切り替え，入眠をスムーズにする．
- ❯メラトニンは，日中は分泌が抑えられ，夜間に増加する．
- ❯アルドステロンはNaの再吸収を促進する．
- ❯ADH（バソプレシン）は主に腎臓の集合管に作用する．
- ❯ADH（バソプレシン）は水の再吸収を促進する．
- ❯心房性ナトリウム利尿ペプチドは水の再吸収を抑制する．

臨床工学技士国家試験問題　Check UP!

問題1　□□□　22A14

下垂体前葉ホルモンはどれか．

- a．成長ホルモン
- b．甲状腺刺激ホルモン
- c．副腎皮質刺激ホルモン
- d．抗利尿ホルモン
- e．ゴナドトロピン放出ホルモン
1. a, b, c　2. a, b, e　3. a, d, e
4. b, c, d　5. c, d, e

問題2　□□□　31P07

体液調節に関わる物質の作用で正しいのはどれか．

- a．レニンは血中アンギオテンシンを減少させる．
- b．アンギオテンシンⅡは細動脈を拡張させる．
- c．アルドステロンはNa^+の再吸収を促進する．
- d．バソプレッシンは水の再吸収を促進する．
- e．心房性ナトリウム利尿ペプチドは水の再吸収を抑制する．
1. a, b, c　2. a, b, e　3. a, d, e
4. b, c, d　5. c, d, e

問題3　□□□　22P14

正しい組合せはどれか.

- a. カルシトニン————————骨形成促進
- b. 副甲状腺ホルモン——骨吸収促進
- c. レニン————————————タンパク分解酵素
- d. アルドステロン————Na 排泄促進
- e. プロラクチン————————乳汁分泌抑制

1. a, b, c　　2. a, b, e　　3. a, d, e
4. b, c, d　　5. c, d, e

問題4　□□□　23A14

副腎から分泌されるホルモンはどれか.

- a. コルチゾール
- b. インスリン
- c. 成長ホルモン
- d. アルドステロン
- e. ノルアドレナリン

1. a, b, c　　2. a, b, e　　3. a, d, e
4. b, c, d　　5. c, d, e

問題5　□□□　29P08

ホルモンについて誤っているのはどれか.

1. 甲状腺刺激ホルモン (TSH) は下垂体前葉から分泌される.
2. バソプレシンには利尿作用がある.
3. メラトニンは夜間に増加する.
4. ヨードは甲状腺ホルモンの原料の一つである.
5. グルカゴンは血糖値を上昇させる.

問題6　□□□　31P03

血糖調節に関与するホルモンについて誤っているのはどれか.

1. インスリンは肝臓での糖新生を促進する.
2. インスリンは筋肉でのグルコース取り込みを促進する.
3. アドレナリンは筋肉でのグリコーゲン分解を促進する.
4. コルチゾールは末梢組織でのグルコース分解を抑制する.
5. グルカゴンは肝臓でのグリコーゲン合成を抑制する.

問題7　□□□　22A09

血糖値を上昇させるのはどれか.

1. インスリン
2. 糖質コルチコイド
3. パラソルモン
4. バソプレッシン
5. エストロゲン

問題8　□□□　34P08

ホルモンと主な産生部位の組合せで適切でないのはどれか.

1. プロラクチン————————副甲状腺
2. グルカゴン————————膵臓
3. 成長ホルモン————————下垂体
4. エリスロポエチン——腎臓
5. サイロキシン————————甲状腺

問題9　□□□　35P08

インスリンについて正しいのはどれか.

- a. Ⅰ型糖尿病では分泌が低下する.
- b. 膵臓 α 細胞から分泌される.
- c. 肝臓で脂肪分解を促進する.
- d. 筋細胞で糖の取り込みを促進する.
- e. 肥満ではインスリン感受性が低下する.

1. a, b, c　　2. a, b, e　　3. a, d, e
4. b, c, d　　5. c, d, e

問題10　□□□　36A16

交感神経亢進状態を示す所見はどれか.

1. 縮　瞳
2. 血圧低下
3. 唾液量増加
4. 膀胱括約筋弛緩
5. 腸管蠕動運動抑制

月経周期の調節に関わるホルモンを分泌する器官はどれか.

a. 卵　巣
b. 下垂体前葉
c. 下垂体後葉
d. 子　宮
e. 視床下部

1. a, b, c　　2. a, b, e　　3. a, d, e
4. b, c, d　　5. c, d, e

ホルモンについて誤っているのはどれか.

a. 成長ホルモンは副腎から分泌される.
b. バセドウ病では甲状腺刺激ホルモン（TSH）の分泌
　が亢進する.
c. バソプレッシンは主に腎臓の集合管に作用する.
d. 副甲状腺ホルモン（PTH）は血中カルシウム濃度を
　上昇させる.
e. 副腎皮質刺激ホルモン（ACTH）は糖質コルチコイ
　ドの分泌を亢進する.

1. a, b　　2. a, e　　3. b, c　　4. c, d　　5. d, e

図は甲状腺ホルモンの血中濃度を一定に保つネガティブ
フィードバック機構を示している. 何らかの病気で甲状腺
刺激ホルモンの分泌が低下したときの血中ホルモン濃度の
変化で正しいのはどれか.

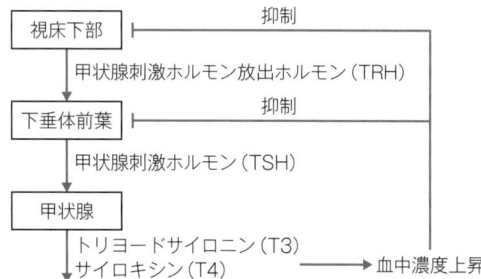

	TRH	T3, T4
1.	減　少	減　少
2.	減　少	不　変
3.	不　変	増　加
4.	増　加	減　少
5.	増　加	増　加

〈解答〉問題 1-1, 問題 2-5, 問題 3-1, 問題 4-3, 問題 5-2, 問題 6-1, 問題 7-2, 問題 8-1, 問題 9-3, 問題 10-5, 問題 11-2, 問題
12-4, 問題 13-1

9. 情報の受容と処理

（1）神経系の構造と機能

○中枢神経系 【35回】【36回】【37回】 ★★★

- ❯脳は大脳半球，間脳，中脳，橋，小脳，延髄に区分される．
- ❯脳，脊髄は，神経細胞の密集している灰白質と，神経線維の集まった白質がある．
- ❯大脳灰白質（大脳皮質）は，白質の外側に存在するが，厚さは数 mm である．
- ❯大脳皮質はそれぞれ特有の機能を受けもっており，これを脳の機能局在という．
- ❯皮質は機能の上から感覚野，運動野，これらを統合する連合野，辺縁系に区分される．
- ❯大脳の連合野は認知や行動判断などの高次機能を営む．
- ❯中心後回は中心溝の後，頭頂葉に存在し，体性感覚を受ける．
- ❯失語は優位半球の障害によって起こる．
- ❯脳脊髄液は脳室の脈絡叢で産生される．
- ❯小脳には平衡保持，姿勢反射，筋緊張の調節，随意運動の円滑化の機能がある．
- ❯間脳には体温中枢，食欲・飲水，性欲の中枢がある．
- ❯錐体路が交叉するところは延髄である．
- ❯脳幹には運動調節，呼吸，循環，血管運動，消化吸収などの中枢がある．
- ❯深部感覚は筋肉や関節の位置，動きに関する情報を提供する．

大脳皮質	前頭葉	行動の開始，抑制，判断，計画，問題解決，情緒，注意，組織化 中心前回（前頭葉最後側）：一次運動野
	頭頂葉	触覚，空間認知，視覚認知 中心後回（頭頂葉最前側）：体性感覚
	側頭葉	聴覚，嗅覚，記憶，言語理解
	後頭葉	視覚
小脳		バランス，運動調整，姿勢
間脳	視床	全身の感覚，視覚，聴覚などを認識し，大脳皮質，大脳基底核に伝達
	視床下部	体温中枢，抗利尿ホルモン，性行動，睡眠，血圧，心拍数，食欲・飲水行動，情動行動などを調節
	松果体	日内リズム調整，メラトニン分泌
	脳下垂体	多くのホルモン分泌
脳幹	中脳	視覚，聴覚，眼球運動
	橋	唾液腺，味覚，聴覚，眼球運動
	延髄	呼吸・循環中枢，嘔吐，嚥下，唾液，消化中枢

サーカディアンリズム 【35回】 ★★

- ❯体内時計（概日リズム）を形成するための 24 時間周期のリズム信号を発振する機構．
- ❯体内時計中枢は視床下部の視交叉上核に存在し，視交叉上核からの神経伝達経路は眼から入った光の信号が視神経を経て視交叉上核へ伝えられ，上頸神経節を経て，松果体に達する．
- ❯サーカディアンリズムに大きく影響を受けているのは，体温，血圧，ホルモン，睡眠である．

脳神経（12 対）【36 回】 ★★

神経	名称	部位	機能	主な異常所見
第Ⅰ神経	嗅神経	大脳半球	嗅覚	嗅覚脱失（無臭症），幻臭
第Ⅱ神経	視神経	間脳，大脳半球	視覚	視力障害，視野障害
第Ⅲ神経	動眼神経	中脳	眼球運動	眼瞼下垂，複視，瞳孔不同・散大
第Ⅳ神経	滑車神経	中脳	眼球運動	内下方注視障害
第Ⅴ神経	三叉神経	橋	顔面の感覚，顎の運動	顔面の感覚障害，咀嚼筋の運動障害，嚥下障害
第Ⅵ神経	外転神経	橋	眼球運動	外側への眼球運動障害
第Ⅶ神経	顔面神経	橋	顔面の運動	顔面麻痺，閉眼不能，水を飲ませると口角から漏れる
第Ⅷ神経	聴（内耳）神経	橋，延髄	聴覚−平衡覚	難聴，耳鳴り，めまい
第Ⅸ神経	舌咽神経	延髄	咽頭の運動	味覚障害，唾液分泌障害，嚥下障害
第Ⅹ神経	迷走神経	延髄	咽頭と喉頭の運動，内臓器官の統御	嚥下障害，カーテン徴候，鼻声，嗄声内臓障害
第Ⅺ神経	副神経	延髄，脊髄	肩と頸部の運動	斜頸
第Ⅻ神経	舌神経	延髄	舌の運動	舌の偏り，嚥下障害，構音障害

○ 脊髄神経 【37 回】 ★★

- ❷脊髄神経は，左右 31 対（8 対の頸神経，12 対の胸神経，5 対の腰神経，5 対の仙骨神経，1 対の尾骨神経）．
- ❷脊髄神経は，脊柱を構成する椎骨と椎弓に囲まれた脊柱管を通って，左右の椎間孔からそれぞれ 1 対ずつ出入する．

○ 末梢神経系 ★

神経細胞の構造

- ❷神経細胞はニューロンとも呼ばれ，細胞体から突起をのばした構造をしている．
- ❷突起は，細胞体から枝分かれする樹状突起と，細く長い軸索に分けられる．
- ❷樹状突起は情報伝達の入力部分である．
- ❷軸索は情報伝達の出力部分である．
- ❷太い神経ほど伝導速度は速い．
- ❷神経細胞の周囲には，神経細胞を支持し，栄養を供給するグリア細胞（神経膠細胞）がある．

有髄神経と無髄神経

- ❷軸索のまわりにシュワン細胞が巻きつき，髄鞘を形成している細胞は有髄神経と呼ばれ，髄鞘と髄鞘のすきまをランビエ絞輪という．
- ❷ランビエ絞輪があることで興奮伝搬速度が向上する（跳躍伝導）．
- ❷髄鞘はシュワン細胞の膜に覆われている．
- ❷運動神経は有髄神経である．
- ❷髄鞘をもたないものは無髄神経と呼ばれる．

○神経伝達

神経細胞の情報伝達

- ❷電気刺激した部位から同方向に伝導する.
- ❷シナプスにおける興奮伝導は一方向である.
- ❷神経細胞に一定の強さ以上の刺激が伝わると，神経細胞の細胞膜に電位の変化（活動電位）が現れる.
- ❷脱分極は静止膜電位が負からゼロに向かうことをいう.
- ❷強い刺激を加えても活動電位の発生が起こらない期間を絶対不応期という.
- ❷活動電位は軸索を伝わり，軸索の末端へと伝えられる.軸索の末端は別の神経細胞や筋と接続しているが，その間にはシナプスと呼ばれるすきまがある.
- ❷活動電位が伝わった軸索の末端からは，アセチルコリンやカテコールアミンなどの神経伝達物質が放出され，これによりシナプス後細胞に情報が伝達される.

神経伝達物質〔興奮の伝達（化学伝達物質）〕

- ❷交感神経節後線維末端から分泌：ドパミン，アドレナリン，ノルアドレナリン
- ❷副交感神経節後線維末端から分泌：アセチルコリン
- ❷その他：L-グルタミン酸

自律神経系

- ❷自律神経の支配を受けるもの（→ p. 93 参照）
  - ・血管壁
  - ・心筋
  - ・汗腺
  - ・唾液腺

伸張反射（腱反射）【34回】 ─────────────── ★★

- ❷伸張反射とは，脊髄反射の一つである.
- ❷脊髄反射は末梢からの刺激情報が求心路（知覚神経）によって脊髄の反射中枢に達し，そのまま遠心路を通って運動神経を働かせる.そのため大脳は関与しない.
- ❷伸張反射の減弱や消失は末梢神経の障害，亢進は錐体路などの反射中枢より上位のニューロンの障害を疑う.

（2）感覚機能

○耳の構造と聴覚 【36回】 ─────────────── ★★

聴覚器

- ❷耳小骨は3つの小骨（ツチ骨，キヌタ骨，アブミ骨）からなる.
- ❷半規管は内耳に存在する.
- ❷内耳は蝸牛，三半規管，前庭からなる.
- ❷耳管は鼓室と咽頭を結ぶ管で，普段は圧閉されている.
- ❷鼓膜は中耳と外耳との境界に存在する.
- ❷蝸牛神経は聴覚に関連する.

問題 1 □□□ 29P09

末梢神経について誤っているのはどれか.

1. 太い神経ほど伝導速度は速い.
2. 電気刺激した部位から両方向に伝導する.
3. シナプスにおける興奮伝達は一方向性である.
4. 運動神経は有髄神経である.
5. 無髄神経では跳躍伝導が起こる.

問題 2 □□□ 26P05

神経組織について誤っているのはどれか.

1. 末梢神経の軸索はシュワン細胞に取り囲まれている.
2. 髄鞘の切れ目をランビエの絞輪という.
3. 細胞内液の Na^+ 濃度は細胞外液よりも高い.
4. 脱分極は静止膜電位が負からゼロにむかうことをいう.
5. 強い刺激を加えても活動電位の発生が起こらない期間を絶対不応期という.

問題 3 □□□ 28P03

内因性の神経伝達物質でないのはどれか.

1. アセチルコリン
2. ドパミン
3. L-グルタミン酸
4. ノルアドレナリン
5. アンフェタミン

問題 4 □□□ 28A09

錐体路が交叉するところはどれか.

1. 大脳基底核
2. 脳梁
3. 中脳
4. 延髄
5. 脊髄

問題 5 □□□ 26P08

聴覚器について誤っているのはどれか.

1. 耳小骨は3つの小骨からなる.
2. 半規管は内耳に存在する.
3. 耳管は両側の中耳を連絡する.
4. 鼓膜は中耳と外耳との境界に存在する.
5. 蝸牛神経は聴覚に関連する.

問題 6 □□□ 23A09

自律神経の支配を受けないのはどれか.

1. 血管壁
2. 心筋
3. 咀嚼筋
4. 汗腺
5. 唾液腺

問題 7 □□□ 22P09

顔面の知覚を支配する脳神経はどれか.

1. 動眼神経
2. 三叉神経
3. 顔面神経
4. 内耳神経
5. 舌下神経

問題 8 □□□ 31A05

外眼筋を支配する脳神経はどれか.

a. Ⅱ
b. Ⅲ
c. Ⅳ
d. Ⅵ
e. Ⅶ

1. a, b, c　2. a, b, e　3. a, d, e
4. b, c, d　5. c, d, e

体性感覚の中枢はどれか.

1. 海馬
2. 中心前回
3. 中心後回
4. 視床下部
5. 大脳基底核

誤っているのはどれか.

1. 蝸牛は内耳にある.
2. 大脳皮質は白質からできている.
3. 中脳, 橋および延髄をまとめて脳幹という.
4. 脊髄神経のうち, 胸神経は 12 対からなる.
5. 脳, 脊髄では灰白質に神経細胞が密集している.

ヒトは約 24 時間の周期で睡眠と覚醒を行うが, この本来持っている日内リズムをサーカディアンリズムという. このリズムが認められるのはどれか.

a. 筋力
b. 視力
c. 体温
d. ホルモン分泌
e. 血圧
1. a, b, c　　2. a, b, e　　3. a, d, e
4. b, c, d　　5. c, d, e

正しいのはどれか.

1. 大脳の連合野は認知や行動判断などの高次機能を営む.
2. 大脳皮質の中心前回は主に体性感覚を受ける.
3. 運動は深部感覚によって支配される.
4. 脊髄神経は 32 対からなる.
5. 間脳は中脳と橋からなる.

伸張反射（腱反射）の中枢はどこか.

1. 脊髄
2. 橋
3. 視床
4. 大脳基底核
5. 小脳

〈解答〉問題 1-5, 問題 2-3, 問題 3-5, 問題 4-4, 問題 5-3, 問題 6-3, 問題 7-2, 問題 8-4, 問題 9-3, 問題 10-5, 問題 11-1, 問題 12-2, 問題 13-1

（1）皮膚の構造と機能

○皮膚の構造と機能 【35回】 ——————————————————————— ★★
- 皮膚は表皮，真皮，皮下組織の3層から構成されている．
- 表皮は角層，顆粒層，有棘層，基底層の4層から構成されている．
- 真皮は表皮の数倍〜数十倍の厚さがあり，血管，神経，リンパ管，感覚神経が多く分布する．
- 基底層にはメラノサイト（色素細胞）があり，紫外線による細胞傷害を抑制するメラニンを合成する．
- ビタミン D_3 は紫外線を浴びると，皮膚にあるプロビタミン D_3（前駆体）という物質が，体内で活性型ビタミンDに変わり，肝臓に蓄えられ骨代謝に関与する．
- 皮膚は水溶性物質に比べて脂溶性物質のほうが透過しやすい．
- 褥瘡は体位変換ができない患者によくみられる．

○皮膚附属器の構造と機能
- 鳥肌が立つのは立毛筋の作用による．
- アポクリン汗腺は腋窩，外陰部，耳道などに集中している．
- エクリン汗腺はほぼ全身に分布する．
- エクリン汗腺は体温調節に関与している．

（2）体温とその調節

- 体温中枢は視床下部にある．
- 健常人の体温の日内変動は1℃程度である．
- 全身麻酔時には体温は環境温度に依存する．
- 膀胱温は深部温の指標である．
- 肺動脈カテーテルは血液温度を連続的に測定できる．
- 排卵日には一過性の体温低下が起こる．
- 体温調節に関連する汗はエクリン汗腺から分泌される．
- 腋窩温は，口腔温より約0.3℃，直腸温より約0.8℃低い．
- 筋肉の震えによって，体温が上昇する（シバリング）．
- 皮膚の血管収縮により，体表への熱の運搬が減少するため，熱放散は減少する．
- 成人1日の不感蒸泄量は約700 mLである．

問題 1　□□□　　24A10

成人の 1 日の不感蒸泄量〔mL〕はおよそいくらか.

1. 100
2. 300
3. 700
4. 1500
5. 2500

問題 2　□□□　　24P09

体温について正しいのはどれか.

a. 腋窩温は直腸温よりも高い.
b. 排卵日には一過性の体温低下が起こる.
c. 低温調節に関連する汗はエクリン腺から分泌される.
d. 発熱時の筋のふるえは体温の上昇後に最大となる.
e. 皮膚血管が収縮すると熱放散が増加する.

1. a, b　2. a, e　3. b, c　4. c, d　5. d, e

問題 3　□□□　　26A09

皮膚について誤っているのはどれか.

1. 鳥肌が立つのは立毛筋の作用による.
2. アポクリン汗腺は背中に多い.
3. メラニン色素には日光紫外線による遺伝子損傷を防ぐ効果がある.
4. エクリン汗腺は体温調節に関与している.
5. 褥瘡は体位変換ができない患者によくみられる.

問題 4　□□□　　35P09

皮膚の構造と機能について正しいのはどれか.

1. 表皮に血管が存在している.
2. 表皮に感覚神経が分布している.
3. ケラチンは紫外線による細胞傷害を抑制している.
4. 赤外線を浴びるとビタミン D 前駆体が活性化する.
5. 水溶性物質は皮膚をほとんど透過しない.

〈解答〉問題 1-3，問題 2-3，問題 3-2，問題 4-5

臨床医学総論 第2版
p.273〜275

（1）生体の防御機能

○ 自然免疫と獲得免疫の違い 【33回】【36回】 ━━━━━━━ ★★

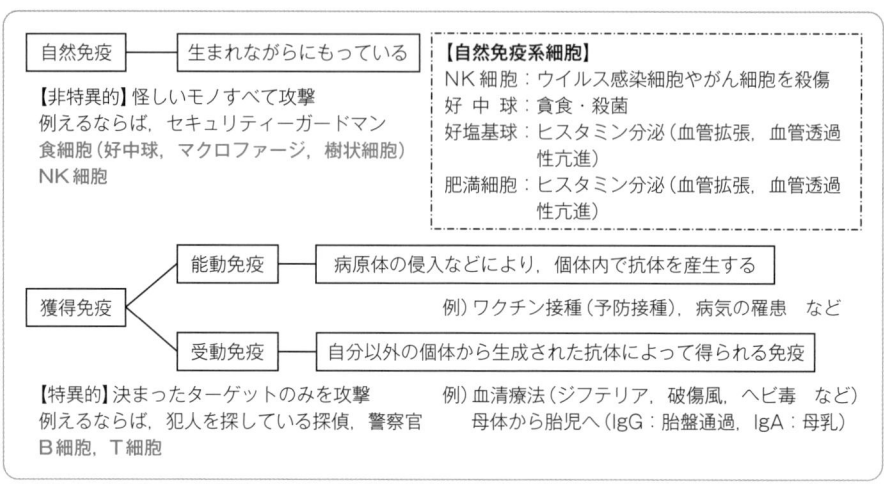

❥授乳によって母乳から抗体を得る現象は獲得免疫である．

❥ワクチンは人為的な抗原の授与による能動免疫である．

❥体内に侵入した微生物を貪食する細胞には，好中球，単球，マクロファージ，樹状細胞などがある．

❥単球はマクロファージに分化する．

○ 自然免疫

❥ナチュラルキラー（NK）細胞は特異的抗原レセプターをもっていない．

❥ナチュラルキラー細胞は腫瘍細胞やウイルス感染細胞などの異常細胞を認識し攻撃できるため，細胞内病原体に対する自然免疫に重要である．

○ 獲得免疫

液性免疫 ━━━━━━━━━━━━━━━━━━━━━━━━ ★

❥抗体が中心となる免疫反応を液性免疫という．

❥B細胞は液性免疫を担当する．

❥体内に抗原が侵入すると，これに特異的に反応するB細胞の活性化・増殖が起こり，抗体が大量に産生される．

❥主に抗体を産生するのはB細胞から分化した形質細胞．

細胞性免疫　【33回】【36回】 ━━━━━━━━━━━━━━━━━━━━━━ ★★

- ❷細胞性免疫はマクロファージを介する.
- ❷単球，マクロファージ，樹状細胞は，抗原提示を行う.
- ❷T細胞は細胞表面上のT細胞レセプターで抗原提示された抗原を認識する.
- ❷Th1細胞を中心に，活性化マクロファージや細胞傷害性T細胞（CTL）などの細胞成分によって行われる抗原特異的な免疫反応を細胞性免疫という.
- ❷T細胞は末梢血リンパ球の約70〜80％を占める.
- ❷細胞傷害性（キラー）T細胞は感染した細胞を破壊する.

免疫系の働き　まとめ

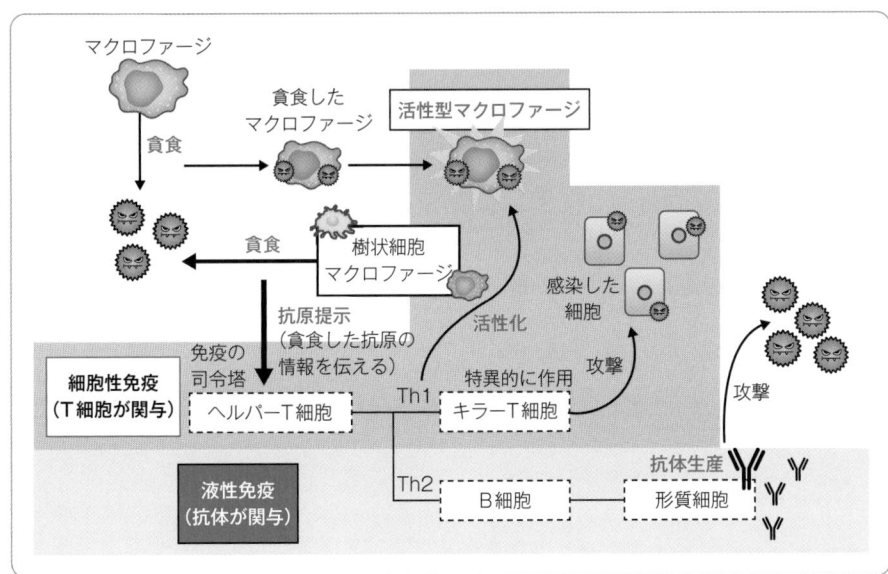

○ 抗体（免疫グロブリン）　【33回】【36回】 ━━━━━━━━━━━━━━ ★★

- ❷抗原の刺激によってB細胞や形質細胞から分泌されるタンパク質（免疫グロブリン：Ig）で，抗原と特異的・選択的に結合する.
- ❷免疫グロブリンには5つのクラスがある.

IgG	血中に最も多く存在し，感染防御の主体となっている. 二次応答の中心となる抗体. 母体の胎盤を通過して胎児に移行し，胎児・乳児免疫の役割を果たす.
IgA	唾液・涙液・母乳などに存在. 粘膜などにおける局所免疫（微生物の侵入防止）.
IgM	抗原刺激を受けると最も早く産生される. 一次応答の感染初期に出現する.
IgD	新生児のリンパ球，B細胞表面にあり抗体産生を誘導するが，その働きは解明されていない.
IgE	即時型アレルギー（気管支端息・蕁麻疹など）のI型アレルギーに関与する.

（2）アレルギー

○アレルギー性疾患　【33回】 ─────────────────────────── ★★

型	反応	機序	時間経過	疾患
Ⅰ型	即時型 アナフィラキシー型	体液性免疫 （IgE）	即時型	気管支喘息 花粉症 蕁麻疹 アトピー性皮膚炎 ペニシリンショック
Ⅱ型	細胞傷害型	体液性免疫 （IgG，IgM）	即時型	血液型不適合輸血 自己免疫性溶血 薬物アレルギー溶血 特発性血小板減少性紫斑病 重症筋無力症
Ⅲ型	免疫複合体型	体液性免疫 （IgG，IgM）	即時型	糸球体腎炎 血清病 アレルギー性肺炎 全身性エリテマトーデス 関節リウマチ
Ⅳ型	遅延型 細胞性免疫型	細胞性免疫 （Tリンパ球）	遅延型	ツベルクリン反応 移植免疫 腫瘍免疫 接触型皮膚炎（金属アレルギー）
Ⅴ型	刺激型	自己免疫疾患		バセドウ病（グレーブス病）

➡肥満細胞がヒスタミンを放出し炎症を引き起こす：IgE が関与．Ⅰ型アレルギー．

問題 1　□□□　23P08

アレルギー反応について正しい組合せはどれか.

a. 血液型不適合輸血―――――アトピー性反応
b. 花粉症――――――――――細胞傷害型反応
c. 全身性エリテマトーデス――免疫複合体型反応
d. 臓器移植の拒絶反応――――遅延型反応
e. 重症筋無力症――――――――即時型反応

1. a, b　2. a, e　3. b, c　4. c, d　5. d, e

問題 2　□□□　28P24

Ⅰ型アレルギー（即時型アレルギー）に分類される疾患はどれか.

1. バセドウ病
2. 気管支喘息
3. 接触性皮膚炎
4. 自己免疫性溶血性貧血
5. 全身性エリテマトーデス

問題 3　□□□　31A09

免疫について誤っているのはどれか.

1. 活性化した B 細胞は抗体を産生する.
2. 肥満細胞がヒスタミンを放出して炎症を引き起こす.
3. マクロファージは抗原情報を提示する.
4. キラー T 細胞がウイルスに感染した細胞を破壊する.
5. リンパ球が体内に侵入した細菌を貪食する.

問題 4　□□□　32A25

アレルギーと疾患との組合せで誤っているのはどれか.

1. Ⅰ型アレルギー ――花粉症
2. Ⅱ型アレルギー ――アナフィラキシーショック
3. Ⅱ型アレルギー ――血液型不適合輸血
4. Ⅲ型アレルギー ――全身性エリテマトーデス
5. Ⅳ型アレルギー ――接触性皮膚炎

問題 5　□□□　36A25

免疫の仕組みについて正しいのはどれか.

a. 自然免疫の主体はリンパ球である.
b. 好中球は抗原を取り込み，情報を提示する.
c. T 細胞は細胞表面上の T 細胞レセプタで抗原を認識する.
d. B 細胞は免疫グロブリンの産生に関与する.
e. 一次免疫応答では IgA の産生が主体である.

1. a, b　2. a, e　3. b, c　4. c, d　5. d, e

〈解答〉問題1-4，問題2-2，問題3-5，問題4-2，問題5-4

12. 生殖，発生，老化

（1）生殖器の構造と機能

○**男性生殖器**
  - ❷精巣は胎生期に腹腔内から陰嚢へ移動する．
  - ❷精子は精巣で産生される．
  - ❷精子は精巣上体内で成熟する．
  - ❷前立腺は精子を活発化する
  - ❷精嚢は前立腺に接して存在する．
  - ❷尿道は前立腺を貫通する．
  - ❷陰茎に海綿体が存在する．

○**女性生殖器**
  - ❷卵巣ホルモンの急激な減少によって月経が生じる．
  - ❷子宮底は妊娠によって上昇する．
  - ❷胎児の放射線感受性は成人よりも高い．

（2）受精と胎児の発生　【37回】 ──────────── ★★

  - ❷受精とは，精子と卵子が融合して1個の細胞である受精卵になることである．受精卵はその後，細胞分裂を繰り返し，胎児へと成長していく．
  - ❷卵巣は卵子を生産する場所である．
  - ❷受精は卵管で行われる．
  - ❷受精卵は卵管を約3〜4日間かけて分裂しながら移動し，子宮内膜に着床する．
  - ❷母胎と胎児の間の酸素と二酸化炭素の交換は，胎盤を通じて行われる．
  - ❷妊娠期間は，最終月経初日から起算して約40週（280日）である．

（3）成長と老化

○**老化**　【34回】【35回】 ──────────── ★★
  高齢者の歩行の特徴
  - ❷筋力の低下により足を持ち上げることができず，歩幅は小さくなる．
  - ❷椎骨や椎間板の変形による円背（背中の丸まり）などによって前傾姿勢となる．
  - ❷立脚期（足が地面に着いている時間）が短くなり，足を高く上げずに歩くすり足歩行となる．
  - ❷上肢の振りは小さくなることが多い．
  - ❷股関節の伸展可動域の減少および筋力低下により，地面を蹴り出す力は弱くなる．

その他の高齢者の特徴

増加（上昇）	減少（低下）
末梢血管抵抗 血圧	骨密度 唾液の分泌 胃酸の分泌（胃の粘膜が萎縮） 肺活量 赤血球数 辛さに対する味覚 最高可聴周波数（高い音が聞き取りにくくなる） 蝸牛の有毛細胞 水分量 エネルギー消費量（基礎代謝量） 糸球体濾過量 胸腺（萎縮する）

- ◉ 染色体の一部（テロメア）が短くなる.
- ◉ 起立性低血圧が増える（血圧の調節機能が低下するため）.

臨床工学技士国家試験問題　Check UP!

問題 1　□□□　25P09

誤っているのはどれか.

1. 精子は精巣上体で産生される.
2. 前立腺は精子を活性化する.
3. 卵巣ホルモンの急激な減少によって月経が生じる.
4. 子宮底は妊娠によって上昇する.
5. 胎児の放射線感受性は成人よりも高い.

問題 3　□□□　30A09

高齢者に現れやすい歩行の特徴はどれか.

1. 歩幅が大きくなる.
2. 後傾姿勢になる.
3. すり足歩行になる.
4. 上肢の振りが大きくなる.
5. 地面を蹴り出す力が強くなる.

問題 2　□□□　26P09

男性生殖器について誤っているのはどれか.

1. 精巣は胎生期に腹腔内から陰嚢へ移動する.
2. 精子は精巣上体内で成熟する.
3. 精嚢は前立腺に接して存在する.
4. 尿管は前立腺を貫通する.
5. 陰茎には海綿体が存在する.

問題 4　□□□　34P09

老化, 加齢に伴う変化でないのはどれか.

1. クレアチニンクリアランスは低下する.
2. 染色体の一部（テロメア）が短くなる.
3. 胃酸の分泌は低下する.
4. 血圧の調節機能が低下する.
5. 蝸牛の有毛細胞が増える.

老化, 加齢に伴う変化で適切でないのはどれか.
1. 高い音が聞こえにくくなる.
2. 胃酸の分泌が増える.
3. 起立性低血圧が増える.
4. 糸球体濾過量が低下する.
5. 染色体のテロメアが短くなる.

正しいのはどれか.
a. 受精とは精子と卵子が融合して 1 個の細胞になることをいう.
b. 受精は卵巣で行われる.
c. 受精卵は卵管に着床する.
d. 母胎と胎児は羊水を介して O_2 の供給と CO_2 の排出を行う.
e. 妊娠期間は最終月経初日から起算して約 40 週である.

1. a, b　2. a, e　3. b, c　4. c, d　5. d, e

〈解答〉問題1-1, 問題2-4, 問題3-3, 問題4-5, 問題5-2, 問題6-2

| 13. | エ ネ ル ギ ー 代 謝

基礎代謝

エネルギー量　【34回】 ───────────────────── ★★

糖質	4 kcal/g
タンパク質	4 kcal/g
脂質	9 kcal/g
炭水化物	4 kcal/g
食物繊維	2 kcal/g
水	0 kcal/g

例題

10％ブドウ糖 1,000 mL から得られるエネルギー量〔kcal〕はいくつか.

解答

10％ブドウ糖液 1,000 mL には，0.1×1,000 mL＝100 g のブドウ糖が含まれている.

また，糖質は 1 g 当たり 4 kcal のエネルギー量をもつ.

よって，100 g×4 kcal/g＝400 kcal

基礎代謝量

❥基礎代謝量は，「早朝，空腹で臥床の状態」で測定される.

・男性：約 1,500 kcal/日

・女性：約 1,200 kcal/日

栄養調査 ───────────────────────────── ★

❥「国民健康・栄養調査」は，厚生労働省により毎年行われ，公表されている.

❥三大栄養素（タンパク質，脂質，炭水化物）には，総エネルギーに占める割合として目標値が設定されている.

・タンパク質：総エネルギーの 13％以上 20％未満

・脂質：総エネルギーの 20％以上 30％未満

・炭水化物：総エネルギーの 50％以上 65％未満

問題 1　□ □ □ 　　25P04

日本人の成人男子（20〜40 歳）の基礎代謝量［kcal/日］に近いのはどれか.

1. 1,000
2. 1,500
3. 2,000
4. 2,500
5. 3,000

問題 2　□ □ □ 　　34P24

栄養成分として 1 g あたりの熱量が最大のものはどれか.

1. 炭水化物
2. 脂質
3. タンパク質
4. 食物繊維
5. 水

〈解答〉問題 1-2，問題 2-2

III. 臨床医学総論

1. 内科学概論

（1）内科学的疾患へのアプローチ

○検査

尿検査の項目 【34回】 ★★

- ❯ブドウ糖
- ❯pH
- ❯ケトン体
- ❯比重
- ❯潜血
- ❯タンパク　など

基準範囲 ★

- ❯基準範囲は，健常と考える集団から病態を有する個体を可能な限り除外し，その検査値に明瞭な影響を与える生理的変動をなるべく均一にした個体（基準個体）について測定した検査値（基準値）分布で，95％の人が含まれる範囲と定義されている．
- ❯そのため，基準範囲から外れるのは全体の5％となる．

赤血球数	450〜500万/μL
白血球数	4,000〜9,000/μL
血小板数	15万〜45万/μL
ヘマトクリット（Ht）値	40〜45%
ヘモグロビン（Hb）値	14〜16 g/dL
Na	135〜145 mEq/L
K	3.5〜5.0 mEq/L
Ca	9〜11 mg/dL (4.5〜5.5 mEq/L)
P	2.5〜4.5 mg/dL
HCO_3^-	22〜26 mEq/L
血糖	70〜100 mg/dL

- ❯ヘマトクリットは，血液中の有形成分（主に赤血球）の容積百分率である．

パニック値 ★

- ❯パニック値とは，「生命が危ぶまれるほど危険な状態にあることを示唆する異常値で，直ちに治療を開始すれば救命しうるが，その診断は臨床的な診断だけでは困難で，検査によってのみ可能である」と定義される．
- ❯溶血が起こると血漿中のカリウムイオン値が上昇する．

項目	単位	パニック値 低値	パニック値 高値
Na	mEq/L	120 以下	160 以上
K	mEq/L	2.5 以下	6.0 以上（外来） 7.0 以上（入院）
Ca	mg/dL	6.0 以下	12.0 以上
クレアチニン	mg/dL		3.0 以上（急性） 8.0 以上（慢性）
LD	U/L		1,000 以上
血糖	mg/dL	50 以下	350 以上（外来） 500 以上（入院）
白血球数	/μL	1,500 以下	20,000 以上
ヘモグロビン	g/dL	5.0 以下	17.0 以上
血小板数	/μL	3 万以下	100 万以上
pH		7.2 以下	7.6 以上
HCO_3^-	mEq/L	15 以下	40 以上

○ 自動血球計数装置

❯ 血球数などを測定する自動血球計数装置と，白血球の細胞腫類を分類する自動白血球分類装置から構成される．

❯ オームの法則が基礎となっている．

〈測定項目〉

❯ 赤血球数

❯ 白血球数

❯ ヘマトクリット（Ht）値

❯ ヘモグロビン（Hb）濃度

❯ 平均赤血球ヘモグロビン量（MCH）

❯ 平均赤血球容積（MCV）

❯ 平均赤血球ヘモグロビン濃度（MCHC）

❯ 血小板数

〈赤血球数計測〉

❯ 電導度測定法（電気抵抗検出方式）

❯ 光散乱検出方式

○ 治療

❯ 腎性貧血：エリスロポエチンの投与

❯ 高カリウム血症：陽イオン交換樹脂，血液浄化，GI 療法（グルコース・インスリン投与），利尿剤

❯ 低カルシウム血症：活性型ビタミン D の投与

❯ 高リン血症：炭酸カルシウムの投与

（2）症候と病態生理

○チアノーゼ 【36回】 ★

		特徴	原因	観察部位
末梢性チアノーゼ		・血液中に含まれる酸素の量が少なくなることによって皮膚や粘膜が紫青色に変色すること（チアノーゼ）. ・心不全やショックなどにより新鮮な酸素が末梢に届かない. ・わずかに届いた酸素を組織が勢い良く消費してしまい，静脈血に還元型ヘモグロビンが増える.	Raynaud（レイノー）症候群 心拍出量低下 Buerger（バージャー）病 血栓性静脈炎 寒冷曝露 低血糖 閉塞性動脈硬化症	指尖 口唇 耳朶 鼻尖
中枢性チアノーゼ		・動脈血に還元型ヘモグロビンが増え，全身にチアノーゼが起こる. ・呼吸機能不全や心臓病などが原因となる. ・中枢の動脈血酸素飽和度が低いため，毛細血管が外から透けてみやすい部位中心に認める.	心疾患 Fallot（ファロー）四徴症 メトヘモグロビン血症 肺動静脈瘻 肺水腫 肺気腫　など	眼球粘膜 口腔粘膜 爪床

○渗出液と漏出液

▶渗出液：炎症によって血管の透過性が上昇し，血管から漏れ出た液体である．タンパク含有量が4％以上であり，リバルタ反応は陽性となる．

▶漏出液：炎症以外の原因によって血管から漏れ出た液体である．液体のタンパク含有量は4％以下であり，リバルタ反応は陰性となる．

▶漏出液のタンパク濃度は渗出液に比べて低い．

腹水貯留

	特徴	疾患
渗出性	腹膜の血管透過性亢進や腹膜リンパ管の吸収障害により血漿成分が腹腔内に渗出したもの.	腹膜炎，癌性（胃癌，大腸癌，卵巣癌など），急性膵炎など
漏出性	腹膜自体には病変がなく，門脈圧亢進や低タンパク血症により，血中の水分が腹腔内に漏出したもの.	肝硬変など

胸水貯留 【35回】 ★★

▶胸水には，性状・成分から渗出性と漏出性があり，また血性胸水もある．

	特徴	疾患
渗出性	主に胸膜の炎症によって出た液. 比重が重く，タンパク濃度が高く，LDLが高値である. 炎症に伴い，フィブリン析出をみる.	結核，肺炎，悪性腫瘍，急性膵炎，膠原病，肺梗塞（血性），悪性腫瘍（血性）など
漏出性	全身静脈圧上昇，肺毛細血管圧上昇，血管透過性亢進，膠質浸透圧の低下などが原因で起こる. 比重やタンパク濃度は低い.	うっ血性心不全，肝硬変，急性糸球体腎炎，ネフローゼ症候群，敗血症など

○浮腫

原因

> ❯毛細血管の透過性の亢進：アレルギー性浮腫では血管透過性の亢進がみられる.

> ❯リンパ管の閉塞（象皮病）：結合組織が増殖，放射線治療後に発症する.

> ❯低タンパク血症・血清アルブミン低値（飢餓やネフローゼ症候群）：血漿膠質浸透圧が低下する.

> ❯下肢の毛細血管圧の上昇（うっ血性心不全）.

> ❯静脈圧の上昇.

下肢浮腫の原因

> ❯深部静脈血栓

> ❯ネフローゼ症候群

> ❯心不全

> ❯血栓性静脈炎：血栓により静脈が詰った周辺に発赤，腫脹，浮腫が現れる.

血清アルブミン低値の原因

> ❯体外または体腔内への漏出の増加：ネフローゼ症候群，タンパク漏出性胃腸症，腎炎，熱傷，出血など.

> ❯代謝亢進：クッシング症候群，甲状腺機能亢進症，ストレスなど.

> ❯合成素材である食餌の質，または量の不足：低栄養，タンパクエネルギー栄養不良症，飢餓，消化吸収障害など.

> ❯アルブミンの合成低下：肝硬変，慢性肝炎など

○熱中症

> ❯Na 欠乏性脱水を呈する.

> ❯日射病の予後は良好である.

> ❯熱射病では意識障害を来たす.

> ❯十分な水分電解質補給は予防に有用である.

> ❯診断には脳血管障害との鑑別が必要である.

臨床医学総論 第2版
p.30～31

（3）全身性疾患の病態生理

○AG（アニオンギャップ）─────────────────── ★

> ❯$AG = Na^+ - (Cl^- + HCO_3^-)$

> ❯代謝性アシドーシスの原因鑑別に用いられる.

AG が増加する代謝性アシドーシス	糖尿病性ケトアシドーシス 飢餓 尿毒症 サリチル酸中毒 敗血症 メタノール中毒 アルコール中毒 アスピリン中毒 乳酸性アシドーシス
AG が増加しない代謝性アシドーシス	尿細管性アシドーシス 下痢

水・電解質異常

低ナトリウム血症を来す病態

- ❭ 腎疾患（慢性腎不全，尿細管性アシドーシス）：Na 摂取不足，Na 喪失
- ❭ 利尿薬使用
- ❭ 副腎不全（アジソン病など）
- ❭ 甲状腺機能低下症
- ❭ 消化管からの消失（嘔吐，下痢，腸閉塞，腹膜炎など）
- ❭ 発汗過剰
- ❭ 熱傷
- ❭ 水過剰（バソプレシン分泌過剰，急性水中毒，低張輸液の過剰など）

カリウム値が異常を来す病態

高カリウム血症	低カリウム血症
アシドーシス 腎不全 アジソン病	アルカローシス ループス利尿薬の投与 原発性アルドステロン症

組合せ

- ❭ アジソン病——高カリウム血症
- ❭ 幽門狭窄症——低カリウム血症
- ❭ ビタミン B_1 欠乏——脚気，ウェルニッケ脳症
- ❭ ビタミン B_{12} 欠乏——巨赤芽球性貧血
- ❭ 副甲状腺機能亢進症——高カルシウム血症
- ❭ アルドステロン症——低マグネシウム血症，高ナトリウム血症

ショック

ショックの原因 ──────────────────────────────★

- ❭ ショックとは，急性循環不全のため，臓器や細胞の機能を維持するための十分な酸素と栄養素が供給されなくなること．

循環血液量減少性 ショック	出血（外傷性出血，消化管出血，子宮外妊娠破裂など） 脱水（熱中症，嘔吐，下痢，糖尿病性昏睡など） 血管透過性亢進（広範囲熱傷，汎発性腹膜炎，急性膵炎，イレウス，低栄養など）
心原性ショック （左心不全，右心不全，不整脈）	心筋障害（急性心筋梗塞，拡張性心筋症，心筋炎，弁膜症，心損傷など） 不整脈（洞不全症候群，房室ブロック，心室頻拍，上室性頻拍など）
心外閉塞・拘束性 ショック	主要心血管閉塞（肺血栓塞栓症，急性大動脈解離，心房粘液腫，心房壁在血栓など） 胸腔内圧上昇（緊張性気胸，陽圧呼吸など） 心圧迫（心タンポナーデ，収縮性心膜炎など） 血管圧迫（縦隔腫瘍など）
血液分布異常性 ショック	神経原性（脊髄損傷，血管迷走神経反射など） アナフィラキシー（薬物，ハチ，食物など） 感染症（グラム陰性桿菌感染症，敗血症など） 急性腎不全（副腎クリーゼなど）

ショックの5徴候（5P）──────────────────────★
- ❯蒼白（Pallor）
- ❯虚脱（Prostration）
- ❯冷汗（Perspiration）
- ❯脈拍触知不能（Pulse‐lessness）
- ❯呼吸不全（Pulmonary insufficiency）

アナフィラキシーショック
- ❯アナフィラキシーにはIgEが関与する（Ⅰ型アレルギー）．
- ❯所見：血圧低下，頻脈，喘鳴，血管浮腫，掻痒感，下痢

（4）応急・救急処置

○ **昏睡**
昏睡を来しやすい病態
- ❯肝硬変
- ❯糖尿病
- ❯一酸化炭素中毒
- ❯急性アルコール中毒
- ❯髄膜炎　など

○ **アフェレーシス療法の適応疾患**
血漿交換療法
- ❯肝疾患
- ❯全身性エリテマトーデス
- ❯悪性関節リウマチ

血漿吸着療法
- ❯自己免疫疾患関連グロブリン吸着
- ❯ビリルビン吸着
- ❯低比重リポタンパク（LDL）吸着：家族性高コレステロール血症
- ❯抗アセチルコリンレセプター抗体吸着：重症筋無力症

血球成分除去療法
- ❯白血球吸着：リウマチ，潰瘍性大腸炎
- ❯顆粒球吸着：潰瘍性大腸炎，クローン病

○ **緊急手術の適応**
- ❯管腔臓器の穿孔：消化管穿孔，胃・十二指腸潰瘍，急性胆嚢炎の穿孔
- ❯腹腔内出血：子宮外妊娠破裂，卵管破裂，腹部大動脈破裂，外傷による肝・腎の破裂
- ❯臓器の循環障害：絞扼性イレウス，急性腸間膜動脈血栓症，ヘルニア嵌頓
- ❯急性化膿性炎症：急性虫垂炎，閉塞性化膿性胆管炎，腹腔内膿瘍，肝膿瘍
- ❯腸管通過障害：閉塞性イレウス

問題 1 □□□ 32A10

ショックでみられる徴候として誤っているのはどれか.

1. 皮膚蒼白
2. 血圧低下
3. 表在静脈虚脱
4. 乏尿
5. 過呼吸

問題 5 □□□ 25P19

異常値はどれか.

a. 赤血球数:450万/μL
b. 白血球:7,000/μL
c. 血小板数:50,000/μL
d. ヘマトクリット値:60%
e. ヘモグロビン濃度:14 g/dL
1. a, b　2. a, e　3. b, c　4. c, d　5. d, e

問題 2 □□□ 30P05

血液・血清の測定値でパニック値(生命に危険が及ぶ値)はどれか.

1. K$^+$:7.5 mEq/L
2. Na$^+$:138 mEq/L
3. ヘモグロビン:10 g/dL
4. 血小板:180,000/μL
5. 血糖:150 mg/dL

問題 6 □□□ 30P15

低Na血症を来す病態はどれか.

a. アジソン病
b. クッシング症候群
c. 原発性アルドステロン症
d. バソプレシン分泌過剰症
e. 下痢
1. a, b, c　　2. a, b, e　　3. a, d, e
4. b, c, d　　5. c, d, e

問題 3 □□□ 27A10

末梢型チアノーゼの観察部位として適切なのはどれか.

a. 指尖
b. 眼球結膜
c. 口腔粘膜
d. 口唇
e. 耳介
1. a, b, c　2. a, b, e　3. a, d, e
4. b, c, d　5. c, d, e

問題 7 □□□ 30A05

下腿浮腫の原因となるのはどれか

a. 胃潰瘍
b. 肺炎
c. 深部静脈血栓症
d. ネフローゼ症候群
e. 心不全
1. a, b, c　2. a, b, e　3. a, d, e
4. b, c, d　5. c, d, e

問題 4 □□□ 30A10

チアノーゼについて誤っているのはどれか.

1. 皮膚や粘膜の色調は紫青色を呈する.
2. 口唇, 耳朶, 指爪が好発部位である.
3. 中心性と末梢性に分類される.
4. 動脈血酸素飽和度低下が原因となる.
5. 貧血によって増強する.

問題 8 □□□ 31A10

ショックの原因として誤っているのはどれか.

1. 脱水
2. 敗血症
3. 急性心筋梗塞
4. Ⅳ型アレルギー反応
5. 迷走神経反射

アニオンギャップが増加しない代謝性アシドーシスはどれか.

- a. 飢餓によるケトアシドーシス
- b. 乳酸性アシドーシス
- c. 下痢によるアシドーシス
- d. 近位尿細管性アシドーシス
- e. 糖尿病性ケトアシドーシス
1. a, b　2. a, e　3. b, c　4. c, d　5. d, e

アフェレシス療法の適応となる疾患はどれか.

- a. 気管支喘息
- b. クローン病
- c. 重症筋無力症
- d. 関節リウマチ
- e. アトピー性皮膚炎
1. a, b, c　2. a, b, e　3. a, d, e
4. b, c, d　5. c, d, e

尿検査の項目でないのはどれか.

1. ブドウ糖
2. グリコヘモグロビン（HbA1c）
3. pH
4. ケトン体
5. 比重

滲出性の腹水貯留を来す疾患はどれか.

- a. うっ血性心不全
- b. 肝硬変
- c. 卵巣癌
- d. 急性膵炎
- e. ネフローゼ症候群
1. a, b　2. a, e　3. b, c　4. c, d　5. d, e

中心型チアノーゼの原因となるのはどれか.

1. 低血糖
2. 寒冷刺激
3. Fallot 四徴症
4. 心原性ショック
5. 閉塞性動脈硬化症

〈解答〉問題 1-5, 問題 2-1, 問題 3-3, 問題 4-5, 問題 5-4, 問題 6-3, 問題 7-5, 問題 8-4, 問題 9-4, 問題 10-4, 問題 11-2, 問題 12-4, 問題 13-3

臨床医学総論 第2版
p.21

（1）手術概論

○手術室内における患者確認項目 【36回】 ★★
- ❯患者氏名・年齢・性別
- ❯疾患名
- ❯手術部位
- ❯予定術式・予定時間
- ❯臨床上の問題点
- ❯アレルギーの有無　など

○基本的手術手技
胸腔ドレナージ
- ❯低圧持続吸引器を使用する.
- ❯ドレーンは局所麻酔下に挿入できる.
- ❯逆止弁用には水を用いる（ウォーターシール方式）.
- ❯吸引源はアウトレット接続にて吸引圧をかける.
- ❯通常，$-10\sim-15\,cmH_2O$ で吸引する.

○輸血
血液製剤 ★
- ❯輸血用血液製剤（赤血球）
  - ・1単位（140 mL）：血液 200 mL 中（200 由来）の赤血球＋保存液 46 mL を添加
  - ・2単位（280 mL）：血液 400 mL 中（400 由来）の赤血球＋保存液 92 mL を添加
- ❯洗浄赤血球は，赤血球 MAP を生理食塩液で洗浄し液性成分を洗い流したもの.
- ❯血漿分画製剤は，多人数から得られた血漿からなる.
- ❯移植片対宿主病（GVHD）を回避するため，血液製剤に放射線照射を行う.

血漿分画製剤
- ❯凝固因子
- ❯アルブミン
- ❯グロブリン製剤

主な血液製剤の保存条件

血液製剤	保存温度	有効期間
赤血球液	2～6℃	採血後 28 日間
洗浄赤血球	2～6℃	製造後 48 時間
解凍赤血球	2～6℃	製造後 4 日間
濃厚血小板	20～26℃	採血後 4 日間（振盪保存）
新鮮凍結血漿	−20℃以下	採血後 1 年間
アルブミン製剤	室温保管	2 年間
グロブリン製剤	10℃以下	2 年間

※赤血球液の有効期間は 2023 年 3 月 13 日採血分より変更された.

全献血者血液に行っている感染症検査

❯HBV（B 型肝炎ウイルス）

❯HCV（C 型肝炎ウイルス）

❯HEV（E 型肝炎ウイルス）

❯HIV（ヒト免疫不全ウイルス）

❯梅毒

❯ヒトパルボウイルス B19

❯HTLV-1（ヒト T 細胞白血病ウイルス 1 型）

自己血輸血

❯自己血輸血とは，手術の数週間前に採取・保存しておいた自己血を，手術時に輸血するものである.

❯自己血輸血は事前の採取が可能なため，待機手術に使用される.

輸血後移植片対宿主病（PT-GVHD）

❯輸血した血液中のリンパ球が患者の臓器を傷害する.

❯全身の紅斑，肝障害，下痢，骨髄抑制などが起こる.

❯予防策は輸血前の血液製剤に放射線照射を行い，リンパ球の能力をなくす.

同種抗原感作

❯輸血中に含まれる他者由来の血球や血漿タンパク（同種抗原）に対する抗体産生をいう.

❯防止するには，白血球除去フィルタが有効である.

不規則抗体

❯赤血球に対する抗体は，ABO 血液型の抗 A 抗体と抗 B 抗体以外は血清中に認められない. しかし，抗 A 抗体・抗 B 抗体以外の抗体がつくられることがあり，これを不規則抗体という.

❯輸血（同種血輸血）や妊娠によって産生されることもある.

❯輸血を行う前に不規則抗体の有無をスクリーニングする.

その他　組合せ
- ❯Rh 血液型──赤血球
- ❯HLA 血液型──白血球

臨床医学総論 第2版
p.31～32

（2）創傷治癒

○創傷治癒の過程 【33回】【34回】【35回】【37回】 ★★★

1. 止血期
   - ❯受傷直後は凝固因子（フォン・ヴィレブランド因子）の活性化と血小板の凝集による止血が行われる.

2. 炎症期
   - ❯創面を凝血塊が被覆し，局所の炎症による毛細血管の拡張と血管透過性の亢進が起こる.
   - ❯受傷後3日間で起こる.

3. 増殖期（肉芽形成期）
   - ❯肉芽が形成される.
   - ❯線維芽細胞，新生血管が増殖する.
   - ❯受傷後4日～2週間の時期で肉芽形成期とも呼ばれる.

4. 成熟改変期（瘢痕形成期）
   - ❯線維芽細胞・新生毛細血管の増殖が止まり，細胞外基質の蓄積が進む.
   - ❯受傷後数週間から数カ月に及ぶ.
   - ❯成熟相では瘢痕組織となる.

5. 収縮期（瘢痕化）
   - ❯瘢痕組織は収縮し，上皮化は完成して表面平滑な瘢痕となる.

○創傷処置

一次治癒（一次癒合）
- ❯鋭い刃物や手術などで切った傷は，縫合すると，化膿しない限り細い1本の線の傷が残る.
- ❯組織修復は速やかである.

二次治癒（二次癒合）
- ❯時間が過ぎたり，傷が感染していたり，木や砂などの異物が入っていると縫合できないため，感染を抑えながら自然に治るのを待つ.
- ❯汚染された挫滅創には切除が有効である.
- ❯開放創は二次治癒となる.
- ❯瘢痕組織を形成する.
- ❯肉芽組織が多い.

三次治癒
> 二次治癒の途中で感染していないことや異物がないことがわかった時点で，傷のまわりを切り縫合する．

その他
> コラーゲン（膠原線維）は細胞外基質の重要タンパクである．
> コラーゲンは線維芽細胞から分泌される．
> 皮膚表皮細胞は再生能力がある．
> 線維芽細胞は豊富なコラーゲンを産生しつつ増生し，その中に細胞が散在性に浸潤する．
> 清潔な湿潤環境は創傷治癒を促進する．
> 組織学的に，肉芽は毛細血管に富む．
> 肉芽組織から瘢痕組織となる．

○ 創傷治癒を遅延させる因子　【36回】【37回】 ━━━━━━━━━ ★★

全身的因子	局所因子
低栄養 低アルブミン血症 感染 肝硬変 低タンパク血症 糖尿病 腎不全 ビタミンC欠乏 ステロイド剤・抗菌薬投与 放射線照射	止血が得られない場合 異物・壊死組織が存在する場合 感染が存在する場合 局所の循環障害がある場合 創部に張力（機械的刺激）が 　かかっている場合

（3）患者管理

臨床医学総論 第2版
p.32〜35

○ 術中および術後管理
中心静脈栄養法の合併症

カテーテルに起因	製造に起因
血管内カテーテル関連血流感染 空気塞栓 気胸 カテーテル先端位置異常	高血糖 タンパク異化亢進：腎前性高尿素血症 必須脂肪酸欠乏 肝機能異常

経静脈栄養法の合併症

機械的合併症	・カテーテルの材質による刺激 ・カテーテルの閉塞（カテーテル固定系の縛りすぎ） ・静脈内血栓 ・カテーテルの位置異常（長期間の留置による物理的な力が働く） ・カテーテルの断裂
カテーテル関連血流感染	・重篤化することがあり，特に注意を要する（局所にとどまらず全身に波及する）
代謝性合併症	・血糖異常（高血糖）などの糖代謝異常 ・電解質異常 ・高トリグリセリド血症 ・腎前性高窒素血症 ・酸塩基平衡異常 ・ビタミン・ミネラル欠乏症（ビタミン B_1 欠乏に注意） ・中心静脈栄養の過剰投与
消化器合併症	・胃液の過剰分泌による胃炎，胃潰瘍形成 ・消化管粘膜の萎縮 ・バクテリアルトランスロケーション（腸管内細菌が粘膜バリアを通過して体内に移行する状態）

臨床医学総論 第2版
p.326

（4）外傷，熱傷

○**外科的侵襲** 【36回】 ────────────────── ★★
  ❯生体は手術，外傷などの侵襲を受けると，神経内分泌反応とサイトカインなどにより様々な反応を呈する．
  ❯外科的侵襲に対する反応で亢進する．
   ・抗利尿ホルモン（ADH）分泌　→尿量減少
   ・カテコールアミン（アドレナリン，ノルアドレナリン）分泌
   ・サイトカイン分泌
   ・グルカゴン分泌
   ・副腎皮質刺激ホルモン（ACTH）分泌
   ・糖質コルチコイド分泌
   ・アルドステロン分泌
   ・エネルギー消費量
   ・血小板凝集能
   ・糖新生の促進（グリコーゲンや筋タンパクを分解）
   ・血糖値（上昇）

○**熱傷** 【35回】 ──────────────────────── ★★
  ❯熱傷性ショックは血管透過性が亢進する，循環血液量減少性ショックである．
  ❯合併症として出血性胃十二指腸潰瘍がある．
  ❯熱傷面積（％）が同じでも小児の方が成人よりも重症である．

熱傷分類

第Ⅰ度熱傷	・皮膚の壊死は表皮内にとどまり，皮膚のバリア機能は保たれているので感染の危険性はない. ・外見は発赤・紅斑がみられる.
第Ⅱ度熱傷	・水疱を形成する. ・真皮の浅い層の浅達性Ⅱ度熱傷は，皮膚の壊死が真皮にまで及ぶため，表皮のバリア機能は失われ感染の危険性が高くなる. ・真皮より深い層の深達性Ⅱ度熱傷は，感染などで容易にⅢ度熱傷に移行する.
第Ⅲ度熱傷	・真皮，表皮全層が壊死に陥る. ・壊死が皮下組織や筋肉に達する. ・熱傷創は植皮による創閉鎖を行う. ・壊死創に対してはデブリードマンを行う.

熱傷 9 の法則・5 の法則

〈9 の法則〉

❷成人に適用される熱傷面積の推定方法.

❷頭部，右上肢，左上肢をそれぞれ 9%.

❷体幹部の前面を 18%，後面を 18%.

❷右下肢，左下肢をそれぞれ 18%.

❷陰部を 1% として，熱傷面積を推定.

〈5 の法則〉

❷小児・乳児に適応される.

❷頭部，体幹前面，体幹後面をそれぞれ 20%.

❷四肢はそれぞれ 10% として計算する.

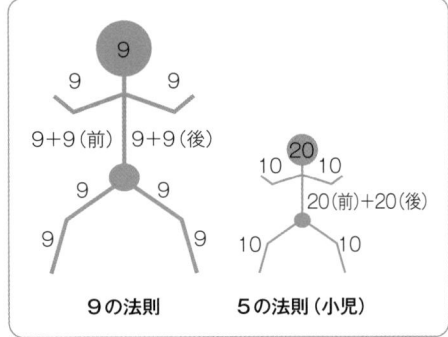

9 の法則　　　5 の法則 (小児)

> **例題**
>
> 成人の頭部を含めた上半身全体に熱傷を生じたとき，総体表面積に対する割合はいくつか.
>
> **解答**
>
> 頭部＝9%
>
> 上半身＝身体の前面 18%，後面 18%，右上肢 9%，左上肢 9%
>
> よって，63% となる.

(5) 消毒・滅菌

○用語の定義 ★

滅菌	芽胞を含むすべての微生物を殺滅または除去すること.
消毒	微生物による汚染の危険性を低減させ，感染物を取り除くこと.
高水準消毒	多数の芽胞が存在する場合を除き，すべての微生物を殺滅する.
中水準消毒	結核菌，栄養型細菌，ほとんどのウイルスと真菌を殺滅する.
低水準消毒	ほとんどの栄養型細菌，一部のウイルスと真菌を殺滅する.
洗浄	物質から有機物や汚染を物理的に除去すること.
殺菌	広い意味で使われ，芽胞，カビなど多くの種類の微生物を不活化することをいう.

○消毒法

医療器具の滅菌・消毒水準（スポルディング分類） ────────── ★

基準	解釈	処理方法	医療機器
クリティカル	無菌組織や血管に挿入されるもの	滅菌 高圧蒸気滅菌，EOG 滅菌，過酸化水素プラズマ滅菌	手術機材，注射器，穿刺や縫合に用いるものなど
セミクリティカル	粘膜や損傷のある皮膚に接触するもの	高水準消毒 グルタラール，フタラール，過酢酸製剤	内視鏡，膀胱鏡，呼吸回路　など
		中水準消毒 次亜塩素酸ナトリウム，ポビドンヨード，消毒用アルコール	ネブライザ，ほ乳瓶　など
ノンクリティカル	損傷のない皮膚と接触するもの	低水準消毒 クロルヘキシジン，第四級アンモニウム塩，両性界面活性剤　など	聴診器，血圧計，ベッドサイドテーブル　など

抗菌スペクトル

	細菌芽胞	ウイルス	結核菌	糸状真菌	酵母様真菌	一般細菌
グルタラール	○	○	○	○	○	○
フタラール	○	○	○	○	○	○
過酢酸	○	○	○	○	○	○
次亜塩素酸ナトリウム	△	○	○	○	○	○
ポビドンヨード	△	○	○	○	○	○
消毒用エタノール	×	△	○	○	○	○
クロルヘキシジン	×	×	×	×	○	○
塩化ベンザルコニウム	×	×	×	×	○	○
クレゾール	×	×	×	×	○	○
両性界面活性剤	×	×	×	×	○	○

○：有効，△：十分な効果が得られないことがある，×：効果なし．

消毒用エタノール ────────────────────────── ★

❷手が肉眼的に汚れている場合は，消毒前に流水と石けんによる手洗いを行う．

❷速乾性エタノール手指消毒では 1 回 3 mL を使用する．

❷手荒れ防止には皮膚保護剤，保湿剤が入ったものを使用し，しっかりと皮膚にすり込ませる．

❷消毒後は，すぐに乾くため薬液を拭き取る必要はない．

❷芽胞に対してはほとんど殺菌作用がない．

〈消毒用エタノールのウイルスへの効果〉

消毒用エタノール効果有り	消毒用エタノール効果弱い
エンベロープ（脂質の膜）あり ・インフルエンザウイルス ・RS ウイルス ・HIV ・新型コロナウイルス ・HBV　など	エンベロープ（脂質の膜）なし． 効果を上げるには長時間のアルコールへの接触が必要． ・HAV ・アデノウイルス ・ノロウイルス ・ロタウイルス ・ポリオウイルス　など

ポビドンヨード
- ❯ 粘膜の消毒に使用できる.
- ❯ 関節注射時の皮膚消毒に有効である.
- ❯ ヨードアレルギーを起こす可能性がある.
- ❯ 金属腐食が高い.
- ❯ MRSA（メチシリン耐性黄色ブドウ球菌）にはポビドンヨードは有効である.
- ❯ 皮膚縫合前の創内洗浄は化学的侵襲を起こすため, 薬剤による消毒は極力避ける.

クロルヘキシジン
- ❯ 低水準消毒薬である.
- ❯ 細菌芽胞, 結核菌, ウイルスには効果はない.

消毒薬全般
- ❯ O-157 にアルコールは有効である.
- ❯ 病原体プリオンには 3％ドデシル硫酸ナトリウムを用いる.
- ❯ B 型肝炎ウイルスは WHO（世界保健機関）ではグルタラール, 次亜塩素酸ナトリウムを推奨しているが, 消毒用アルコールやポビドンヨードでも効果はある.
- ❯ インフルエンザウイルスに病室の消毒は必要ない.

手指消毒に使用
- ❯ 逆性石けん
- ❯ グルコン酸クロルヘキシジン
- ❯ ポビドンヨード
- ❯ エチルアルコール
- ❯ 消毒用エタノール

HIV（ヒト免疫不全ウイルス）に有効な消毒薬
- ❯ グルタールアルデヒド
- ❯ 次亜塩素酸ナトリウム
- ❯ ポビドンヨード

最も強力な消毒薬（芽胞に有効）
- ❯ グルタールアルデヒド
- ❯ フタラール
- ❯ 過酢酸

粘膜（鼻腔, 口腔など含む）の消毒に使用する消毒薬 【35 回】【37 回】────── ★★
- ❯ ポビドンヨード
- ❯ 塩化ベンザルコニウム液
- ❯ 塩化ベンゼトニウム
- ❯ オキシドール

金属腐食が強い消毒薬
- ❯次亜塩素酸ナトリウム
- ❯ポビドンヨード
- ❯ヨウ素（ヨードチンキ）

○ 滅菌法
滅菌法
- ❯加熱法
- ❯濾過法
- ❯照射法
- ❯ガス法

EOG 滅菌（エチレンオキサイドガス滅菌，酸化エチレンガス滅菌） ───── ★
- ❯作用機序は微生物を構成するタンパク質のアルキル化である．
- ❯EOG は残留毒性が強い：エアレーションが必要．
- ❯滅菌温度：37～60℃
- ❯滅菌時間：2～4 時間
- ❯ガス濃度：400～600 mg/L
- ❯エアレーション：8 時間以上
  - ・50℃：12 時間，60℃：8 時間
  - ・室温放置の場合，7 日間で残留ガスを除去できる．
- ❯浸透性に非常に優れているため，包装をしたままで滅菌が可能．
- ❯滅菌物が湿っていると殺菌効果が弱くなるため，滅菌前によく乾燥させておく．
- ❯滅菌工程に加湿工程がある（加湿 30～60％程度にコントロール）．
- ❯EOG の比重：1.53（空気より重い）．
- ❯ゴムや樹脂などへの浸透性が強い．
- ❯EOG は可燃性であり，空気と混合すると爆発する可能性がある．そのため，不活性ガス（CO_2，フレオン，窒素）を混合する．

高圧蒸気滅菌 ─────────────────────── ★
- ❯湿熱作用により微生物中のタンパク質を変化させ滅菌する．
- ❯動作中の装置は 2 気圧以上が維持されている．

〈滅菌できるもの〉
- ❯ガラス製器具
- ❯金属製手術器具（コッヘル）
- ❯耐熱性プラスチック
- ❯絹糸
- ❯血液回路
- ❯リネン　など

〈特徴〉
- ❯浸透性がない．
- ❯芽胞に対して有効．

- 残留毒性が少ない.
- 経済的である.

〈滅菌温度と時間の関係〉
- 115℃, 30分
- 121℃, 20分
- 126℃, 15分
- 136℃, 3分

〈高圧蒸気滅菌に適さないもの〉
- 精密機械
- 気管支ファイバースコープ

乾熱滅菌
〈滅菌温度と時間の関係〉
- 160〜170℃, 2時間
- 170〜180℃, 1時間
- 180〜190℃, 30分

プラズマ滅菌
- 過酸化水素を100％電離（プラズマ化）したもの.
- 殺菌効果に加え, プラズマ発生時に産出する紫外線や, フリーラジカルが微生物を死滅させる.
- 化学的作用による.
- 浸透性がない.
- 残留ガスが発生しない.

〈プラズマ滅菌に適さないもの〉
- 液体
- 粉体
- セルロース系（ガーゼ, リネン, セルロース系ダイアライザ膜）

放射線滅菌（γ線） ─────────────── ★
- γ線による微生物細胞での電離や励起作用によって起こる, 生体高分子鎖の切断やラジアルの生成, 消滅である.
- 放射線にはコバルト60のγ線を用いる.
- 滅菌物の温度管理は必要ない.
- 包装のまま滅菌できる.
- ディスポーザブル製品（注射器など）の滅菌に用いられる.
- 装置が大型となるため, 病院での滅菌には不向き（専用業者へ委託）.
- フッ素樹脂, テフロンは劣化する恐れあり.

濾過滅菌
- 濾過法は滅菌精度の高まりにより注射用水の滅菌法として認められた.
- 逆浸透法や限外濾過法などがある.

滅菌消毒後，残留物を除去する必要のあるもの

　▶エチレンオキサイドガス滅菌（EOG 滅菌）

　▶ホルムアルデヒドガス滅菌

○組合せ　【34 回】　　　　　　　　　　　　　　　　　　　　　　　　★★

　▶高圧蒸気滅菌──鋼製小物，リネン

　▶放射線滅菌──ゴム

　▶乾熱滅菌──ガラス，粉体，液体

　▶ディスポーザブル注射器──γ線

　▶芽胞形成菌──グルタールアルデヒド

　▶内視鏡，腹腔鏡──グルタールアルデヒド，エチレンオキサイドガス，高圧蒸気滅菌，過酸化水素ガスプラズマ滅菌

臨床工学技士国家試験問題　Check UP!

問題 1　□□□　　29A25

輸血用赤血球製剤に放射線照射をする理由はどれか.

1. 赤血球の機能を増強するため
2. 血漿中のウイルスを不活化するため
3. 移植片対宿主病（GVHD）を回避するため
4. 赤血球凝集を分散させるため
5. 赤血球型物質を減少させるため

問題 2　□□□　　33A10

創傷治癒について，二次治癒と比較した一次治癒の特徴はどれか.

1. 組織修復は速やかである.
2. 開放創のままで治癒する.
3. 瘢痕組織を形成する.
4. 肉芽組織が多い.
5. 汚染の激しい感染創でみられる.

問題 3　□□□　　29A10

中心静脈栄養の合併症はどれか.

a. 閉塞性イレウス
b. 血管内カテーテル関連血流感染
c. 高血糖
d. 甲状腺機能亢進症
e. 心房細動

1. a, b　2. a, e　3. b, c　4. c, d　5. d, e

問題 4　□□□　　36A23

手術室内の安全管理における患者確認の項目に含まれないのはどれか.

1. 患者氏名
2. 疾患名
3. 手術部位
4. 術　式
5. 家族の病歴

輸血製剤について正しいのはどれか.

1. 血小板製剤は 2～6℃で保存する.
2. 洗浄赤血球製剤は血漿分画製剤である.
3. 赤血球液の有効期間は 28 日間である.
4. 輸血製剤 1 単位が全血 400 mL 由来である.
5. 血漿分画製剤は献血者 1 人から分離・製造される.

創傷治癒の過程について正しいのはどれか.

1. 成熟相（組織再構築期）は受傷直後～3 日間の時期でみられる.
2. 増殖相には肉芽組織が形成される.
3. 上皮組織はコラーゲンを産生する.
4. 線維芽細胞は分裂し扁平化しシート状に結合して創部を覆いつくす.
5. 炎症相にはコラーゲン線維の再構築により瘢痕組織が形成される.

胸腔ドレナージについて正しいのはどれか.

a. 低圧持続吸引器を使用する.
b. ドレーンは局所麻酔下に挿入できる.
c. 逆流防止にアルコールを注入する.
d. 吸引圧は油圧で調節する.
e. −40 cmH₂O の圧で吸引する.

1. a, b　2. a, e　3. b, c　4. c, d　5. d, e

不規則抗体が産生される原因はどれか.

a. 自己血輸血
b. 同種血輸血
c. 妊娠
d. エリスロポエチン投与
e. 鉄剤投与

1. a, b　2. a, e　3. b, c　4. c, d　5. d, e

創傷治癒の過程について正しいのはどれか.

1. 炎症反応が始まると毛細血管の透過性は亢進する.
2. 出血に対しては好中球が凝集し止血する.
3. 上皮細胞は受傷直後に創部を覆いつくす.
4. 赤血球が肉芽を形成する.
5. 血管内皮細胞が壊死組織を貪食する.

創傷治癒の過程で最も遅く起きる事象はどれか.

1. 血栓形成
2. マクロファージの動員
3. 瘢痕形成
4. 線維芽細胞の増殖
5. 肉芽組織の形成

熱傷について誤っているのはどれか.

1. Ⅰ度熱傷は瘢痕を残さず治癒する.
2. Ⅰ度熱傷は水疱形成が特徴である.
3. 熱傷性ショックは循環血液量減少性ショックである.
4. Ⅲ度の熱傷創は植皮による創閉鎖を行う.
5. Ⅲ度熱傷で生じた壊死創に対してはデブリードマンを行う.

院内感染について正しいのはどれか.

a. 手袋を着用して処置をした場合, 手袋取り外し後の手指衛生は不要である.
b. 標準予防策では, 手袋, マスク, ガウン等の着用基準を定めている.
c. 患者の唾液は感染性があるものとして扱う.
d. 麻疹感染者の部屋への入室時には N95 マスクを着用する.
e. 入院前から感染し入院後に発症した場合, 院内感染症とみなされる.

1. a, b, c　2. a, b, e　3. a, d, e
4. b, c, d　5. c, d, e

手術に関連した滅菌，消毒について正しい組合せはどれか．

a．手　指―――次亜塩素酸ナトリウム水溶液
b．粘　膜―――ベンザルコニウム塩化物液
c．鋼製小物―――高圧蒸気滅菌
d．手術室の壁――ホルムアルデヒド
e．腹腔鏡―――乾熱滅菌
1．a，b　2．a，e　3．b，c　4．c，d　5．d，e

成人の右下肢全体に熱傷を生じたとき，総体表面積に対する割合はどれか．

1．　4.5%
2．　9%
3．18%
4．27%
5．36%

外科的侵襲に対する反応で亢進しないのはどれか．

1．グリコーゲン合成
2．抗利尿ホルモン分泌
3．ノルアドレナリン分泌
4．サイトカイン分泌
5．アルドステロン分泌

創傷治癒を阻害するのはどれか．

a．高血圧
b．糖尿病
c．ステロイドホルモン投与
d．放射線照射
e．正常妊娠
1．a，b，c　2．a，b，e　3．a，d，e
4．b，c，d　5．c，d，e

粘膜に使用される消毒液はどれか．

1．ポビドンヨード
2．消毒用エタノール
3．過酢酸
4．グルタラール
5．次亜塩素酸ナトリウム

〈解答〉問題 1-3，問題 2-1，問題 3-3，問題 4-5，問題 5-3，問題 6-2，問題 7-1，問題 8-3，問題 9-1，問題 10-3，問題 11-2，問題 12-4，問題 13-3，問題 14-3，問題 15-1，問題 16-4，問題 17-1

3. 呼吸器系

（1）感染症

◉マイコプラズマ肺炎

概要

- ❯肺炎マイコプラズマ（*Mycoplasma pneumoniae*）による肺感染症.
- ❯10〜30歳代に好発する（全体の70％を占める）.
- ❯高熱を認める.
- ❯激しい発作性の咳嗽が特徴.
- ❯飛沫感染で広がる.
- ❯学校などで集団発生する.
- ❯肝機能障害を合併することがある.
- ❯肺炎として比較的軽症であることが多く，予後は一般に良好である.

検査・診断

- ❯血中寒冷凝集素価の上昇.
- ❯CRPの陽性化.
- ❯白血球が増加することは珍しい.
- ❯診断はマイコプラズマの分離培養による病原体の検出によって確定されるが，日数を要する.

治療

- ❯マクロライド系抗菌薬，テトラサイクリン系が第一選択である.
- ❯マイコプラズマは細胞壁をもたないので，βラクタム系薬剤の効果はない：非定型肺炎.

◉肺結核 【33回】【34回】 ────────── ★★

概要

- ❯二類感染症に指定されている.
- ❯結核菌（*Mycobacterium tuberculosis*）による肺感染症.
- ❯上肺野（肺尖部）に好発する.
- ❯感染直後から1〜2週間後に発症することなく，長い潜伏期間（2年以内）を経てから発症する.
- ❯滲出性の胸水貯留を来す.
- ❯多くは，肺炎型（乾酪性）で空洞を伴い，気管支が侵されることがある.
- ❯結核結節の中心部には乾酪壊死巣を有する.
- ❯粟粒結核では，血行性に播種し，髄膜，骨，腎なども侵すことがある.
- ❯日本での肺結核による死亡率はやや減少.
  - ・2019年：1.7（人口10万人対比）→ 2021年：1.5（人口10万人対比）
- ❯結核菌の感染様式は，飛沫核によるヒトからヒトへの空気感染である.
- ❯空気感染対策として，N95マスクを着用する.
- ❯集団，家族内感染がある.

❷免疫力低下［老化，糖尿病，膠原病（副腎皮質ステロイド使用），癌，免疫不全（HIV感染など），人工透析など］によるものが多い.

❷成人発症の多くは免疫機能低下による再燃である.

検査・診断

❷喀痰での塗抹・培養検査が重要である：3日間連続施行.

❷核酸増幅法（PCRを含む）による診断が有用である.

❷ツベルクリン反応検査の判定は注射後48時間後に行う：遅延型過敏反応をみる.

❷BCG接種1ヶ月後からツベルクリン反応が陽転する.

❷免疫機能が低下している人では結核に感染してもツベルクリン反応が陽性とならないことがある. すなわち，ツベルクリン反応が陰性でも結核の可能性がある.

❷喀痰検体が得られない場合，患者のリンパ球を用いて，インターフェロン-γ産生応答をみる検査が有用である.

❷塗抹では菌数の多少をガフキー（Gaffky）号数で示す.

❷肺結核胸膜炎では胸水貯留を認める.

❷上葉に結節性，空洞性陰影を認める.

❷粟粒結核では小結節が多数散在するX線像がみられる.

治療

❷強力な化学療法，イソニアジド（NH），リファンピシン（RFP），ストレプトマイシン（SM）またはエタンブトール（EB）の多剤併用により，1ヶ月余で排菌は止まり，6〜9ヶ月間の短期化学療法で治療を終了することができる.

❷化学療法では2〜3剤以上の併用が行われる（イソニアジド，リファンピシンなど）.

❷内服治療期間は，初期で2ヶ月間，維持期で4〜7ヶ月間である.

抗結核薬の副作用

❷イソニアジド——末梢神経炎

❷カナマイシン——難聴，腎障害

❷エタンブトール——視力障害

❷ピラジナミド——肝障害，関節痛

❷リファンピシン——肝障害

❷ストレプトマイシン——聴力障害，腎障害

○過敏性肺臓炎

❷過敏性肺臓炎は原因によって分けられるが，原因不明のものが3〜5割を占める.

❷原因が判明しているものの中では夏型過敏性肺炎が最多である.

❷夏型過敏性肺炎は，季節としては5〜10月，特に夏季に多く，古くて湿気の多い木造家屋で発生しやすいために，家にいることの多い専業主婦など中年女性での発症が多い.

○ 高齢者の細菌性肺炎の特徴 【34回】 ━━━━━━━━━━━━━━━━━ ★★

- ❯意識混濁が起こりやすい.
- ❯高齢者の肺炎の死亡率は約23%であり, 予後は不良である.
- ❯日常生活動作（ADL）の低下, 食欲低下, 脱水症状などの症状がみられるが, 咳や痰, 発熱などの自覚症状がみられないことがある.
- ❯持病や他の病気の症状と肺炎の症状との区別が難しい.

○ ニューモシスチス肺炎 【36回】 ━━━━━━━━━━━━━━━━━ ★★

- ❯細胞性免疫不全によって起こるニューモシスチス・イロベチ（*Pneumocystis jirovecii*）（真菌の一種）による日和見感染症である.
- ❯HIV感染, 免疫抑制剤・抗がん剤の使用, 悪性腫瘍などはリスク因子となる.
- ❯胸部X線では両側性びまん性の肺門周囲の浸潤影（すりガラス影）を示すのが特徴的である.
- ❯治療にはST合剤（スルファメトキサゾール・トリメトプリム配合錠）を使用する.
- ❯診断
  - ・特殊染色法による栄養体や嚢子の検出
  - ・PCR法
  - ・β-D-グルカン値が高値となる

○ その他の肺炎

- ❯ウイルスと細菌の混合感染性肺炎では, 適切な抗菌薬療法を行う.
- ❯嚥下性肺炎（誤嚥性肺炎）の主な起炎菌は嫌気性菌である.
- ❯ウイルス性肺炎の病原診断は発病時の抗体価と2〜3週後との比較を行う.
- ❯肺アスペルギルス症は真菌の感染によって起こる呼吸器疾患である.

（2）新生物

臨床医学総論 第2版
p.63〜66

○ 肺癌 ━━━━━━━━━━━━━━━━━━━━━━━━━━━━━━━━ ★

- ❯肺癌の原因には, 喫煙, 職業的曝露 [石綿（アスベスト）, ニッケル, クロム, ラドン], 大気汚染, 放射線, 遺伝的要因などが挙げられるが, 最も重要なものは喫煙である.
- ❯肺癌による死亡率は男女ともに増加傾向にあり, 男性では第1位, 女性でも第3位である.

肺癌の代表的な組織型とその比較

	非小細胞癌			小細胞癌
	腺癌	扁平上皮癌	大細胞癌	
頻度	約50%	約30%	約5%	約15%
好発部位	肺野	肺門・肺野	肺野	肺門・肺野

- ❯組織型分類では腺癌が最も多い.

症状

- ❯咳, 痰, 血痰, 胸痛, 喘鳴
- ❯呼吸困難
- ❯ばち指

❯反回神経麻痺による嗄声

❯上大静脈症候群

❯Horner（ホルネル）症候群

○転移性肺癌

❯全身から肺に転移しやすい.

❯転移様式には，血行性転移やリンパ行性転移などがある.

❯リンパ行性

・肺癌（肺内転移）や胃癌，乳癌などからの転移が代表的である.

・癌性リンパ管症を起こすことがある.

○縦隔腫瘍

縦隔腫瘍の好発部位 ━━━━━━━━━━━━━━━━━━━━━━ ★

上部縦隔 （胸骨柄〜第4胸椎下線を結ぶ部位より上方の部分）	胸腺腫瘍（胸腺腫，胸腺癌など） 奇形腫 甲状腺腫瘍（縦隔内甲状腺腫，甲状腺癌など） リンパ腫 神経性腫瘍　など
前部縦隔 （上縦隔より下方で胸骨と心外膜の間の部分）	胸腺腫瘍 奇形腫 リンパ腫 心膜性囊胞　など
中部縦隔 （前部縦隔と項部縦隔の間の部分）	リンパ腫 気管支囊胞 神経性腫瘍　など
後部縦隔 （心外膜後縁よりも後方の部分）	神経性腫瘍 胃腸管囊胞　など

（3）拘束性・閉塞性肺疾患　総論　【36回】　★★

	拘束性換気障害	閉塞性換気障害
病態	・肺間質の線維化などにより肺が膨らまない. ・縦隔腫瘍や胸膜の肥厚などで胸郭が動かない.	・気道壁の炎症性変化や過剰な分泌物で末梢気道が閉塞する. ・呼気時の胸腔内圧上昇により末梢気道が押しつぶされ閉塞する. ・肺胞壁の破壊による肺弾性収縮力の低下で空気を押し出す駆動圧が低下する.
症状	・肺が広がらず容量が低下するため, 息が吸いにくい.	・気道の閉塞のため, 息が吐きにくい.
検査所見	%肺活量 (%VC)<80% 肺線維症 肺活量↓のため山の幅が小さい	1秒率 (FEV1%)<70% 気管支喘息 気道に通過障害があるため, 凹みができる. 〈慢性閉塞性肺疾患 (COPD) 所見〉 ・最大換気量減少 ・1秒率低下 ・ピークフローの減少 ・気道抵抗の増加（気道狭窄のため） ・静肺コンプライアンスの増加 ・残気量の増加 ・換気血流比不均等分布の増加
疾患	・間質性肺炎 ・放射線肺炎 ・肺線維症 ・肺水腫 ・ARDS（急性呼吸窮迫症候群） ・サルコイドーシス	・気管支喘息（※閉塞性に分類されるが, COPDには分類しない） ・COPD（肺気腫, 慢性気管支炎） ・びまん性汎細気管支炎

※サルコイドーシスは全身性の肉芽腫疾患で, 発症部位により, 拘束性, 閉塞性の換気障害となる.

	拘束性換気障害			閉塞性換気障害	
	肺水腫	間質性肺疾患 肺線維症	ARDS	COPD (慢性気管支炎) (肺気腫)	気管支喘息
PaO_2	↓	↓	↓	↓	↓
$PaCO_2$	→	→	↓	→	↓（重症時は↑）
$A-aDO_2$	開大する	開大する	開大する	開大する	開大する

※注意！！
CO_2の拡散効率は酸素に比べ高く, 低下or変化なしの場合が多い. 拘束性換気障害においても同様であり, 一般的には$PaCO_2$は上昇するといわれているが, 実際には変化がないケースが大半. そこで, 問題を解く際には, 拘束性換気障害について$PaCO_2$についての問題が出題された場合は, 一端保留とし, 他の選択肢から判断すること.

（4）閉塞性肺疾患

○喘息（気管支喘息）【34 回】【37 回】 ━━━━━━━━━━━━━━━━━ ★★

概要

- ❯喘息の症状は主に発作時にみられ，非発作時にはほとんどみられない．
- ❯発作時には，比較的少量の痰が出る（痰は無色〜白色で粘稠）．
- ❯気道に好酸球などが浸潤しており，種々の刺激［アレルゲン（抗原），アトピー素因，冷気，汚染大気など］に対して反応性が高まっているため，気管支収縮による気道閉塞（可逆性の気道狭窄）が起こる．
- ❯喘息は，Ⅰ型アレルギーが関与するアトピー型と，アレルギーが関与しない非アトピー型に分類される．
- ❯気道に慢性の炎症が存在し，好中球，リンパ球，マクロファージなどの炎症細胞が関与する．
- ❯呼吸困難が強いと寝ていることができず，上半身を起こす起座呼吸の姿勢をとる．

原因

- ❯ハウスダスト
- ❯花粉
- ❯タバコなどの気道刺激物質
- ❯気温，気圧の変化
- ❯時間帯（夜間や明け方）

検査・診断

- ❯動脈血酸素分圧（PaO_2）は低下する．
- ❯発作時は換気血流比不均等によって，PaO_2 低下 →過換気 → $PaCO_2$ 低下となる．
- ❯さらに重症の発作では肺胞低換気によって PaO_2 低下となり，$PaCO_2$ 上昇となる．
- ❯肺の聴診で，呼気に強い連続性ラ音が聴取される．
- ❯末梢血や喀痰中に好酸球が増加する．
- ❯血中に IgE が増加する．
- ❯アセチルコリンやヒスタミンの吸入試験で過敏性を示す：気道性過敏症．
- ❯1 秒率と 1 秒量が低下する（ピークフローの低下）．
- ❯残気量の増大を認める．
- ❯呼気中 NO（一酸化窒素）濃度が診断に有用である（COPD との鑑別）．

治療

- ❯原因療法：アレルゲンの摂取を避ける（薬物，食物），患者の周辺からアレルゲンを減らす．
- ❯減感作（脱感作）療法：アレルゲン（ハウスダスト，花粉など）を用いる．
- ❯β_2 受容体刺激薬
- ❯酸素吸入
- ❯キサンチン誘導体投与
- ❯副腎皮質ステロイド投与
- ❯抗アレルギー薬投与

○COPD（慢性閉塞性肺疾患）【33回】【35回】【37回】 ★★★

概要

- ❱タバコ煙を主とする有害物質を長期に吸引曝露することで生じた肺の炎症性疾患であり，緩やかに進展する不可逆性の疾患である．
- ❱慢性気管支炎と肺気腫（線維化は認めず，肺胞壁が破壊される）をあわせた総称．
- ❱大半が50歳以上の中高年者にみられ，男性に多く，長年の喫煙習慣を有する場合が多い．
- ❱先天性要因：α_1-アンチトプリシン欠損にて発症する．
- ❱後天的要因：老化，感染，喫煙，大気汚染，職業的曝露（粉塵，刺激性ガス）

症状

- ❱自覚症状：咳，痰，労作時の息切れ，呼吸困難，喘息様症状，喘鳴
- ❱他覚症状：呼気延長，口すぼめ呼吸，ビア樽状胸郭，胸鎖乳突筋の肥大
  - ・閉塞性障害が高度になると，肺が過度に膨張した状態となり，胸の前後径が増していわゆるビア樽状胸郭となる．また拡張した肺のため，横隔膜が異常に押し下げられる（横隔膜の平低化）．
- ❱次第にうっ血性心不全が加わるようになる．右心不全を合併すると体重増加，浮腫，頸静脈怒張を認める．

検査・診断

〈胸部X線〉

- ❱肺野の透過性亢進
- ❱肺血管影の減少
- ❱肺の過膨張所見（横隔膜平低化，心胸郭比減少）
- ❱胸骨後腔（肋間腔）の拡大

〈呼吸機能検査（スパイロメトリー）〉

- ❱閉塞性換気障害を示す．
- ❱1秒量（1秒間の呼出量）と1秒率（FEV$_1$％＝1秒量/呼出量×100）が低下する．
- ❱肺活量は減少しないが，1秒率は70％以下に低下する（％VC＞80％，FEV$_1$％≦70％）．
- ❱肺コンプライアンスの増加
- ❱残気量，残気率の増加
- ❱気道抵抗の増加

治療

- ❱禁煙指導
- ❱薬物療法：気管支拡張薬，ステロイド薬吸入，去痰薬
- ❱理学療法：腹式呼吸（自覚症状の改善が期待できる），口すぼめ呼吸，呼吸筋訓練，排痰法（体位ドレナージ，スクイージング法）．
- ❱酸素療法
  - ・低酸素による組織障害，肺高血圧，肺性心（右心不全）への進展を防止する．
  - ・慢性呼吸不全を伴うときの長期酸素療法は延命効果とQOL向上に有用であり，在宅酸素療法が行われている．
- ❱その他
  - ・安楽に呼吸ができるファウラー位，セミファウラー位とする．

- 高炭酸ガス血症を認める場合，CO_2 ナルコーシスを防ぐために換気量を増加して炭酸ガス濃度を下げる．
- 慢性呼吸不全に陥ると食欲が低下し，体力も衰える傾向があるので，十分な栄養を心がけさせる．

臨床医学総論 第2版
p.54～56

（5）拘束性肺疾患

○間質性肺炎（肺線維症）──────────────────────────── ★

- ❸拘束性換気障害を示す．
- ❸肺全体の構築が硬化，縮小し酸素化の障害が進行する．
- ❸呼吸・循環不全に陥る傾向が強い．
- ❸胸部X線では，すりガラス様陰影，粒状影，粒状輪状陰影，多発輪状陰影がみられる．

臨床医学総論 第2版
p.60～62

（6）呼吸不全

○呼吸不全 ─────────────────────────────────── ★

呼吸不全の定義

- ❸室内空気呼吸時の動脈血酸素分圧（PaO_2）が 60 mmHg 以下となる状態を呼吸不全という．
  - $PaCO_2$ が 45 mmHg 以下のものをⅠ型呼吸不全と分類する．
  - $PaCO_2$ が 45 mmHg を超えるものをⅡ型呼吸不全と分類する．
- ❸呼吸不全状態が少なくとも1ヶ月持続する状態を慢性呼吸不全という．

Ⅰ型呼吸不全	Ⅱ型呼吸不全
※空気は入ってくるが，ガス交換の出来ない肺胞がある． 高二酸化炭素血症を伴わない低酸素血症 $A\text{-}aDO_2$ は開大する 酸素摂取障害のみ 　・拡散障害，換気血流比異常，肺内シャント 　・間質性肺炎，ARDS，肺水腫，無気肺，肺血栓塞栓症　など	※換気が少ない． 高二酸化炭素血症を伴う低酸素血症 $A\text{-}aDO_2$ は開大しない 　・換気障害，肺胞低換気 　・COPD，気管支喘息　など

$A\text{-}aDO_2$（肺胞気動脈血酸素分圧較差）

- ❸理想的な肺胞では，肺気量のガス分圧と肺胞を流れていく動脈血のガス分圧との間には完全な平衡が達成され，分圧差は生じないはずであるが，現実の肺胞系では肺胞気と動脈血の間には分圧差が生じている．
- ❸正常範囲：10 mmHg 以下（ルームエア時）
- ❸$A\text{-}aDO_2$ 開大の原因
  - ・肺内シャント（右→左シャント）
  - ・換気血流比不均衡
  - ・拡散障害
  - ・肺気腫
  - ・慢性気管支炎
- ❸増加しない（変化なし）
  - ・神経・筋疾患：呼吸筋疲労

- ・胸部異常
- ・呼吸中枢機能低下
- ・肺胞低換気（高二酸化炭素血症が原因）

○ARDS（acute respiratory distress syndrome：急性呼吸窮迫症候群）
【34回】【35回】 ──────────────────────── ★★

概要
- ❯感染症や外傷などに引き続いて発症する重度の呼吸不全を呈する疾患の総称．
- ❯拘束性肺障害に分類される．
- ❯間質液の貯留により拡散障害が起こる．
- ❯換気血流比不均衡が生じる．
- ❯気道抵抗が上昇する．
- ❯肺内シャント率の増加
- ❯12〜48時間以内に肺内シャント増大に起因する低酸素血症
- ❯頻呼吸のために過換気状態
- ❯全身性炎症反応
- ❯血管透過性亢進
- ❯肺コンプライアンスの急速な低下
- ❯左心室不全は認めない．
- ❯死亡率は40％程度．

原因
- ❯感染症，敗血症
- ❯胃液誤飲，誤嚥
- ❯急性膵炎
- ❯大量輸血，ショック

ARDSの診断基準
① 急性発症である．
② 呼気終末陽圧（PEEP）換気の圧にかかわらず，$PaO_2/F_IO_2 \leq 200 \, mmHg$ となる．
- ・PaO_2/F_IO_2（P/F比）＝動脈血酸素分圧 / 吸入気酸素濃度
- ・ARDSほど重症ではなく，PaO_2/F_IO_2 が 200 mmHg 以上 300 mmHg 以下の場合，急性肺損傷（LIS）という．
③ 胸部X線像で両側びまん性浸潤影を呈する．
④ 肺動脈楔入圧（PAWP）が 18 mmHg 以下，または左房圧上昇の所見がないこと．
　※心原性肺水腫ではない．

治療
- ❯人工呼吸管理によるPEEPが有効．

○CO_2 ナルコーシス 【36回】 ──────────────────── ★★

概要
- ❯体内への CO_2 の蓄積によって起こる重症の炭酸ガス（CO_2）中毒．

CO₂ ナルコーシス 3 徴候

- 自発呼吸の減弱
- 呼吸性アシドーシス
- 意識障害を主とする中枢神経症状

診断

- COPD などの慢性 II 型呼吸不全の患者で,
- 高濃度 O_2 を投与された後,
- または感染症を合併した後などに,
- 自発呼吸の減弱, pH 低下（呼吸性アシドーシス）, 頭痛, 意識障害（傾眠, 昏睡, けいれん）, 羽ばたき振戦などがみられたとき.

治療

- 低酸素血症の改善が最重要.
- NPPV（非侵襲的陽圧換気療法）を用いる.
  ・低濃度, 低流量で酸素投与を行う（高濃度の酸素投与を行うと呼吸抑制となり, CO_2 が蓄積する）.
- 人工呼吸管理を行う.

○ **睡眠時無呼吸症候群（sleep apnea syndrome；SAS）** 【36 回】 ────── ★★
概要

- 平均 7 時間の夜間睡眠中に少なくとも 10 秒以上の無呼吸が 30 回以上発症する場合をいう.
- 病型として閉塞型が大部分を占める.
- 中年の男性肥満者が多い.
- 男女比　5：1

分類

- 閉塞型：上気道閉塞による.
- 中枢型：呼吸中枢の障害による呼吸運動消失.
- 混合型：閉塞型と中枢型が混合.

症状

- 日中の傾眠傾向
- 鼾（いびき）
- 二次性赤血球数増多
- チアノーゼ
- 右室肥大

検査・診断

- ポリソムノグラフィ（PSG）で測定する.
  ・気流センサ（口腔, 鼻腔）
  ・胸部・腹部の動き
  ・呼吸回数（呼吸停止時間含む）

・パルスオキシメータ（SpO$_2$）

治療
> 成人の閉塞性では肥満改善を基本とする.
> nasal - CPAP（経鼻的持続陽圧呼吸療法）や NPPV が有効である.
> CPAP または，BiPAP（二相性陽圧呼吸）による睡眠中の呼吸療法を行う.

○ **呼吸筋麻痺を来す疾患（人工呼吸が必要なもの）**
> フグ毒
> N-ヘキサン中毒
> 有機リン中毒
> 筋萎縮性側索硬化症
> ギラン・バレー症候群
> 重症筋無力症
> 多発性筋炎
> 進行性筋ジストロフィ

（7）肺循環疾患

○ **肺血栓塞栓症（深部静脈血栓症）**
→「Ⅲ-4　循環器系」を参照.

（8）その他の呼吸器疾患

臨床医学総論 第2版
p.56〜60
p.69〜70

○ **サルコイドーシス** 【33回】 ──────────────────── ★★
> サルコイドーシスは全身性疾患であり，特に肺への罹患が最も多い.
> 健診での胸部 X 線異常や眼症状（霧視，視力低下など）の有症状で発見することが多い.
> 血清アンギオテンシン変換酵素（ACE）が増加することが多い.
> 胸部単純 X 線の両側肺門リンパ節腫脹が特徴所見である.
> 高カルシウム血症がみられることがある.
> 生検による乾酪壊死を伴わない類上皮細胞肉芽腫の証明および，その他の肉芽腫性疾患を除外することで確定診断となる.
> 自然治癒することが多い.

○ **珪肺（じん肺症）**
> 珪肺では珪肺結節が肺実質内に散布し，最終的に結節融合による肺破壊がみられる.
> 乾性咳嗽，呼吸困難を呈する.
> 好発は長期にわたる粉塵の吸入の既往がある人

○ **気胸** 【35回】 ──────────────────────── ★★
概要
> ブラの破裂によって生じる気胸を自然気胸という. 原発性気胸と続発性気胸に分類される.

- ❯ 突然の呼吸困難と胸痛などがみられ，乾燥咳を伴う．
- ❯ 原発性気胸：20歳前後，長身，やせ型の男性．
- ❯ 続発性気胸：COPD患者（60歳代以上が多い）など．
- ❯ 陽圧換気中は緊張性気胸のリスクが高くなる．
- ❯ 緊張性気胸は循環動態が悪化しショック状態となることがある．

検査・診断（空気の貯留の確認）

- ❯ 打診にて，患側の鼓音を認める．
- ❯ 聴診にて，患側の呼吸音の減弱を認める．
- ❯ 視診にて，患側胸郭の可動性低下を認める．
- ❯ 胸部X線像で，肺血管影のみられない透過性の亢進した所見を認める．

治療

- ❯ 軽度または無症状：安静
- ❯ 中等度：胸腔ドレナージ
- ❯ 緊張性気胸：胸腔ドレナージ，緊急脱気

○ 喫煙が発症の要因となっている呼吸器疾患 ───────── ★

- ❯ 呼吸細気管支炎
- ❯ 原発性肺癌
- ❯ 肺小細胞癌
- ❯ 肺扁平上皮癌
- ❯ 慢性閉塞性肺疾患（COPD）：慢性気管支炎，肺気腫
- ❯ 喘息
- ❯ 気道感染のリスクが高い（インフルエンザ，結核に罹患しやすい）．
- ❯ 自然気胸のリスクが高い．
- ❯ いびきや閉塞性睡眠時無呼吸症候群（OSAS）の関連性あり．
- ❯ 母親の喫煙で，子どもの肺の成長の抑制あり．

○ 術後無気肺 【36回】【37回】 ───────────── ★★

- ❯ 手術中の麻酔管理によって起きる呼吸抑制，長時間の同一体位などにより，気管支に気道内分泌が貯留し，気管支が閉塞状態となり起こる．
- ❯ 手術後の無気肺は，術後3日以内に発症すること多い．
- ❯ 喫煙歴は発症リスクが高くなる．
- ❯ 徴候や観察項目
  - ・呼吸困難（喀痰の増加）
  - ・低酸素血症（SpO_2の低下）
  - ・頻脈
  - ・頻呼吸
  - ・胸痛
  - ・咳嗽

問題 1 □□□ 30P17 改

肺結核症について正しいのはどれか.

a. 死亡数は年々増加している.
b. 肺の下部に好発する.
c. 診断にはインターフェロン-γ産生応答をみる検査が有用である.
d. イソニアジド（INH）の代表的な副作用は末梢神経障害である.
e. 初回治療の基本は抗結核薬単剤による治療である.

1. a, b　2. a, e　3. b, c　4. c, d　5. d, e

問題 2 □□□ 31A11

%VC<80%, FEV1.0%≧70%となる病態を呈する疾患はどれか.

a. 放射線肺炎
b. サルコイドーシス
c. 肺気腫
d. 気管支喘息発作
e. 肺線維症

1. a, b, c　2. a, b, e　3. a, d, e
4. b, c, d　5. c, d, e

問題 3 □□□ 34P16

肺結核症について正しいのはどれか.

1. 患者周辺では接触感染症予防策を講じる.
2. 健常人は感染しても発症しない.
3. 喀痰塗抹検査は3日連続で行う.
4. 1種類の薬物で治療する.
5. 五類感染症に指定されている.

問題 4 □□□ 34P11

高齢者の細菌性肺炎の特徴はどれか.

a. 意識混濁が起こりやすい.
b. 高熱がでやすい.
c. 咳症状が顕著である.
d. 食事量に変化はない.
e. 予後が不良である.

1. a, b　2. a, e　3. b, c　4. c, d　5. d, e

問題 5 □□□ 34A12

気管支瑞息について正しいのはどれか.

1. 発作時には短時間作用性β_2刺激薬吸入を行う.
2. スパイロメトリーで拘束性換気障害を認める.
3. 呼気中CO濃度が診断に有用である.
4. 長期管理における薬物療法の基本は経口ステロイド薬である.
5. 生活環境に注意する必要はない.

問題 6 □□□ 35A12

COPDの確定診断に必要な検査はどれか.

1. 高分解能CT
2. 気管支内視鏡検査
3. スパイロメトリー
4. 呼気中一酸化窒素濃度測定
5. インターフェロンγ遊離試験（IGRA）

問題 7 □□□ 35P23

急性呼吸促迫症候群（ARDS）の診断に必要な情報はどれか.

a. PaO_2
b. $PaCO_2$
c. 中心静脈圧
d. 吸入酸素分画（FIO_2）
e. 胸部X線画像

1. a, b, c　2. a, b, e　3. a, d, e
4. b, c, d　5. c, d, e

問題 8 □□□ 34A11

急性呼吸促迫症候群（ARDS）の病態として誤っているのはどれか.

1. 拡散障害
2. 換気血流比不均等
3. 気道抵抗上昇
4. シャント率増加
5. 肺コンプライアンス増加

自然気胸について正しいのはどれか.

1. 女性に多い.
2. 聴診所見では健側の呼吸音が減弱する.
3. 胸部 CT 所見ではブラが確認される.
4. 陽圧換気中は発生しない.
5. 緊張性気胸は自然軽快する.

ニューモシスチス肺炎について正しいのはどれか.

a. 日和見感染症である.
b. 病原体は寄生虫である.
c. 胸部 X 線では無気肺を認める.
d. マクロライド系抗菌薬が有効である.
e. 血中 β-D-グルカン値は診断に有用である.
1. a, b   2. a, e   3. b, c   4. c, d   5. d, e

上部縦隔に好発しない腫瘍はどれか.

1. 甲状腺腫
2. 気管支嚢胞
3. 神経性腫瘍
4. リンパ腫
5. 奇形腫

閉塞性換気障害の判定基準はどれか.

1. %肺活量　80%未満
2. %肺活量　70%未満
3. 1秒率　90%未満
4. 1秒率　80%未満
5. 1秒率　70%未満

睡眠時無呼吸症候群の治療法はどれか.

a. CPAP
b. NPPV
c. TPPV
d. 在宅酸素療法
e. 高流量鼻カニューレ酸素療法（ハイフローセラピー）
1. a, b   2. a, e   3. b, c   4. c, d   5. d, e

COPD の最大の危険因子はどれか.

1. 加齢
2. 肥満
3. 喫煙
4. アスベスト曝露
5. アトピー素因

CO_2 ナルコーシスの治療で正しいのはどれか.

a. ペーパーバッグを口に当てる.
b. 高濃度酸素から投与を開始する.
c. NPPV を用いる.
d. 人工呼吸管理を行う.
e. アシドーシスはできるだけ早く補正する.
1. a, b   2. a, e   3. b, c   4. c, d   5. d, e

術後無気肺の徴候として誤っているのはどれか.

1. 低酸素血症
2. 呼吸困難
3. 高体温
4. 頻呼吸
5. 徐脈

気管支喘息でみられるのはどれか.

　a．アトピー素因
　b．可逆性の気道狭窄
　c．発作時のピークフロー増加
　d．拘束性換気障害
　e．気道過敏性の低下
　1. a, b 　2. a, e 　3. b, c 　4. c, d 　5. d, e

〈解答〉問題1-4，問題2-2，問題3-3，問題4-2，問題5-1，問題6-3，問題7-3，問題8-5，問題9-3，問題10-2，問題11-1，問題12-4，問題13-2，問題14-5，問題15-3，問題16-5，問題17-1

4. 循環器系

臨床医学総論 第 2 版
p.73〜80

（1）血圧異常

○ **本態性高血圧症** ────────────────────────────────── ★

概要

❯収縮期血圧が 140 mmHg 以上，あるいは拡張期血圧が 90 mmHg 以上のいずれかを高血圧とする．

❯高血圧の診断について，血圧は変動が大きく，環境によっても異なるため複数回の測定を行う必要がある．

❯遺伝性素因［常染色体顕性遺伝（優性遺伝）］と環境因子（食塩，ストレス，肥満など）が重なって発症すると考えられる．

❯本態性高血圧症は原因が不明で，全体の 90 ％を占める．

治療

❯まずは生活習慣の是正（減塩，運動，禁酒，禁煙など）を行う．

❯食塩制限：6 g/日未満

❯野菜・果物の積極的摂取

❯コレステロールや飽和脂肪酸の摂取を控える．

❯適正体重の維持：BMI［体重 kg÷(身長 m)^2］は 22 を適正体重とし，25 以上を肥満とする．

❯運動療法：心血管疾患のない高血圧患者が対象で，有酸素運動を毎日 30 分以上を目標に定期的に行う．

高血圧患者の治療に使用する降圧薬

❯Ca 拮抗薬

❯アンギオテンシン受容体拮抗薬（ARB）

❯アンギオテンシン変換酵素（ACE）阻害薬

❯β 遮断薬

❯α 遮断薬

❯利尿薬

❯中枢性末梢性交換神経抑制薬

○ **二次性高血圧症** 【36回】【37回】 ────────────────────── ★★

❯原因の明らかな高血圧を二次性高血圧症という．

❯高血圧の 5〜10％を占める．

❯若年者で特に高血圧の家族歴の少ない場合，基礎疾患に伴う二次性高血圧症を考慮する．

原因

❯腎性高血圧：糸球体腎炎（尿中ナトリウム排泄低下），腎実質性高血圧，腎硬化症，腎血管性高血圧（腎動脈の狭窄），腎腫瘍など

❯内分泌性高血圧：原発性アルドステロン症（アンギオテンシン II 産生亢進），クッシ

ング症候群，褐色細胞腫（カテコラミン産生亢進），甲状腺機能亢進症，末端肥大症・先端巨大症など

❯心血管性高血圧：大動脈縮窄症，大動脈弁閉鎖不全症，大動脈炎症候群（高安動脈炎），動脈硬化（血管壁/管腔径比の増加）など

❯神経性高血圧：てんかん，脳圧亢進症など

❯妊娠性高血圧

❯薬物性高血圧

❯その他：睡眠時無呼吸症候群

○二次性低血圧症 【34回】 ━━━━━━━━━━━━━━━━━━━━ ★★

❯収縮期血圧 100 mmHg 以下を低血圧という．

❯本態性低血圧のほか，起立性低血圧などの一過性低血圧もある．

❯二次性低血圧症は，基礎疾患により血圧が低下してしまうことをいい，原因がはっきりしている．

原因

神経疾患	シャイ・ドレーガー症候群 パーキンソン病 ギラン・バレー症候群 アミロイドニューローパチー
心血管疾患	心不全 アダムス・ストーク症候群 大動脈弁狭窄症 心タンポナーデ
内分泌疾患	アジソン病 副腎皮質機能不全 甲状腺機能低下症
薬剤性	降圧薬 亜硝酸薬 精神安定薬
その他	脱水 栄養失調 アルコール中毒 ビタミン欠乏

（2）動・静脈疾患

臨床医学総論 第2版
p.66〜67
p.80〜85

○大動脈瘤 ━━━━━━━━━━━━━━━━━━━━━━━━━━━━━━ ★

❯発生頻度は，全大動脈瘤の約 1/3 を胸部大動脈瘤，約 2/3 を腹部大動脈瘤が占める．

❯大動脈瘤は発生すると縮小することはない．

原因

❯最も多いのが，動脈硬化である．

❯血管炎（大動脈炎症候群，巨細胞性動脈炎など）

❯感染（梅毒など）

❯外傷

❯先天性疾患（マルファン症候群，エーラス・ダンロス症候群）

胸部・腹部大動脈瘤の症状

❯無症状で経過することが多い.

❯圧排症状

・気管圧迫　→喘鳴, 咳, 呼吸困難

・食道圧迫　→嚥下困難

・反回神経麻痺　→嗄声

・横隔神経麻痺　→横隔膜挙上

・上大静脈圧迫　→上大静脈症候群

解離性大動脈瘤

❯大動脈の内膜に亀裂が起こり, その亀裂から血液が中膜へ流れ込み激痛を伴う.

❯疼痛は破裂のサインであり, 持続する疼痛は危険である. 瘤の存在が明らかで疼痛が出現した場合には, ただちに手術療法が可能な施設に搬送する必要がある.

❯急性期の死因の多くは心タンポナーデ, 血管破裂である.

解離性大動脈瘤（大動脈解離）の分類

❯DeBakey 分類：内膜亀裂（入口部）の位置と解離の範囲で分類.

❯Stanford 分類：入口部の位置に関係なく解離の範囲のみで分類.

解離の範囲				
	Ⅰ型	Ⅱ型	Ⅲa型	Ⅲb型
DeBakey 分類	内膜亀裂が上行大動脈に始まり, 上行大動脈〜下行大動脈〜腹部大動脈にまで広範囲に解離が及ぶ.	内膜亀裂が上行大動脈に始まり, 上行大動脈に解離が限局する.	内膜亀裂が弓部大動脈遠位部に始まり, 解離が下行大動脈に限局する.	内膜亀裂が弓部大動脈遠位部に始まり解離が下行大動脈〜腹部大動脈に及ぶ.
Stanford 分類	A型		B型	
	上行大動脈に解離があるもの		上行大動脈に解離がないもの	
生存率	急性期に急激に減少. 急性死亡が多い. 発症後 48 時間以内が生命を左右する.		合併症や大動脈径の拡大がない限り比較的良好.	

治療

❯5 cm を超えると破裂の危険性が増大するため, 手術の適応となる.

❯人工血管置換術

❯ステントグラフト置換術

❯腹部大動脈瘤手術合併症の対麻痺の原因は術中に血流供給がうまくいかないこと.

❯胸腹部の大動脈瘤の手術には体外循環装置が必要である.

❯腎動脈下腹部大動脈瘤の手術には単純遮断により人工血管置換が可能であるため, 人工心肺装置は必要ない.

❯急性大動脈解離では IABP（大動脈内バルーンパンピング術）は禁忌である．

○ 急性動脈閉塞 ──────────────────────── ★

❯四肢の動脈が突然閉塞し，手や足が壊疽に陥る．

❯動脈硬化が原因で動脈が狭くなったところに，血栓が生じ閉塞してしまう場合，もしくは不整脈などで血管内に生じた血の塊が四肢の動脈に飛散する場合．

❯症状：疼痛，蒼白，動脈拍動消失，知覚鈍麻，運動麻痺

○ 閉塞性動脈硬化症（arterio-sclerosis obliterans；ASO）【35回】 ── ★★

❯下肢に虚血症状を呈する粥状硬化症の総称．

❯皮膚の冷汗がみられる．

❯足背動脈触知が不良となる．

❯高血圧や糖尿病を合併することが多い．

❯間欠性跛行がみられ，重症になると潰瘍，壊死に陥る．

❯検査：足関節上腕血圧比（ABI）低値

❯治療：禁煙などの生活習慣の治療指導，運動療法，薬物療法があり，外科治療は再建手術や動脈拡張術を行う．

❯再建手術としては，①バイパス手術，②血栓内膜摘除術，③パッチ形成術，④経皮的動脈形成術を行う．

○ 深部静脈血栓症 【37回】 ──────────────── ★★

概要

❯多くは下肢深部静脈で発症した血栓が血流により肺動脈へ運ばれ，成長した結果発症する．

❯肥満女性に多い．

❯妊婦に多い．

❯60～70歳代がピーク．40歳代以上が全体の3/4を占め，中・高年層に多発しやすい．

❯肺塞栓症は重篤な合併症である．

❯深部静脈血栓から急性肺動脈血栓症を発症することがある．

血栓形成の原因 【33回】【34回】【37回】 ──────── ★★★

血流停滞	長期臥床 妊娠による下肢静脈瘤 長時間の座位 腹腔鏡に用いられる気腹による下肢静脈環流の悪化 脱水　など
静脈壁障害	手術 外傷 中心静脈カテーテル留置 大腿骨頸部骨折　など
血管凝固能亢進	悪性腫瘍 炎症 膠原病 血栓性素因 経口避妊薬　など

肺塞栓症の症状 ───────────────────── ★

❯突然の呼吸困難

- ❯呼吸性アルカローシス
- ❯低酸素血症
- ❯頻呼吸
- ❯右心不全によって心陰影は拡大する：肺高血圧症に伴う右室拡大と肺動脈拡張
- ❯肺動脈圧の上昇

検査・診断 【33回】 ★★
- ❯早期発見：
  - ・カプノメトリで $PETCO_2$ の測定
  - ・FDP（フィブリン分解産物）の上昇により，血栓の発見：D ダイマーの上昇
- ❯有用な検査：
  - ・造影 CT
  - ・超音波エコー：右室拡大の確認
  - ・換気・血流シンチグラフィ：血流欠損像を認める
  - ・胸部 X 線
  - ・MRI
- ❯動脈血二酸化炭素分圧（$PaCO_2$）は正常ないし低下する．
  - ・$PaCO_2$ と比べ $PETCO_2$ の差が開大する．
  - ・$A\text{-}aDO_2$（肺胞気 − 動脈血酸素分圧較差）が開大する．

治療 【33回】 ★★
- ❯抗凝固療法（ヘパリン，ワルファリン）
  - ・ワルファリン服用時，ビタミン K 製剤は拮抗作用があるため注意．
  - ・納豆は腸内でビタミン K を産生するため，ワルファリン内服時は摂取を控える．
- ❯血栓溶解療法（ウロキナーゼ）
- ❯Fogaty カテーテルによる血栓除去
- ❯下大静脈フィルタ留置

予防法 【36回】 ★★
- ❯間欠的空気圧迫装置
- ❯早期離床
- ❯弾性ストッキングの着用
- ❯両下肢の挙上
- ❯抗凝固法

○肺動脈狭窄症
- ❯肺動脈の脈圧は狭く，上行脚はなだらかとなり，狭窄部を通る血流が著しく速くなると，ベンチュリー効果による肺動脈圧の一時的な下降をみることがある．

○下肢静脈瘤
- ❯静脈瘤は，静脈壁や静脈弁の先天性異常，炎症，機械的圧迫やうっ血が原因．
- ❯静脈が拡張・怒張・迂曲し，瘤状になる場合を指す．
- ❯対症療法として，弾性包帯による圧迫法を行う．
- ❯根治的には静脈瘤そのものの除去などの外科手術（ストリッピング術）を行う．

（3）先天性心疾患

○チアノーゼ先天性疾患，非チアノーゼ先天性疾患

❷チアノーゼ（低酸素血症）を呈する先天性心疾患はすべて右→左シャント（短絡）を生ずる，心臓または大血管の奇形をもったものである．

チアノーゼ性先天性疾患	非チアノーゼ性先天性疾患
Fallot 四徴症（TOF）	動脈管開存症（PDA）　左→右
Eisenmenger 症候群	心房中隔欠損症（ASD）　左→右
完全大血管転移症（TGV）	心室中隔欠損症（VSD）　左→右
両大血管右室起始症	肺動脈狭窄症（PS）
総肺静脈還流異常	大動脈狭窄症
単心室	心内膜床欠損症
三尖弁閉鎖症	大動脈狭窄症
左心低形成症候群	三尖弁閉鎖不全症
純型肺動脈閉鎖症	
大動脈弓離断症	

○Fallot（ファロー）四徴症（TOF）

病態

❷肺動脈狭窄

❷心室中隔欠損症

❷大動脈騎乗

❷右室肥大

病態生理

❷病態の中心は肺動脈狭窄と心室中隔欠損であり，
①肺血流量の減少
②右→左短絡（右-左シャント）
③動脈血酸素飽和度の低下（低酸素血症）を生ずる．

❷無酸素発作
・動脈血酸素飽和度の低下を生じる．
・生後間もなくチアノーゼが出現する．

❷歩行や運動時に呼吸困難をきたし，しゃがみ込む姿勢［蹲踞（そんきょ）］をとる．

❷低酸素血症のために赤血球が増加し，指の先が太くなるバチ指となる．

❷平均生存年齢は 10〜12 歳．死因は，無酸素発作，肺炎，心不全が多い．

❷右心室圧と左心室圧は等しく，肺動脈圧の低下がみられる．

治療

❷Blalock-Taussig 手術（B-T シャント術）：姑息的手術として鎖骨下動脈を肺動脈に吻合する．

❷肺血流が動脈管に依存している例では，プロスタグランジン E_1 を投与．

（4）後天性心疾患

❷後天性心疾患には，弁膜症と虚血性心疾患がある．

❷心室中隔穿孔症

❷僧帽弁閉鎖不全症

❷大動脈弁閉鎖不全症

臨床医学総論 第2版
p.103〜107

（5）弁膜症

○僧帽弁狭窄症　【33回】　———————————————————————— ★★

❷僧帽弁の狭窄により，拡張期の左房から左室への血液の流入が障害されている状態．

❷左房圧の上昇，肺高血圧，心拍出量の低下がみられる．

❷心房細動が発生する．

❷原因はリウマチが多い．

○大動脈弁狭窄症　【33回】【34回】【36回】　———————————— （★★★）

病態

❷流出路の狭窄に伴い，左室圧が上昇し，左室肥大が生じる．

❷リウマチ性炎症により，大動脈3弁が癒合し，弁口の狭窄を起こす．

❷近年は高齢化社会を反映して，動脈硬化によるものが増加している．

症状・臨床所見

❷狭心症状

❷失神

❷うっ血性心不全（左心不全）

検査・診断

❷胸部X線検査：狭窄後拡張が上行大動脈に認められる．

❷心電図検査：左室肥大．しばしばV_5，V_6にST低下，T波の陰性化．

❷心エコー検査：大動脈弁の弁尖の肥厚，石灰化．開放制限の程度，大動脈弁口部乱流．

❷聴診所見：駆出性収縮期雑音，II音の減弱．

❷理学的所見：遅脈・小脈，収縮期に頸動脈で振動（shudder）を触知．

❷心音図検査：駆出音から始まり収縮中期に最大となる典型的なダイアモンド型の雑音．

❷心臓カテーテル検査：左室-大動脈圧較差（大動脈収縮期血圧は左室収縮期内圧に比べて，重症では約50 mmHg低い）の測定，造影所見としては狭窄部からのジェット状血流，大動脈弁の開放制限やドーム状陰影欠損．

治療

❷大動脈弁の人工弁置換手術

❷経カテーテル大動脈弁置換術（TAVI）

○大動脈弁閉鎖不全　【33回】　———————————————————————— ★★

❷大動脈瘤など大動脈弁周囲の異常，感染性心内膜炎やリウマチ熱など大動脈弁の器質的変化が原因で発症する．

❷拡張期に大動脈弁が完全に閉鎖されないため，拡張期の大動脈から左室への逆流により，左室拡張末期容積および圧が増大し，左室容量負荷を来す．

❷急激な大動脈圧降下を来す.

❷症状として動悸, 呼吸困難, 狭心痛, 大脈（脈圧の増大）など.

○心雑音　【33回】【35回】────────────────────── ★★

拡張期心雑音

❷拡張期雑音は, 心音のⅡ音で聞かれる雑音である.

〈原因〉

❷僧帽弁狭窄症

❷三尖弁狭窄症

❷大動脈閉鎖不全症

収縮期雑音

❷僧帽弁閉鎖不全症

❷大動脈弁狭窄症

❷三尖弁閉鎖不全症

❷心室中隔欠損症

（6）虚血性心疾患

臨床医学総論 第2版
p.101〜103

○心筋梗塞

心電図波形の特徴

❷直後：T波増高

❷6〜12時間：ST上昇, 異常Q波

❷2〜3日：ST下降, T波逆転

❷1〜4週：冠性T波（T波の陰性化）

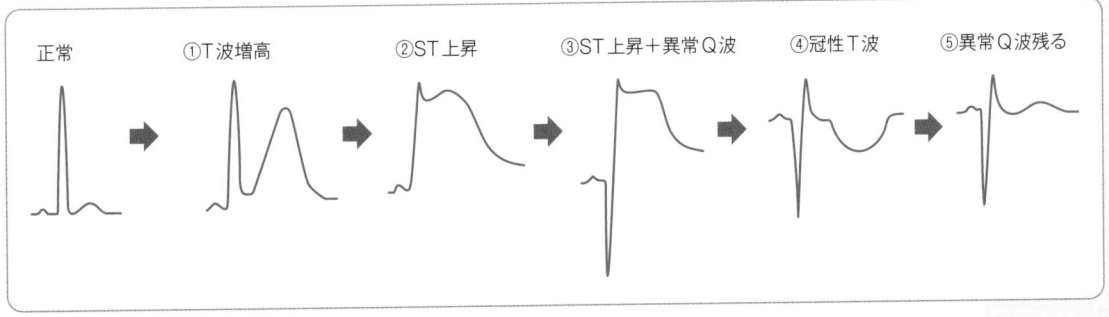

正常　　①T波増高　　②ST上昇　　③ST上昇＋異常Q波　　④冠性T波　　⑤異常Q波残る

血液検査所見

❷トロポニンT値上昇：発症後3〜4時間で上昇

❷AST上昇：発症後6〜12時間で上昇

❷LD上昇：発症後12〜24時間で上昇

❷CK上昇：発症後4〜10時間でCK-MBが上昇

❷CRP（陽性）上昇：発症後1〜3日で上昇

❷白血球増多

❷血沈亢進（ESR上昇）

❷ミオグロビン値上昇

危険因子

- ❯高血圧
- ❯脂質異常症
- ❯喫煙
- ❯加齢
- ❯男性
- ❯糖尿病
- ❯運動不足, 肥満
- ❯高尿酸血症
- ❯ストレス

心筋梗塞合併症 【33回】【35回】【37回】 ★★★

急性期		慢性期
不整脈(90%), 心不全(20～60%): 発症直後の急死の原因として重要. 24時間以内に多い. ・心室性期外収縮 ・心室頻拍 ・心室細動 ・上室性不整脈 ・房室ブロック ・心原性ショック（10～20%）	乳頭筋断裂（合併症：MR）（2～3%） 心破裂（2～3%） 心室中隔穿孔(0.5～4%) 僧帽弁乳頭筋断裂	血栓塞栓症（5%以下） 心室瘤(左心室瘤 2～10%) Dressler 症候群（心筋梗塞後症候群） 肩手症候群 僧帽弁閉鎖不全症

治療

- ❯硝酸薬
- ❯Ca 拮抗薬
- ❯ウロキナーゼ
- ❯PCI（経皮的冠動脈インターベンション）
- ❯CABG（冠動脈バイパス手術）

臨床医学総論 第2版
p.110～112

（7）不整脈

○心房細動（AF）

病態

- ❯心房細動は, 非常に速く不規則な電気的興奮によって, 心房筋がけいれんして収縮していない状態.
- ❯一部の電気的興奮が心室に達する. 心房と心室が規則正しく収縮しないので非効率的で, 心出量が減少する.
- ❯左心房に血栓を生ずる危険がある.
- ❯左心房内の血流停滞が起こることにより血栓が生じ, それが遊離して血流に乗って, 脳内の血管に塞栓を形成することがある.

心電図波形の特徴

- ❯心房細動は, 心房が不規則かつ頻回 300/分以上に興奮する状態.
- ❯P波がみられず, 基線はいつも細かく揺れている（f波）.
- ❯心収縮の間隔もまったく不規則（R-R 間隔は不規則）.

原因疾患

- ❯ 弁膜症（僧帽弁狭窄，僧帽弁閉鎖不全）
- ❯ 高血圧
- ❯ 甲状腺機能亢進
- ❯ 虚血性心疾患（狭心症，心筋梗塞）
- ❯ 心筋症

心房細動発症の危険因子

- ❯ 高齢者
- ❯ 肥満
- ❯ 男性
- ❯ 心身的ストレス
- ❯ 過労
- ❯ 糖尿病

治療法　　　　　　　　　　　　　　　　　　　　　　　　★

- ❯ ジギタリス，β遮断薬，Ca拮抗薬は有効：心拍数コントロール（房室結節の伝導を抑制）．
- ❯ 除細動器によって心機能は改善する：カルディオバージョン（同期通電）．
- ❯ ワルファリンコントロール：血栓予防．
- ❯ ペースメーカ植え込みの適応
  - ・洞不全症候群
  - ・房室ブロック［Ⅲ度房室ブロック，Ⅱ度房室ブロック（MobitzⅡ型）］
  - ・徐脈性心房細動
- ❯ Maze手術：心房筋切除（カテーテルアブレーション）
- ❯ オーバードライブペーシング
  - ・心房筋をオーバードライブ（連続刺激）している状態により，心房細動を予防する：心房細動の停止ではないことに注意．

○ カテーテルアブレーションの適応　【33回】【34回】【36回】【37回】━━━━━ ★★★

- ❯ 心房細動，心房粗動
- ❯ 特発性心室頻拍
- ❯ 発作性上室性頻拍
- ❯ 心室性期外収縮
- ❯ WPW症候群　など

○ 心停止の原因となる不整脈　【37回】━━━━━━━━━━━━ ★★

- ❯ 心静止
- ❯ 心室細動
- ❯ 心室頻脈
- ❯ ブルガダ（Brugada）症候群
- ❯ 無脈性電気活動　など

○不整脈その他
- Wenckebach 型は，心房（P 波）から心室（QRS 波）への伝導が 1 心拍ずつ次第に延長し，ついに伝わらなくなるタイプ（Ⅱ度房室ブロック）である．
- Adams-Stokes 発作時には，一時的にペーシングを含む緊急治療が必要となる．
- WPW 症候群は，正規の房室伝導路以外に，心房内に副伝導路として Kent 束が存在し，リエントリーによる発作性頻脈が出現する．
- WPW 症候群の心電図は PR 間隔の短縮，QRS 間隔の延長，Δ（デルタ）波の出現を認める．

臨床医学総論 第 2 版
p.115〜121

（8）心不全

○NYHA 心機能分類
- NYHA（New York Heart Association）心機能分類は，心不全の重症度の分類である．
- NYHA 心機能分類で扱われるのは，身体の活動制限と，心不全の自覚症状および狭心症症状である．
  - 疲労感
  - 動悸
  - 呼吸困難
  - 狭心症症状が出るかどうか

心不全ステージ分類と NYHA 心機能分類の対比

心不全ステージ分類		NYHA 心機能分類	
A	器質的心疾患のないリスクステージ	該当なし	
B	器質的心疾患のあるリスクステージ	該当なし	
C	心不全ステージ	Ⅰ	心疾患はあるが身体活動に制限はない．日常的な身体活動では著しい疲労，動悸，呼吸困難あるいは狭心痛を生じない．
		Ⅱ	軽度ないし中等度の身体活動の制限がある．安静時には無症状．日常的な身体活動で疲労，動悸，呼吸困難あるいは狭心痛を生じる．
		Ⅲ	高度な身体活動の制限がある．安静時には無症状．日常的な身体活動以下の労作で疲労，動悸，呼吸困難あるいは狭心痛を生じる．
		Ⅳ	心疾患のため，いかなる身体活動も制限される．心不全症状や狭心痛が安静時にも存在する．わずかな労作でこれらの症状は増悪する．
D	治療抵抗性心不全ステージ	Ⅲ	高度な身体活動の制限がある．安静時には無症状．日常的な身体活動以下の労作で疲労，動悸，呼吸困難あるいは狭心痛を生じる．
		Ⅳ	心疾患のためいかなる身体活動も制限される．心不全症状や狭心痛が安静時にも存在する．わずかな労作でこれらの症状は増悪する．

日本循環器学会 / 日本心不全学会合同ガイドライン：急性・慢性心不全診療ガイドライン（2017 年改訂版）．（2021 年 9 月 10 日更新）

（9）その他の心疾患

○心タンポナーデ ─────────────── ★

病態

- ❯ 何らかの原因で心嚢液が大量に貯留し，心拡張不全を起こしている状態．
- ❯ 自覚症状として，呼吸数増加（呼吸困難），四肢冷感，乏尿，胸痛など．
- ❯ ベック（Beck）の3徴：静脈圧上昇，血圧低下，心音微弱．
- ❯ 頻脈，奇脈．
- ❯ 脈圧減少を伴う収縮期血圧低下（心臓の拡張期が障害される）．

主な原因

- ❯ 急性大動脈解離
- ❯ 解離性大動脈瘤の心膜への解離波及
- ❯ がん転移
- ❯ 感染性心膜炎，特発性心膜炎
- ❯ 医療行為（カテーテル操作など）
- ❯ 心筋梗塞による心破裂
- ❯ 胸壁外傷

検査・診断

- ❯ 胸部X線検査で心拡大を認める．
- ❯ 心エコー検査にて心膜腔にエコーフリースペースを認める．
- ❯ 心電図検査で電気的交互脈を認める．
- ❯ CTや心臓カテーテル検査も参考になる．

治療

- ❯ 心腔内穿刺法により心膜液をドレナージする．
- ❯ 困難な症例では開胸し，外科的にドレナージを行う．
- ❯ 治療方針決定までのあいだ，あるいは治療準備として，輸液，輸血，カテコールアミンや血管拡張薬の投与により，症状の改善・軽減を図る．
- ❯ 腎不全時の心膜炎（心タンポナーデ）の成因は尿毒症性物質による無菌性心外膜炎が多く，適正な透析治療を行えば透析治療で改善するため，抗炎症剤は使用されない．

○感染性心内膜炎 ─────────────── ★

- ❯ 心内膜に生じる感染症で，主に心臓弁に感染し弁破壊と弁膜症を起こす．
- ❯ 血流に入った細菌が，損傷のある心臓弁に到達することで発生する．
- ❯ 心エコー検査が診断に有用．
- ❯ 感染性心内膜炎の手術適応
  - ・弁機能障害による心不全の発現
  - ・肺高血圧を伴う急性弁逆流
  - ・繰り返す塞栓症
  - ・弁輪部膿瘍の出現
  - ・可動性のある直径10 mmの菌塊
  - ・仮性大動脈瘤形成および房室伝導路障害の出現

- 真菌性心内膜炎
- 適切な抗菌薬治療後（3〜10日）も感染所見が持続し再発する患者で，心エコー検査上の病変が確認される場合

（10）治療

○ 直ちに治療（DC ショックなど）を要するもの
- ❷ 心室細動
- ❷ 心室頻拍

○ ペースメーカ植え込みの適応 【35回】──────────── ★★
- ❷ 徐脈による明らかな症状がある洞不全症候群
- ❷ III度房室ブロック（完全房室ブロック）
- ❷ II度房室ブロック（Mobitz II型）
- ❷ 徐脈性心房細動
- ❷ 過敏性頸動脈洞症候群
- ❷ 難治性の上室性頻拍（房室接合部のカテーテルアブレーション後）

○ 抗凝固療法
- ❷ 僧帽弁形成術後1年目に洞調律になったのでワルファリンを中止した．
- ❷ 機械弁による大動脈弁置換術後は，原則ワルファリンによる抗凝固療法を継続する．
- ❷ 冠動脈バイパス術後にアスピリンを投与した：アスピリンは血小板凝集抑制作用あり．
- ❷ ヘパリンを中止するためにプロタミンを投与する．
- ❷ 開心術中のヘパリンの効果判定にACT（活性化凝固時間）が用いられる．

（11）組合せ問題 ──────────────────── ★
- ❷ 閉塞性動脈硬化症──間欠性跛行，末梢循環不全，バイパス手術，血栓内膜摘除術，パッチ形成術
- ❷ 腎動脈狭窄──高血圧症，レニン分泌
- ❷ 上大静脈症候群──肺がん，静脈のうっ血
- ❷ 大動脈炎症候群（脈なし病）──血圧の左右差，副腎ステロイド
- ❷ Raynaud（レイノー）病──寒冷刺激，四肢末梢，小・細動脈の収縮，チアノーゼ，皮膚の蒼白
- ❷ 大動脈瘤──マルファン症候群，粥状硬化
- ❷ 下肢血栓性静脈炎──肺血栓塞栓症，静脈閉塞
- ❷ リンパ浮腫──放射線治療後，悪性腫瘍，リンパ腫
- ❷ 静脈瘤──ストリッピング術，静脈弁異常，静脈のうっ血・拡張・怒張
- ❷ DeBakey（ドベーキー）I型──心タンポナーデ
- ❷ Buerger（バージャー）病──中高年男性，ヘビースモーカー，四肢遠位，閉塞性炎症性症候群
- ❷ 僧帽弁狭窄症──左房圧上昇，肺高血圧症，心拍出量低下
- ❷ 心房中隔欠損症──II音固定性分裂

- ❯ 大動脈弁閉鎖不全症──大脈
- ❯ 大動脈弁狭窄症──狭心症
- ❯ Fallot（ファロー）四徴症──蹲踞（そんきょ）

臨床工学技士国家試験問題　Check UP!

問題 1　□□□　29A13

先天性チアノーゼ心疾患として正しいのはどれか.

1. 心房中隔欠損症
2. 心室中隔欠損症
3. 動脈管開存症
4. Fallot 四徴症
5. 僧帽弁狭窄症

問題 4　□□□　29P12

大動脈瘤の原因となるのはどれか.

- a. 大動脈炎症候群
- b. 梅毒感染
- c. マルファン症候群
- d. バージャー病
- e. 妊娠
- 1. a, b, c　2. a, b, e　3. a, d, e
- 4. b, c, d　5. c, d, e

問題 2　□□□　31P14

感染性心内膜炎で緊急手術の適応とならない所見はどれか.

1. 血液培養陽性
2. 弁輪部膿瘍
3. 繰り返す塞栓症
4. 可動性のある直径 10 mm の菌塊（疣贅）
5. 進行する心不全

問題 5　□□□　31P13

下肢の急性動脈閉塞でみられる症状はどれか.

- a. 発赤
- b. 浮腫
- c. 疼痛
- d. 運動神経麻痺
- e. 知覚鈍麻
- 1. a, b, c　2. a, b, e　3. a, d, e
- 4. b, c, d　5. c, d, e

問題 3　□□□　28A14

不整脈について正しいのはどれか.

- a. Wenckebach 型房室ブロックでは PQ 間隔は徐々に短縮する.
- b. Mobitz II 型房室ブロックはペースメーカの適応である.
- c. Maze 手術は心房細動に対して行われる.
- d. Adams-Stokes 発作を伴う洞不全症候群は薬剤治療が第一選択である.
- e. WPW 症候群では PQ 間隔が延長する.
- 1. a, b　2. a, e　3. b, c　4. c, d　5. d, e

問題 6　□□□　32P13

高血圧症について正しいのはどれか.

1. 診断は基準値以上の平均血圧の値で決める.
2. 診断は一回の血圧測定で決める.
3. 初回治療では，まず薬物治療を開始する.
4. 本態性高血圧症は高血圧患者の約半数を占める.
5. 若年者の高血圧症では，基礎疾患の存在を考慮する.

拡張期心雑音が聴取されるのはどれか.

- a. 僧帽弁閉鎖不全症
- b. 僧帽弁狭窄症
- c. 大動脈弁閉鎖不全症
- d. 大動脈弁狭窄症
- e. 三尖弁閉鎖不全症
1. a, b　2. a, e　3. b, c　4. c, d　5. d, e

低血圧に関連する病態はどれか.

- a. 脱水
- b. アジソン病
- c. 褐色細胞腫
- d. 原発性アルドステロン症
- e. 心タンポナーデ
1. a, b, c　2. a, b, e　3. a, d, e
4. b, c, d　5. c, d, e

閉塞性動脈硬化症の症状・所見で誤っているのはどれか.

1. 皮膚の冷感
2. 足背動脈触知不良
3. 間欠性跛行
4. 皮膚潰瘍
5. 足関節上腕血圧比（ABI）高値

災害のため自家用車内で避難生活を続けていた男性が車外に出たところ，突然の腹痛と呼吸困難を発症し救急外来を受診した．この患者の治療で最も適切なのはどれか.

1. 血栓溶解療法
2. 下肢マッサージ
3. 弾性ストッキング装着
4. ストリッピング手術
5. 血管内レーザ焼灼術

収縮期雑音を聴取するのはどれか.

- a. 狭心症
- b. 心室中隔欠損症
- c. 僧帽弁閉鎖不全症
- d. 三尖弁閉鎖不全症
- e. 大動脈弁閉鎖不全症
1. a, b, c　2. a, b, e　3. a, d, e
4. b, c, d　5. c, d, e

大動脈弁狭窄症について誤っているのはどれか.

1. 拡張期雑音を聴取する.
2. 失神の原因となる.
3. 高齢化とともに増加している.
4. 左室肥大を来たす.
5. 経カテーテル大動脈弁置換術（TAVI）による治療が増加している.

ペースメーカ植込みの適応となるのはどれか.

- a. Wenckebach 型房室ブロック
- b. WPW 症候群
- c. 心室細動
- d. 洞機能不全症候群
- e. Ⅲ度房室ブロック
1. a, b　2. a, e　3. b, c　4. c, d　5. d, e

血圧上昇の原因となるのはどれか.

1. BMI（body mass index）減少
2. 尿中ナトリウム排泄低下
3. カテコラミン産生低下
4. アンジオテンシンⅡ産生低下
5. 血管壁/管腔径比低下

問題 15 ☐☐☐ 36A14

大動脈弁狭窄症の重症化を示唆する徴候はどれか.

- a. 腹 水
- b. 失 神
- c. 狭心痛
- d. 左心不全
- e. 下腿浮腫
1. a, b, c　2. a, b, e　3. a, d, e
4. b, c, d　5. c, d, e

問題 16 ☐☐☐ 36P15

手術患者の肺血栓塞栓症の予防法はどれか.

- a. 早期離床
- b. 酸素療法
- c. 抗血小板療法
- d. 抗凝固療法
- e. 弾性ストッキングの装着
1. a, b, c　2. a, b, e　3. a, d, e
4. b, c, d　5. c, d, e

問題 17 ☐☐☐ 37A11

心停止の原因とならないのはどれか.

1. 心静止
2. 心室細動
3. 心室頻拍
4. 無脈性電気活動
5. 発作性上室性頻拍

問題 18 ☐☐☐ 37A15

二次性高血圧症の原因とならないのはどれか.

1. 原発性アルドステロン症
2. クッシング症候群
3. 腎動脈狭窄
4. 褐色細胞腫
5. 副腎不全

問題 19 ☐☐☐ 37P13

急性肺動脈血栓塞栓症の危険因子でないのはどれか.

1. 大腿骨頸部骨折
2. 長期臥床
3. 悪性腫瘍
4. 心房細動
5. 深部静脈血栓症

問題 20 ☐☐☐ 37A16

急性心筋梗塞の急性期合併症はどれか.

- a. 乳頭筋断裂
- b. 感染性心内膜炎
- c. 心房中隔欠損症
- d. 僧房弁狭窄症
- e. 心室頻拍
1. a, b　2. a, e　3. b, c　4. c, d　5. d, e

問題 21 ☐☐☐ 37P15

カテーテルアブレーション治療の適応となる不整脈はどれか.

- a. 心室頻拍
- b. 洞不全症候群
- c. Wenckebach 型房室ブロック
- d. WPW 症候群
- e. 心房粗動
1. a, b, c　2. a, b, e　3. a, d, e
4. b, c, d　5. c, d, e

〈解答〉問題1-4, 問題2-1, 問題3-3, 問題4-1, 問題5-5, 問題6-5, 問題7-3, 問題8-2, 問題9-5, 問題10-1, 問題11-4, 問題12-1, 問題13-5, 問題14-2, 問題15-4, 問題16-3, 問題17-5, 問題18-5, 問題19-4, 問題20-2, 問題21-3

5. 内分泌系・代謝系

臨床医学総論 第2版
p.123〜125

（1）下垂体疾患

○ **尿崩症** ─────────────────────────────── ★

❯ 下垂体後葉から分泌される抗利尿ホルモン（ADH）（バソプレシン）の産生・分泌・効果の不十分による.

症状

❯ 口渇

❯ 多飲

❯ 多尿

検査

❯ 尿比重 1.010 以下の低張尿

❯ 尿浸透圧 300 mOsm/L 以下

❯ 血清 Na は軽度上昇：脱水による影響

○ **シーハン症候群**

❯ 下垂体細胞が破壊されて下垂体機能不全になる.

❯ 下垂体前葉から分泌されるホルモン（下垂体前葉ホルモン）の分泌低下が起こる.

・成長ホルモン（GH） 分泌低下

・プロラクチン（PRL） 分泌低下

・甲状腺刺激ホルモン（TSH） 分泌低下

・副腎皮質刺激ホルモン（ACTH） 分泌低下

・黄体形成ホルモン（LH） 分泌低下

・卵胞刺激ホルモン（FSH） 分泌低下

臨床医学総論 第2版
p.126〜128

（2）甲状腺疾患

○ **甲状腺機能亢進症（バセドウ病）** 【34 回】 ─────────── ★★

❯ びまん性甲状腺腫を伴った甲状腺機能亢進症であり，抗 TSH 受容体抗体を認める自己免疫疾患である.

❯ 20〜40 歳代の女性に多い.

❯ 脳下垂体にネガティブフィードバックがあり，TSH が低下する.

❯ コレステロールは低下する.

3 大主張（メルセブルグ 3 徴）

❯ 眼球突出

❯ びまん性甲状腺腫

❯ 頻脈［心房細動（AF），WPW 症候群］

症状

自覚症状	他覚症状
発汗過多 易疲労性 動悸 振戦 暑さに弱い 体重減少 息切れ イライラする 食欲亢進 排便回数の増加 複視	甲状腺腫 皮膚湿潤 心雑音 心房細動 高血糖

○ 原発性甲状腺機能低下症

> 甲状腺ホルモンの分泌低下により，末梢組織で甲状腺ホルモンの不足による種々の症状を来す病態である．

> 先天的な甲状腺機能低下症をクレチン病という．

症状

> 代謝機能低下　→徐脈，体温低下

> 体重増加

> 粘液水腫

> 便秘

> 冷え性

> 貧血症状

> 心不全

> 意識喪失や昏睡（粘液水腫昏睡）

検査

> 血中コレステロール高値

> 血中 TSH（甲状腺刺激ホルモン）高値

> 遊離 T4 低値

○ 甲状腺クリーゼ　【37回】 ★★

> バセドウ病などの甲状腺機能亢進症患者が，強いストレスを受けたことで複数の臓器の機能が低下し，生命の危機に直面する緊急状態．

症状

> 呼吸困難

> 高熱

> 不整脈（頻脈）

> 低血圧

> 多汗

> 嘔吐・下痢

> 意識障害　など

（3）副甲状腺疾患

○ 副甲状腺機能亢進症

- 副甲状腺の腺腫，過形成，がんなどにより副甲状腺ホルモン（PTH）の産生が増加し，高 Ca 血症，低 P 血症，消化器症状，骨病変など多彩な症状を呈する病態をいう．
- 線維性骨炎
- 異所性石灰化
- アルカリホスファターゼ（ALP）上昇：骨吸収，骨密度に関与

高 Ca 血症による症状

- 多飲
- 多尿（夜間頻尿）：集合管において ADH 作用を阻害
- 尿路結石
- 悪心・嘔吐
- 胃潰瘍（ガストリン分泌過剰）
- 急性膵炎

○ 原発性副甲状腺機能低下症 ——————————————————— ★

- 副甲状腺ホルモン（PTH）の作用不足により，低 Ca 血症，高 P 血症を来した病態をいう．

症状

- テタニー症状（低 Ca 血症）
- 精神障害
- 白内障
- 心筋収縮力が低下　→低血圧
- 悪心
- 下痢
- 喘息症状
- 不穏，易興奮性，うつ状態，知能発育遅延

検査

- 血清 Ca 濃度低下
- 血清 P 濃度上昇
- 頭部 CT にて大脳基底核や大脳白質内に異常石灰化像を認める．
- 心電図上にて QT 間隔が延長する．

（4）副腎疾患

○ 褐色細胞腫

- 副腎髄質よりカテコールアミンを多量に産生・分泌することにより，高血圧と代謝亢進などを示す疾患である．
- 90％は副腎髄質に原発するが，残り約10％は副腎外に発生する．

症状

- ❯高血圧（収縮期・拡張期ともに上昇）
- ❯代謝亢進
  - ・動悸（頻脈）
  - ・体重減少
  - ・便秘
  - ・発汗
- ❯高血糖
- ❯頭痛
- ❯血中・尿中カテコールアミン（アドレナリン，ノルアドレナリン）上昇
- ❯顔面蒼白

○ **原発性アルドステロン症**

- ❯副腎皮質腺腫，あるいは過形成を生じた副腎皮質からアルドステロンが過剰に分泌され，腎尿細管に作用して，Na 貯留，K 喪失，高血圧を来す疾患である．
- ❯血漿レニンは低下する
- ❯アルドステロンは上昇する

水・Na 貯留による症状

- ❯高血圧，低 K 血症（5〜38％）を伴う．

低 K 血症による症状

- ❯筋力低下
- ❯脱力発作
- ❯四肢麻痺
- ❯テタニー
- ❯心電図異常：ST 低下，T 波平坦化，U 波出現
- ❯腎濃縮力障害（多飲，多尿）
- ❯代謝性アルカローシス

○ **クッシング症候群** 【35 回】 ─────────────────── ★★

- ❯副腎皮質から分泌される糖質コルチコイド（コルチゾール）の分泌亢進によって起こる．

症状

- ❯血糖値，血圧，コレステロールの上昇
- ❯中心性肥満
- ❯満月様顔貌（ムーンフェイス）　など

原因

- ❯副腎腫瘍
- ❯下垂体腫瘍［副腎皮質刺激ホルモン（ACTH）過剰分泌］
- ❯肺癌　など

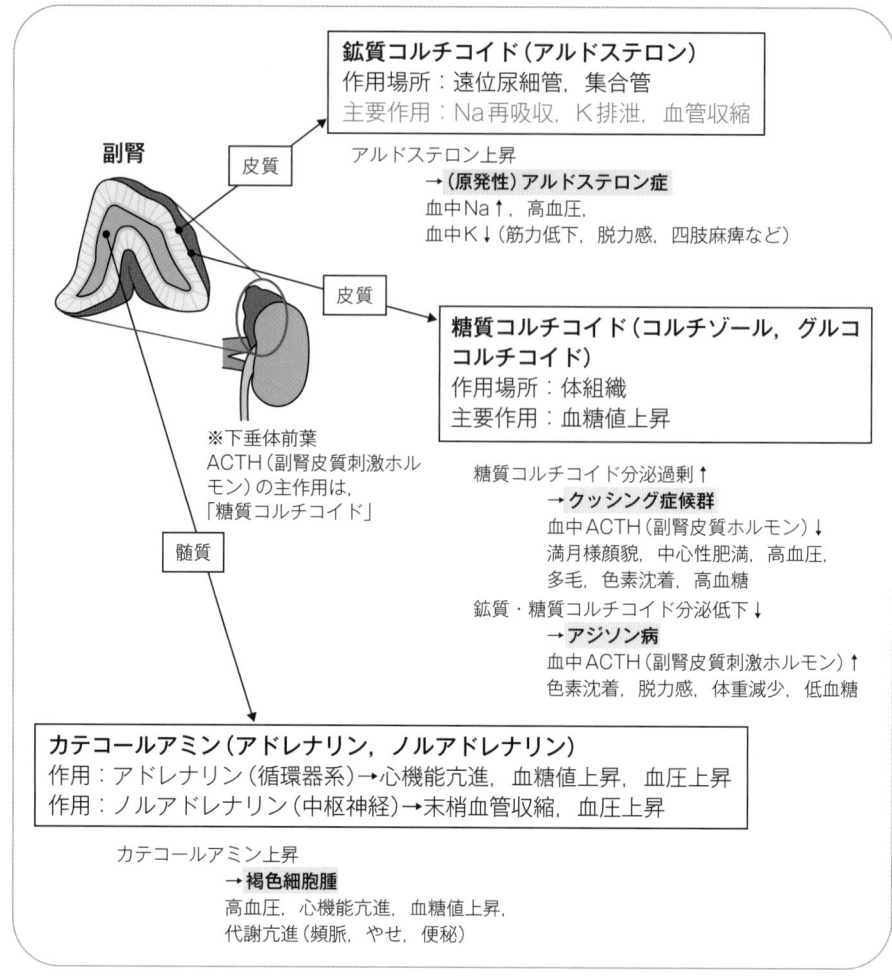

鉱質コルチコイド（アルドステロン）
作用場所：遠位尿細管，集合管
主要作用：Na再吸収，K排泄，血管収縮

アルドステロン上昇
　　→**（原発性）アルドステロン症**
血中Na↑，高血圧，
血中K↓（筋力低下，脱力感，四肢麻痺など）

副腎

皮質

皮質

糖質コルチコイド（コルチゾール，グルココルチコイド）
作用場所：体組織
主要作用：血糖値上昇

※下垂体前葉
ACTH（副腎皮質刺激ホルモン）の主作用は，
「糖質コルチコイド」

髄質

糖質コルチコイド分泌過剰↑
　　→**クッシング症候群**
血中ACTH（副腎皮質ホルモン）↓
満月様顔貌，中心性肥満，高血圧，
多毛，色素沈着，高血糖

鉱質・糖質コルチコイド分泌低下↓
　　→**アジソン病**
血中ACTH（副腎皮質刺激ホルモン）↑
色素沈着，脱力感，体重減少，低血糖

カテコールアミン（アドレナリン，ノルアドレナリン）
作用：アドレナリン（循環器系）→心機能亢進，血糖値上昇，血圧上昇
作用：ノルアドレナリン（中枢神経）→末梢血管収縮，血圧上昇

カテコールアミン上昇
　　→**褐色細胞腫**
高血圧，心機能亢進，血糖値上昇，
代謝亢進（頻脈，やせ，便秘）

○副腎疾患まとめ ───────────────────────────── ★

ホルモンの分泌過剰によって起こる疾患 ──────────────── ★

❯末端肥大症（先端巨人症）（下垂体前葉：成長ホルモン過剰）

❯クッシング症候群（糖質コルチコイド過剰）　→中心性肥満を生じる．

❯バセドウ病（甲状腺ホルモン過剰）

❯原発性アルドステロン症（鉱質コルチコイド過剰）

❯インスリノーマ（インスリンの過剰分泌）　→肥満の原因

ホルモンの分泌低下によって生じる疾患 ──────────────── ★

❯小人症（下垂体前葉：成長ホルモン不足）

❯尿崩症（下垂体後葉：バゾプレシン不足）

❯クレチン病（甲状腺ホルモン不足）

❯糖尿病（インスリン不足）

❯アジソン病（副腎皮質ホルモン不足）

❯シーハン症候群（下垂体機能不全）

（5）糖尿病

○ 1 型糖尿病・2 型糖尿病 ────────────────────── ★

	1 型糖尿病	2 型糖尿病
割合	およそ 5%	およそ 95%
患者の特徴	主に小児～青年期 正常～やせ	主に中高年 正常～肥満体型が多い
成因	自己免疫・遺伝因子など	遺伝因子・生活習慣病
家族歴	少ない	高頻度にあり
インスリン分泌障害	高度 インスリンの絶対的不足・枯渇	軽度～中度（さまざま） インスリン抵抗性
インスリン抵抗性	なし	あり（程度はさまざま）
糖代謝異常の進行	改善することなく進行することが多い	非依存状態であれば境界領域まで改善することもある
症状	多くは急激に症状が出現 ・口渇，多飲，多尿 ・胃腸障害（悪心・嘔吐・腹痛） ・クスマウル呼吸 ・アセトン臭	初期は無症状だが進行するにつれて，緩徐に症状出現 ・口渇，多飲，多尿 ・高度脱水 ・痙攣，振戦
昏睡	糖尿病性ケトアシドーシスが多い	高血糖性高浸透圧昏睡が多い
インスリンの必要性	最終的に依存性となる 初期は非依存性のこともある	重症化すれば依存性となる 非依存性が多い

❥絶食中はグリコーゲンが分解される：アミノ酸や乳酸・ピルビン酸などを原料にして
ブドウ糖が合成される：糖新生

検査

❥血糖測定

❥ケトン体測定

❥ヘモグロビン A1c（HbA1c）

❥血中インスリン・C ペプチド，尿中 C ペプチド

❥75 g 経口ブドウ糖負荷試験

糖尿病の診断基準

① 空腹時血糖値 126 mg/dL 以上

② 75 g 糖負荷試験で 2 時間値 200 mg/dL 以上

③ 随時血糖値 200 mg/dL 以上

①～③までいずれかが再現性をもって認められる場合

さらに，

HbA1c 6.5% 以上（JDS）日本での基準

HbA1c 7.0% 以上（NGSP）国際基準

※2013 年 4 月より診断基準改定

※HbA1c の基準について：2013 年より HbA1c 7.0% 以上が主流になりつつあるが，
HbA1c 6.5% を正解とした出題もあるため注意が必要.

糖尿病の血管合併症　【34回】 ━━━━━━━━━━━━━━━━━━━━ ★★

- ❯細小血管障害（糖尿病3大疾患）：網膜症，腎症，神経症
- ❯大血管障害：動脈硬化，脳梗塞，心筋梗塞，下肢閉塞性動脈硬化症

糖尿病性昏睡

- ❯乳酸アシドーシス
- ❯ケトアシドーシス
- ❯非ケトン性高浸透圧性昏睡
- ❯低血糖性昏睡

○糖尿病性ケトアシドーシス

- ❯糖尿病の急性代謝性合併症である．
- ❯主に1型糖尿病患者で起こる．
- ❯高血糖，高ケトン血症，代謝性アシドーシスを特徴とする．

原因

- ❯インスリン治療の中断（インスリン欠乏）
- ❯感染
- ❯ストレス

症状

- ❯意識障害（重症では昏睡）：ケトアシドーシス昏睡
- ❯口渇
- ❯多飲
- ❯多尿
- ❯血圧低下
- ❯頻脈
- ❯腹痛
- ❯呼気アセトン臭
- ❯クスマウル呼吸

検査

- ❯代謝性アシドーシス（アニオン・ギャップ上昇）
- ❯尿ケトン体　陽性
- ❯血漿浸透圧　軽度上昇（300〜400 mOsm/L）

○インスリノーマ　【35回】 ━━━━━━━━━━━━━━━━━━━━━━━ ★★

- ❯膵臓β細胞の腫瘍性増殖．
- ❯インスリンの異常分泌による低血糖発作を起こす．

○ 高血糖，低血糖　【37 回】　★★

	高血糖（空腹時血糖 126 mg/dL 以上）	低血糖（40〜50 mg/dL 以下）
症状	口渇 多飲 多尿 食欲亢進 全身倦怠感	発汗 不安・動悸 振戦 顔面蒼白 頻脈 頭痛 空腹感 眠気

低血糖

- ❯ 低血糖を回避するため過食傾向となると体重増加や肥満となる．
- ❯ 糖尿病治療薬の中でも，インスリンやスルホニル尿素薬（SU 薬）は低血糖のリスクがある．
- ❯ グルカゴンの点鼻薬を治療に使用できる．
- ❯ 低血糖発作時は二糖類よりも単糖類（ブドウ糖，果糖など）を摂取させる．消化吸収が早いため血糖値を迅速に上昇させることができる．

○ 血糖値が上昇する疾患

- ❯ クッシング症候群：コルチゾールの過剰分泌のため糖新生が亢進
- ❯ 褐色細胞腫：カテコールアミン分泌亢進
- ❯ 末端肥大症：成長ホルモン過剰分泌
- ❯ 糖尿病：インスリン分泌低下，グルカゴン過剰分泌
- ❯ バセドウ病：甲状腺ホルモン上昇
- ❯ グルカゴン異常分泌：グルカゴン上昇

（6）メタボリック症候群　【33 回】　★★

臨床医学総論 第 2 版
p.144〜145

診断基準

必須	ウエスト周囲径　（内臓脂肪面積：男女とも≧100 cm² 相当） ・男性　85 cm 以上 ・女性　90 cm 以上	
右のうちいずれか 2 項目に該当	脂質異常	中性脂肪：150 mg/dL 以上　または HDL コレステロール：40 mg/dL 未満
	高血圧	収縮期血圧：130 mmHg 以上　または 拡張期血圧：85 mmHg 以上
	高血糖	空腹時血糖値：110 mg/dL 以上

（7）痛風

臨床医学総論 第 2 版
p.145

- ❯ プリン体代謝異常，タンパク質代謝異常として高尿酸血症を生化学的特徴とし，急性関節炎発作を起こす疾患群をいう．
- ❯ 中年肥満男性に好発．
- ❯ 急性関節炎（痛風発作）：第 1 中足趾節関節部（足の第一指付け根）に好発．
- ❯ 過飲，過食，過度の運動，過労，手術，感染などが誘因．

❥絶食や飢餓状態でも発症する：飢餓や絶食が続くと，生体は尿酸を排泄することなく，再吸収をして一定量の尿酸を体内に保持しようとする．

症状
❥尿酸による尿路結石
❥痛風腎による腎不全
❥血管障害（動脈硬化，冠動脈硬化）
❥高血圧
❥急性関節炎症
❥痛風結節

臨床医学総論 第2版
p.147〜148

（8）ビタミン疾患　【34回】【36回】 ──────────── ★★

○ 欠乏症，過剰症

		欠乏	過剰
脂溶性ビタミン	ビタミンA（カロチン）	夜盲症，眼球乾燥，皮膚乾燥・角化	脱毛，皮膚剥離，乾燥，無気力
	ビタミンD	低カルシウム血症，くる病，骨軟化症，骨粗鬆症，骨発育不全，筋力低下	高カルシウム血症，腎不全，尿結石症，異所性石灰化
	ビタミンE	不妊症	
	ビタミンK	血液凝固障害，出血傾向	血液凝固
水溶性ビタミン	ビタミンB_1	脚気，多発性末梢神経炎，ウェルニッケ（Wernicke）脳症	
	ビタミンB_2	舌炎，口内炎，脂漏性湿疹，結膜炎，口角炎	
	ビタミンB_6	皮膚炎，口唇炎，末梢神経炎，口角炎	
	ビタミンB_{12}	亜急性連合性脊髄変性症，巨赤芽球性貧血，悪性貧血・貧血，特にMCV（平均赤血球容積）が高値，神経障害	
	ナイアシン	ペラグラ（神経障害，皮膚障害，消化器障害など）	
	パントテン酸	発育障害	
	ビタミンC	壊血病	大量で尿路結石
	葉酸	大球性貧血	
	ニコチン酸	ペラグラ，口角炎	

（9）組合せ問題 ──────────── ★

❥亜鉛欠乏──味覚障害
❥鉄過剰──ヘモクロマトーシス
❥慢性腎不全──エリスロポエチン低下
❥痛風──血清尿酸値上昇
❥肝硬変──膠質浸透圧低下，アルドステロン分泌低下，レニン分泌亢進
❥バセドウ病──甲状腺ホルモン［サイロキシン（T4），トリヨードサイロニン（T3）］分泌亢進

- ❯糖尿病──インスリン分泌低下
- ❯原発性アルドステロン症──アルドステロン過剰分泌，高血圧，高 Na 血症，低 K 血症
- ❯甲状腺機能亢進症──頻脈
- ❯褐色細胞腫──カテコールアミン過剰分泌，高血圧
- ❯原発性副甲状腺機能亢進症──高 Ca 血症，低 P 血症
- ❯副甲状腺機能低下症──低 Ca 血症
- ❯慢性甲状腺炎──甲状腺腫大
- ❯クッシング症候群──コルチゾール過剰分泌，高血糖
- ❯急性副腎不全──ショック，発熱，悪心・嘔吐
- ❯末端肥大症（先端巨大症）──成長ホルモン過剰分泌
- ❯腎血管性高血圧──血漿レニン過剰分泌

臨床工学技士国家試験問題　Check UP!

問題 1　□□□　31P15

糖尿病性ケトアシドーシスの症状はどれか.

- a．顔面蒼白
- b．動悸
- c．クスマール呼吸
- d．腹痛
- e．発汗

1. a，b　2. a，e　3. b，c　4. c，d　5. d，e

問題 3　□□□　29A15

汎下垂体前葉機能低下症を起こすシーハン症候群で分泌が低下するホルモンはどれか.

- a．プロラクチン
- b．オキシトシン
- c．バソプレシン
- d．副腎皮質刺激ホルモン
- e．甲状腺刺激ホルモン

1. a，b，c　2. a，b，e　3. a，d，e
4. b，c，d　5. c，d，e

問題 2　□□□　24P15

高血糖の原因はどれか.

- a．クッシング症候群
- b．褐色細胞腫
- c．末端肥大症
- d．甲状腺機能低下症
- e．副甲状腺機能亢進症

1. a，b，c　2. a，b，e　3. a，d，e
4. b，c，d　5. c，d，e

問題 4　□□□　24A13

正しい組合せはどれか.

- a．原発性アルドステロン症──コルチゾール過剰分泌
- b．クッシング症候群────エリスロポエチン過剰分泌
- c．褐色細胞腫───────カテコールアミン過剰分泌
- d．末端肥大症──────成長ホルモン過剰分泌
- e．腎血管性高血圧─────血漿レニン活性低下

1. a，b　2. a，e　3. b，c　4. c，d　5. d，e

正しい組合せはどれか.

1. ビタミン B_1 欠乏————出血傾向
2. ビタミン K 欠乏————脚気
3. ビタミン D 欠乏————骨軟化症
4. ビタミン B_{12} 欠乏————Wernicke 脳症
5. ビタミン A————————悪性貧血

褐色細胞腫の症状でないのはどれか.

1. 発汗
2. 下痢
3. 動悸
4. 体重減少
5. 頭痛

原発性アルドステロン症で認められる所見はどれか.

a. 高血圧症
b. 四肢麻痺
c. 低カリウム血症
d. 血漿レニン活性高値
e. 代謝性アシドーシス

1. a, b, c　2. a, b, e　3. a, d, e
4. b, c, d　5. c, d, e

バセドウ病において低下するのはどれか.

a. 食欲
b. 脈拍数
c. 体重
d. 甲状腺刺激ホルモン
e. 甲状腺ホルモン

1. a, b　2. a, e　3. b, c　4. c, d　5. d, e

低血糖症状はどれか.

a. 動悸
b. 手指振戦
c. 下痢
d. 多尿
e. 顔面蒼白

1. a, b, c　2. a, b, e　3. a, d, e
4. b, c, d　5. c, d, e

糖尿病の血管合併症でないのはどれか.

1. 心筋梗塞
2. 神経症
3. 腎症
4. 糖尿病性ケトアシドーシス
5. 網膜症

血液凝固に関与するのはどれか.

1. ビタミン A
2. ビタミン B_1
3. ビタミン B_{12}
4. ビタミン D
5. ビタミン K

ビタミンについて正しいのはどれか.

a. ビタミン A は体内でカロテンを合成する材料になる.
b. 脚気はビタミン B_2 の欠乏により生じる.
c. ビタミン B_{12} の吸収には胃から分泌される内因子が必要である.
d. ビタミン C は抗酸化作用をもつ.
e. ビタミン D の生成には赤外線が必要である.

1. a, b　2. a, e　3. b, c　4. c, d　5. d, e

低血糖について正しいのはどれか.

a. 糖尿病治療薬の副作用で起こる.
b. 徐脈を起こしやすい.
c. 顔面紅潮が特徴的である.
d. ショ糖を飲ませて治療する.
e. グルカゴンの点鼻薬を治療に使用できる.

1. a, b　2. a, e　3. b, c　4. c, d　5. d, e

甲状腺クリーゼでみられる症状について誤っているのはどれか.

1. 呼吸困難
2. 低体温
3. 頻　脈
4. 低血圧
5. 多　汗

〈解答〉問題 1-4, 問題 2-1, 問題 3-3, 問題 4-4, 問題 5-3, 問題 6-2, 問題 7-1, 問題 8-4, 問題 9-2, 問題 10-4, 問題 11-5, 問題 12-4, 問題 13-2, 問題 14-2

6. 神経系・筋肉疾患

臨床医学総論 第2版
p.214～215
p.234
末梢性顔面神経麻痺

（1）神経系障害の症状

○ 運動障害
- ❯ 中枢性麻痺：上位運動ニューロンの障害
- ❯ 末梢性麻痺：下位運動ニューロンの障害
- ❯ 片麻痺：一側上下肢の麻痺
- ❯ 四肢麻痺：両側上下肢の麻痺
- ❯ 対麻痺：両下肢の麻痺
- ❯ 単麻痺：一側の上肢，あるいは一側の下肢の麻痺

○ 末梢性顔面神経麻痺
- ❯ 側頭骨の中にある内耳・中耳や耳下腺の病気などが原因となって神経の麻痺，すなわち顔面神経麻痺が起こる．
- ❯ 脳梗塞などが原因の中枢性麻痺とは区別する必要がある．
- ❯ 最も多くみられるのはベル麻痺と呼ばれる．
- ❯ 多くの例が完全回復する．

予後不良となる要因
- ❯ 高齢
- ❯ 高血圧
- ❯ 味覚障害
- ❯ 耳以外の痛み
- ❯ 顔面筋の完全麻痺　など

主な症状
- ❯ 麻痺側の額ではしわがよらない．
- ❯ 目を閉じると閉眼できずに瞼裂があく．
- ❯ 麻痺側に眼瞼下垂が出現する．
- ❯ 虹彩部が上転して白目となるベル現象がみえる．
- ❯ 口角が下がり動かない．
- ❯ 口笛がうまく吹けない．
- ❯ 麻痺側の鼻唇溝（ほうれい線）が浅くなる．
- ❯ 麻痺側の瞳孔が縮小（縮瞳）する．

生活動作
- ❯ 閉眼が不十分になると乾燥性結膜炎となり，眼球結膜の充血を生じる（兎眼）．
- ❯ 麻痺側の口角から口中の空気が漏れてしゃべりにくくなる．
- ❯ 食物，特に液体が漏れて食べにくくなる．

○**呼吸筋麻痺が理由で人工呼吸療法が必要となる疾患**
- ❯フグ毒
- ❯N-ヘキサン中毒
- ❯有機リン中毒
- ❯筋萎縮性側索硬化症
- ❯ギラン・バレー症候群
- ❯重症筋無力症
- ❯多発性筋炎
- ❯進行性筋ジストロフィ　など

（2）神経系・筋肉疾患

臨床医学総論 第2版
p.224〜226
脳血管
p.228〜233
アルツハイマー病
パーキンソン病
筋萎縮性側索硬化症
p.235〜236
重症筋無力症

○**くも膜下出血** 【33回】【34回】 ──────────── ★★

危険因子
- ❯脳動脈瘤
- ❯脳動静脈奇形の存在
- ❯喫煙習慣
- ❯高血圧
- ❯過度の飲酒　など

症状
- ❯発症時の典型的な症状は，激しい頭痛，意識障害，嘔吐である．
- ❯前兆としては，血圧の激しい変動，急な頭痛，視力障害，吐き気，意識低下や頭の違和感などである．

○**アルツハイマー病** 【33回】 ──────────── ★★
- ❯通常，中〜高年齢者にみられる進行性認知症．
- ❯記憶に関係する大脳皮質の海馬領域の萎縮が目立つ．
- ❯脳の病理変化としては，老人斑（アミロイドタンパク，βタンパクの沈着），アルツハイマー神経原線維変化，神経細胞消失がみられ，症状の進行とともに病変は高度となり著明な脳萎縮を来す．
- ❯年齢とともに頻度は急激に増加する．

症状
- ❯記憶障害・知識障害
- ❯意欲障害
- ❯判断障害
- ❯失語，失行，失認
- ❯人格障害
- ❯感情障害　など

○パーキンソン病　【33回】 ★★
- 発症：中年〜初老期が多い.
- 中枢性，末梢性運動の麻痺はない.
- ドパミンが枯渇している.

症状
- 静止時振戦
- 筋強剛（筋固縮）
- 動作緩慢
- 無動（仮面用顔貌）
- 姿勢反射障害（前傾で四肢を屈曲した姿勢）
- すくみ足
- 突進歩行
- 方向転換困難　など

治療
- ドパミン補充療法を行う.
- ドパミン受容体刺激薬（L-dopa が著効する），抗コリン薬が投与される.

○筋萎縮性側索硬化症　【33回】【35回】 ★★
- 上位運動ニューロン，下位運動ニューロンの両者が選択的に障害される.
- 構音障害，嚥下障害がみられる.
- 筋力低下や全身の筋萎縮が進行し球麻痺が起こり，やがては呼吸筋麻痺に至る.
- 極めて予後は不良である.

○重症筋無力症　【33回】 ★★
- 20〜40歳の女性に多く（男：女＝1：2），通常，遺伝性はない. 10万人対で5人程度の頻度.
- 神経筋接合部での筋肉への神経伝達物質のアセチルコリンの受容体（アセチルコリン受容体）に対する自己抗体がつくられて，受容体の破壊・減少を来す自己免疫疾患.
- 運動神経の伝達障害から，筋収縮が起こりにくい.
- 骨格筋が運動によって疲れやすく，休息によって回復する.
- 筋萎縮は起こりにくい.
- 主として外眼筋，顔面筋，咀嚼筋，嚥下筋などが侵され，筋力が低下する.
- 眼瞼下垂が特徴.
- 重症筋無力症に合併する縦隔腫瘍で最も頻度が高いのは，胸腺腫である.
- 易疲労感とその日内変動がみられる：午後に増悪することが多い.

○ギラン・バレー症候群　【37回】 ★★
- 急性，多発性の根神経炎の一つで，主に筋肉を動かす運動神経が障害され，四肢に力が入らなくなる病気である.
- 発症前1ヵ月以内に感染症の症状（先行感染）がみられる.
- 重症の場合，末梢神経系の呼吸不全を来す.
- 一時的に気管切開や人工呼吸器を要するが，予後はそれほど悪くない.

検査法

- ❯神経学的身体所見
- ❯運動神経伝導速度
- ❯髄液検査
- ❯血液検査
- ❯細菌学的検査・免疫学的検査

治療法

- ❯免疫グロブリン療法
- ❯血漿交換療法
- ❯免疫吸着療法

○神経ブロックの適応

- ❯星状神経節ブロック──上肢の疼痛や血行障害
- ❯胸部交感神経節ブロック──多汗症
- ❯肋間神経ブロック──帯状疱疹後神経痛（胸部）
- ❯腹腔神経叢ブロック──胸部癌性疼痛
- ❯顔面神経ブロック──顔面痙攣

問題 1　□□□　30P16

末梢性顔面神経麻痺の症状はどれか.

- a. 健側に眼瞼下垂が出現する.
- b. 麻痺側の瞳孔が散大する.
- c. 麻痺側の額のしわ寄せができない.
- d. 麻痺側の鼻唇溝が浅くなる.
- e. 口笛がうまく吹けない.

1. a, b, c　　2. a, b, e　　3. a, d, e
4. b, c, d　　5. c, d, e

問題 2　□□□　31A16

神経・筋肉疾患にみられる症状・徴候について正しい組合せはどれか.

- a. アルツハイマー病―――認知障害
- b. パーキンソン病―――筋固縮
- c. 筋萎縮性側索硬化症―――昏睡
- d. ギラン・バレー症候群―――けいれん
- e. 重症筋無力症―――午後に増悪する筋力低下

1. a, b, c　　2. a, b, e　　3. a, d, e
4. b, c, d　　5. c, d, e

問題 3　□□□　28P15

パーキンソン病の症状はどれか.

- a. 無動
- b. 動作時振戦
- c. 眼振
- d. 筋固縮
- e. 仮面様顔貌

1. a, b, c　　2. a, b, e　　3. a, d, e
4. b, c, d　　5. c, d, e

問題 4　□□□　29A12

重症筋無力症に合併する縦隔腫瘍で最も頻度が高いのはどれか.

1. 胸腺腫
2. 皮様嚢腫
3. 神経鞘腫
4. リンパ腫
5. 奇形腫

問題 5　□□□　29A21

神経ブロックとその適応との組合せで誤っているのはどれか.

1. 星状神経節ブロック―――――下肢の痛み
2. 胸部交感神経節ブロック――多汗症
3. 肋間神経ブロック―――――帯状疱疹神経痛（胸部）
4. 腹腔神経叢ブロック―――――腹部癌性疼痛
5. 顔面神経ブロック―――――顔面痙攣

問題 6　□□□　34P15

発症時に激しい頭痛を伴うことが多いのはどれか.

1. アテローム血栓性脳梗塞
2. 心原性脳梗塞症
3. ラクナ梗塞
4. 脳出血
5. くも膜下出血

問題 7　□□□　35A17

筋萎縮性側索硬化症で認めない症状・所見はどれか.

1. 構音障害
2. 嚥下障害
3. 呼吸筋力低下
4. 上肢筋萎縮
5. 膀胱直腸障害

問題 8　□□□　37A18

感染を契機に発症する疾患はどれか.

1. 重症筋無力症
2. パーキンソン病
3. 筋萎縮性側索硬化症
4. ギラン・バレー症候群
5. 進行性筋ジストロフィー

〈解答〉問題1-5，問題2-2，問題3-3，問題4-1，問題5-1，問題6-5，問題7-5，問題8-4

7. 感染症

📖 7.

（1）微生物総論

○微生物の大きさ

微生物	大きさ	特徴
プリオン	100 nm 以下	蛋白である．プリオン蛋白は，膜孔 100 nm のフィルタも通過する．
ウイルス	10〜100 nm	ウイルスは他の微生物とは大きく異なり，細胞壁，細胞膜，細胞質，核という構造体をもたない．
リケッチア クラミジア	0.3〜2.0 μm	リケッチア，クラミジアは生きた動物細胞の中でしか増殖できない小型の細菌． リケッチアは感染・伝播に節足動物（シラミなど）を必要とする．
細菌	1.0〜5.0 μm	単細胞の原核生物で細胞壁をもつ．
真菌	5.0〜10.0 μm	真核生物であり，真菌は基本的には菌糸（数 μm〜数十 μm の糸状細菌）と胞子（単細胞で 5〜10 μm で球状ないし，楕円形の細胞）から形成されている．カビのこと．
原虫	10〜100 μm	単細胞の高等原生生物．真核生物，球形，楕円形などの形態で偽足や鞭毛などをもつ．

○細菌感染症の原因菌

- ❯淋菌
- ❯チフス菌
- ❯ブドウ球菌
- ❯肺炎球菌
- ❯結核菌
- ❯破傷風菌
- ❯ジフテリア菌
- ❯ボツリヌス菌　など

○真菌感染症　【33回】【37回】 ──────────────── ★★

表在性真菌症

- ❯皮膚あるいは粘膜に感染を生じるもの．
- ❯皮膚糸状菌症（白癬：いわゆる水虫）
- ❯カンジダ症（皮膚炎，腟炎，口内炎など）　など

深在性真菌症

- ❯深在組織（肺など）に感染を来すもの．
- ❯真菌による呼吸器疾患は真菌を吸い込むことによって発病する．
- ❯アスペルギルス症（肺炎，耳真菌症など）
- ❯カンジダ症（菌血症，心内膜炎，肺炎，口腔カンジダ症など）
- ❯クリプトコッカス症（脳・脊髄炎，肺炎など）
- ❯ムコール症（肺炎，副鼻腔炎など）
- ❯ニューモシスチス・イロベチ（ニューモシスチス肺炎）　など

○**原虫性疾患**

❷マラリア：蚊によって媒介される．

❷腟トリコモナス症：腟トリコモナス原虫の感染による．

❷アメーバ赤痢：赤痢アメーバの感染型原虫の感染による．

○**クロイツフェルト・ヤコブ病**

❷クロイツフェルト・ヤコブ病（Creutzfeldt-Jacob disease；CJD）は60歳以上に発症し，急速に知的障害や運動障害を呈する．

❷ウシ海綿状脳炎（BSE；狂牛病）から感染した変異型とされた．

❷病原体は異常プリオン蛋白とされ，BSE感染牛肉や患者の脳・脊髄組織から感染することがわかっている．

（2）細菌の性質

○**好気性菌，嫌気性菌** 【35 回】 ★★

グラム 染色/ 運動性		好気性菌・嫌気性菌			
		球菌	桿菌		
			偏性好気性菌 ※酸素がないと 生育不可	通性嫌気性菌 ※酸素はあっても なくても良い	偏性嫌気性菌 ※酸素があると 死滅する
陽性	運動性		・枯草菌	・リステリア菌 ・セレウス菌	・破傷風菌 ・ボツリヌス菌 ・クロストリディオイデス・ディフィシル
	非運動性	・黄色ブドウ球菌 ・表皮ブドウ球菌 ・化膿レンサ球菌 ・肺炎球菌 ・腸球菌	・結核菌 ・ノカルジア菌 ・ジフテリア菌	・炭素菌	・ビフィズス菌 ・ウェルシュ菌
陰性	運動性		・緑膿菌 ・セパシア菌 ・レジオネラ菌 ・カンピロバクター ・ピロリ菌 ・マルトフィリア菌	・腸炎ビブリオ ・コレラ菌 ・エロモナス菌 ・プレジオモナス菌 ・大腸菌 ・サルモネラ（腸炎菌） ・チフス菌 ・パラチフス菌 ・セラチア菌 ・プロテウス菌 ・腸炎エルシニア菌	
	非運動性	・淋菌 ・髄膜炎菌	・クリセオバクテリウム ・百日咳菌 ・アシネトバクター ・モラクセラ・カタラーリス	・インフルエンザ菌 ・A群赤痢菌 ・肺炎桿菌 ・ペスト菌	・バクテロイデス菌

○ブドウ球菌感染症 ━━━━━━━━━━━━━━━━━━━━━━━━━━━━━ ★

黄色ブドウ球菌

❯院内感染で問題となる.

❯食中毒の原因となる.

❯健常者でも検出されることがある（保菌者すべてが発病するわけでない）.

❯黄色ブドウ球菌感染症は，皮膚，鼻腔が感染源となる.

❯ペニシリン系抗菌薬の一種メチシリンに耐性をもつことがある（MRSA）.

表皮ブドウ球菌

❯皮膚常在菌である.

❯ペースメーカ感染症を生じさせる菌で最も頻度が高い.

○MRSA（メチシリン耐性黄色ブドウ球菌）

❯多剤耐性の黄色ブドウ球菌である.

❯グラム陽性球菌である.

❯通常の黄色ブドウ球菌より毒性は弱い.

❯肺炎の原因菌である.

❯健常者には常在するが発症はしない（日和見感染）.

❯深部感染は表層感染より予後が悪い.

❯皮膚，鼻腔が感染源.

❯ヒトの手を介し感染する.

❯医療従事者は感染源となる.

❯感染対策として手洗いの励行は有効である.

○ヘリコバクター・ピロリ感染

〈感染が誘因となる疾患〉

❯胃がん

❯胃潰瘍・十二指腸潰瘍

❯特発性血小板減少性紫斑病

○細菌性髄膜炎

❯髄膜炎菌はグラム陰性双球菌である.

❯髄膜炎は脳や脊髄の表面をおおう髄膜の感染性疾患で，発熱，頭痛，髄膜刺激症状が主な症状である.

❯項部硬直を呈する.

❯ケルニッヒ（Kernig）徴候を認める.

❯細菌性（化膿性）髄膜炎の治療は，ペニシリン系などの抗菌薬の全身投与が有効である.

❯ウイルス，真菌，寄生虫なども髄膜炎の原因となる.

○抗酸菌感染症 ━━━━━━━━━━━━━━━━━━━━━━━━━━━━━ ★

❯抗酸菌の検出には，チール・ネルゼン染色や蛍光染色法を行う.

❯喀痰培養で抗酸菌が検出されても，非結核性抗酸菌（NTM）の場合もあるため，直ちに結核とは診断できない.

❯結核予防の BCG 接種は弱毒化したウシ型結核菌であり，生ワクチンである.

❯結核は二類感染症であるため，診断したら直ちに保健所への届け出が必要である.

結核菌排菌者と接触した場合
❯接触者健康診断を実施する.
- ・ツベルクリン反応の実施
- ・IGRA 検査（抗原特異的インターフェロン-γ 遊離検査）の実施
- ・胸部 X 線検査
- ・喀痰検査

臨床医学総論 第2版
p.44

（3）抗菌療法と薬剤耐性菌

○薬剤耐性菌
❯耐性菌には弱毒菌が多い.
❯院内感染の予防には接触予防策がとられる.
❯同一抗菌薬の連用は耐性菌の発現を招きやすい.
- ・同一抗菌薬の長期使用 ＋ 加齢やストレスによって免疫機能が低下した場合に発症する.

代表的な薬剤耐性菌
❯メチシリン耐性黄色ブドウ球菌（MRSA）
❯多剤耐性緑膿菌（MDRP）
❯バンコマイシン耐性黄色ブドウ球菌（VRSA）
❯バンコマイシン耐性腸球菌（VRE）

臨床医学総論 第2版
p.44
院内感染
p.25～27
手術部感染症
（SSI）

（4）院内感染症

❯入院後 48 時間以降に発症した場合，院内感染とみなされる.

○院内肺炎（hospital-acquired pneumonia；HAP）の主な原因病原体 【36 回】-★★
❯黄色ブドウ球菌（MRSA，MSSA）
❯緑膿菌
❯肺炎桿菌 など

○日和見感染 ─────────────────────────────── ★
❯抵抗力の弱い患者が罹る．平素無害菌による感染.

細菌	黄色ブドウ球菌（MRSA，VRSA を含む），バンコマイシン耐性腸球菌（VRE），クレブシエラ，セラチア，緑膿菌，レジオネラ
真菌	カンジダ，アスペルギルス，クリプトコッカス
ウイルス	単純ヘルペスウイルス，サイトメガロウイルス
原虫	トキソプラズマ，クリプトスポリジウム

○ 感染経路 【34回】 ★★

血液媒介感染	飛沫感染	空気感染	接触感染	母子感染
・HIV（ヒト免疫不全ウイルス） ・B 型肝炎 ・C 型肝炎	・風疹 ・ムンプス（流行性耳下腺炎） ・インフルエンザ ・マイコプラズマ ・水痘・帯状疱疹ウイルス	・麻疹 ・水痘 ・結核 ・レジオネラ（エアロゾル感染）	・アデノウイルス（流行性角結膜炎） ・ノロウイルス ・MRSA	・HIV ・B 型肝炎 ・C 型肝炎

経口感染

- ❯ポリオウイルス
- ❯A 型肝炎ウイルス
- ❯E 型肝炎ウイルス

空気感染 【33回】 ★

- ❯空気感染の別名は，飛沫核感染.
- ❯飛沫核が 5 μm 以下のもの.
- ❯空気感染対策として N95 マスクを着用する.

○ 手術部位感染症（SSI）【37回】 ★★

リスク因子

- ❯肥満
- ❯低体温
- ❯長時間手術
- ❯術後高血糖

予防対策

- ❯術前から血糖コントロールする.
- ❯医療従事者の手指衛生を実施する.
- ❯周術期の抗菌薬投与を行う.
- ❯手術の妨げにならなければ除毛処置は行わない.
- ❯除毛をする場合は手術直前に行う.
- ❯手術前日に入浴する.
- ❯外来の時点で禁煙を勧める.
- ❯術前入院期間を短縮する.
- ❯術前の栄養管理は有用である.
- ❯長時間の手術は感染リスクを高めるため，手術時間を短くする.

（5）食中毒

ウイルス型

- ❯ノロウイルスは食中毒の原因となる.

感染型

- ❯食品中で多量に増殖した生菌が食品とともに体内入り発症する.

- 腸炎ビブリオ
- サルモネラ
- カンピロバクター
- コレラ
- ウェルシュ菌

毒素型
❱食品中で増殖した細菌が産生した毒素が食品とともに体内に入り発症する.
- 黄色ブドウ球菌
- ボツリヌス菌

臨床医学総論 第2版
p.45

（6）かぜ症候群

○インフルエンザ感染症 【35回】 ━━━━━━━━━━━━━━━━━ ★★
❱インフルエンザウイルス感染により発症する.
❱飛沫感染する.
❱感染すると 38℃以上の高熱，頭痛，関節痛，筋肉痛など全身症状が強い特徴がある.
❱五類感染症に分類される（鳥インフルエンザ及び新型インフルエンザなど感染症を除く）.
❱ワクチンによる予防効果が期待できる.
❱有効な治療薬（抗ウイルス薬）がある.
❱ヒトのインフルエンザは犬には感染しない.

臨床医学総論 第2版
p.278

（7）血液を介する感染症

○HIV 感染症 【37回】 ━━━━━━━━━━━━━━━━━━━━━ ★★
❱わが国の感染者数は増加している.
❱感染初期には抗体検査が陽性にならない期間がある.
❱HIV（ヒト免疫不全ウイルス）感染によりヘルパー T 細胞（CD4）が低下する.
❱感染後 5〜8 年で AIDS（後天性免疫不全症候群）を発症する.
❱治療は抗 HIV 薬を 3 剤以上用いる多剤併用療法が中心である.
❱針刺し事故の際は抗ウイルス薬の内服が有効である.
❱AIDS（後天性免疫不全症候群）患者に発症しやすい疾患
- ニューモシスチス肺炎（カリニ肺炎）
- 食道カンジダ症
- 帯状疱疹
- 肺炎球菌性肺炎
- サイトメガロウイルス感染
- カポジ肉腫
- 非ホジキンリンパ腫　など

（8）皮疹を伴う感染症

○先天性風疹症候群（CRS）

- ❯妊娠中，母体が風疹ウイルスに罹患すると，胎内感染（経胎盤感染）により胎児も風疹ウイルスに感染することがある．感染した胎児には先天性異常を生じる場合があり，これを先天性風疹症候群（CRS）と呼ぶ．
- ❯妊娠中，風疹ウイルスに初感染すると，胎児への感染，CRS 発症を防ぐ有効な手段はなく，感染後の治療も確立されていないため，妊娠前に風疹ワクチンを接種する感染予防が重要となる．

CRS の三大症状

- ❯白内障
- ❯心奇形
- ❯難聴

（9）その他

- ❯成人 T 細胞白血病は日本の西南部に多くみられる．
- ❯マイコプラズマは細胞壁をもたない．
- ❯腸炎ビブリオの潜伏期間は 10～24 時間（早いと 2～3 時間）と短い．

（10）組合せ問題　【33 回】【34 回】 ★★

- ❯AIDS ——性行為，母子感染
- ❯結核——空気感染（飛沫核感染），ツベルクリン反応
- ❯細菌性赤痢——経口感染
- ❯B 型肝炎——母子感染，輸血，針刺し事故
- ❯A 型肝炎——経口感染
- ❯破傷風——開口障害（口が開きにくくなる）
- ❯ガス壊疽菌——嫌気性菌，デブリードマン（菌の創開放・除去）
- ❯大腸菌——グラム陰性桿菌
- ❯ニューモシスチス・イロベチ——肺炎
- ❯マイコプラズマ——肺炎
- ❯ロタウイルス——下痢症
- ❯クロストリディオイデス（クロストリジウム）・ディフィシル——偽膜性腸炎
- ❯ヒトパピローマウイルス——子宮頸癌
- ❯クラミジア——鼠径リンパ肉芽腫症
- ❯リケッチア——ツツガムシ病
- ❯トラコーマ——慢性角結膜炎（接触感染）
- ❯スピロヘータ——梅毒
- ❯マイコバクテリウム——ハンセン病
- ❯発疹チフス——リケッチア症
- ❯レジオネラ——空気感染（エアロゾル）
- ❯黄色ブドウ球菌—— MRSA

- カンジダ──真菌感染
- ムンプスウイルス──流行性耳下腺炎
- 麻疹ウイルス──麻疹
- 糸状菌──足白癬
- 水痘・帯状疱疹ウイルス──水痘
- EB ウイルス──伝染性単核球症

臨床工学技士国家試験問題 Check UP!

問題 1 □□□ 27A04

微生物の大きさの比較で正しいのはどれか.

1. 酵母＞ウイルス＞細菌
2. 細菌＞酵母＞ウイルス
3. ウイルス＞酵母＞細菌
4. 酵母＞細菌＞ウイルス
5. 細菌＞ウイルス＞酵母

問題 2 □□□ 27A16

先天性風疹症候群にみられるのはどれか.

a. 動脈瘤
b. 白内障
c. 心疾患
d. 白血病
e. 間質性肺炎
1. a, b 2. a, e 3. b, c 4. c, d 5. d, e

問題 3 □□□ 31P11

日和見感染症はどれか.

a. マイコプラズマ肺炎
b. サイトメガロウイルス肺炎
c. ニューモシスチス肺炎
d. 肺炎球菌肺炎
e. インフルエンザ菌肺炎
1. a, b 2. a, e 3. b, c 4. c, d 5. d, e

問題 4 □□□ 28P16

細菌感染症はどれか.

a. 破傷風
b. 流行性耳下腺炎
c. 麻疹
d. カンジダ症
e. ジフテリア
1. a, b 2. a, e 3. b, c 4. c, d 5. d, e

問題 5 □□□ 31P16

HIV 感染症について正しいのはどれか.

a. わが国の感染者数は増加している.
b. 感染初期には抗体検査が陽性にならない期間がある.
c. 感染によりヘルパー T 細胞（CD4）は増加する.
d. 感染後数ヶ月で AIDS（後天性免疫不全症候群）が発症する.
e. 治療は抗 HIV 薬を 3 剤以上用いる多剤併用療法が中心である.
1. a, b, c 2. a, b, e 3. a, d, e
4. b, c, d 5. c, d, e

問題 6 □□□ 23A15

ブドウ球菌感染症で正しいのはどれか.

a. 院内感染で問題となる.
b. 食中毒の原因となる.
c. エンドトキシンショックの原因となる.
d. 健常者では検出されない.
e. バンコマイシンには耐性がない.
1. a, b 2. a, e 3. b, c 4. c, d 5. d, e

問題 7 ☐☐☐ 31A17

抗酸菌感染症について正しいのはどれか.

- a. 検出にはグラム染色を用いる.
- b. 喀痰培養で抗酸菌が検出されれば結核と診断できる.
- c. BCG は死菌ワクチンである.
- d. 結核と診断した場合は直ちに保健所に届ける.
- e. 排菌者と接触した場合は接触者健康診断が必要である.

1. a, b　2. a, e　3. b, c　4. c, d　5. d, e

問題 8 ☐☐☐ 35P17

グラム陰性菌はどれか.

- a. 緑膿菌
- b. 肺炎桿菌
- c. 破傷風菌
- d. ジフテリア菌
- e. 黄色ブドウ球菌

1. a, b　2. a, e　3. b, c　4. c, d　5. d, e

問題 9 ☐☐☐ 34P22 改

病原体の感染経路で誤っているのはどれか.

1. 麻疹ウイルス─────────空気感染
2. マイコプラズマ────────空気感染
3. 水痘・帯状疱疹ウイルス────飛沫感染
4. インフルエンザウイルス────飛沫感染
5. MRSA（メチシン耐性黄色ブドウ球菌）──接触感染

問題 10 ☐☐☐ 35A18

インフルエンザウイルス感染症で正しいのはどれか.

- a. 飛沫感染する.
- b. ヒトからイヌに感染する.
- c. 有効な抗ウイルス薬はない.
- d. 三類感染症に分類される.
- e. ワクチンによる予防効果が期待できる.

1. a, b　2. a, e　3. b, c　4. c, d　5. d, e

問題 11 ☐☐☐ 34A16

感染症とその原因との組合せで正しいのはどれか.

1. 足白癬─────────カンジダ
2. 風疹────────ヒト単純ヘルペスウイルス
3. 水痘─────────EB ウイルス
4. はしか────────麻疹ウイルス
5. 流行性耳下腺炎──ヒト乳頭腫ウイルス

問題 12 ☐☐☐ 36A17

院内肺炎の主な原因病原体はどれか.

- a. 緑膿菌
- b. 結核菌
- c. レジオネラ
- d. 肺炎マイコプラズマ
- e. メチシリン耐性黄色ブドウ球菌

1. a, b　2. a, e　3. b, c　4. c, d　5. d, e

問題 13 ☐☐☐ 37A19

手術部位感染症の予防策はどれか.

- a. 術前からの血糖管理
- b. 医療者の手指衛生
- c. 周術期の抗菌薬投与
- d. 術中の低体温
- e. 手術後抜糸までのガーゼ被覆保護

1. a, b, c　2. a, b, e　3. a, d, e
4. b, c, d　5. c, d, e

問題 14 ☐☐☐ 37A25 改

後天性免疫不全症候群（AIDS）患者に発症しやすい感染症はどれか.

- a. ニューモシスチス肺炎
- b. 食道カンジダ症
- c. 帯状疱疹
- d. マイコプラズマ肺炎
- e. 風疹

1. a, b, c　2. a, b, e　3. a, d, e
4. b, c, d　5. c, d, e

| 問題 15 | □ □ □ | 37P17 |

真菌感染症はどれか.

a．マイコプラズマ肺炎
b．トラコーマ
c．口腔カンジダ症
d．クリプトコッカス脳脊髄炎
e．肺アスペルギルス症

1. a, b, c　　2. a, b, e　　3. a, d, e
4. b, c, d　　5. c, d, e

〈解答〉問題 1-4, 問題 2-3, 問題 3-3, 問題 4-2, 問題 5-2, 問題 6-1, 問題 7-5, 問題 8-1, 問題 9-2, 問題 10-2, 問題 11-4, 問題 12-2, 問題 13-1, 問題 14-1, 問題 15-5

8. 腎臓・泌尿器・生殖器系

（1）慢性腎臓病（CKD）

臨床医学総論 第2版
 p.155～160
 p.163～166
 p.169～180
最新 血液浄化療法装置
 p.47～p.53

○慢性腎臓病（CKD）の定義
❷①，②のいずれかまたは両方が3ヶ月以上持続した状態.
①腎障害の存在が検査で明らかで，0.15 g/gCr 以上のタンパク尿（30 mg/gCr 以上のアルブミン尿）.
② eGFR が 60 mL/分/1.73 m^2 未満.

○CKD 分類 【35回】 ━━━━━━━━━━━━━━━━━━━ ★★
❷慢性腎臓病（CKD）の重症度は，基礎疾患および糸球体濾過量（GFR）区分，タンパク尿（基礎疾患が糖尿病の場合はアルブミン尿）区分，血中尿素窒素値を合わせて評価する.

○慢性腎臓病（CKD）の原因
❷糖尿病
❷アミロイドーシス
❷高尿酸血症
❷全身性エリテマトーデス

○慢性腎臓病（CKD）の合併症への対応 【35回】 ━━━━━━━━ ★★
❷貧血：エリスロポエチン製剤の投与
❷痛風：尿酸生成抑制薬の投与
❷高カリウム血症：陽イオン交換樹脂の使用
❷高リン血症：リン吸着剤（炭酸カルシウム，塩酸セベラマー，クエン酸第二鉄など）の投与
❷高カルシウム血症：ビスホスホネート製剤の投与，カルシトニン製剤
❷二次副甲状腺機能亢進症：カルシウム受容体作動薬内服，副甲状腺摘除術
❷低カルシウム血症：活性型ビタミン D 製剤

○尿毒症患者の変化

増加	低下	変化しない
リン カリウム：心電図テント状 T 波 マグネシウム 尿素窒素 クレアチン	カルシウム 重炭酸イオン（HCO$_3^-$） pH：代謝性アシドーシス Ht：腎性貧血	尿浸透圧：等張尿 ナトリウム（やや低下）

○糸球体腎炎
❷若年者に多く，好発年齢は3～10歳で，腎機能の予後は良好である.
❷急激に発病し，腎機能の低下を伴った浮腫，高血圧，血尿，タンパク尿を特徴とする腎炎.

❷約 70〜80％において A 群 β 型溶血性連鎖球菌を抗原とする抗原抗体複合体が糸球体に沈着することによって生じる腎炎である.

原発性（一次性）糸球体腎炎	続発性（二次性）糸球体腎炎
急性進行性糸球体腎炎 IgA 腎症 膜性糸球体腎炎 微小変形型ネフローゼ症候群 メサンギウム増殖性腎炎 半月体形成性腎炎（急速進行性腎炎） 巣状糸球体硬化症	糖尿病性腎症 アミロイド腎症 ループス腎炎 紫斑病性腎炎 多発性骨髄腫

ネフローゼ症候群　【34 回】【37 回】　　　　　　　　　　　　　　　　★★

ネフローゼの診断基準

〈必須条件〉

❷タンパク尿
- ・1 日 3.5 g 以上の尿タンパクを持続

❷低アルブミン血症
- ・血清アルブミン値　3.0 g/dL 以下
- ・血清総タンパク量　6.0 g/dL 以下

〈必須条件ではない〉

❷脂質異常症（高 LDL コレステロール血症）
- ・血清コレステロール値　250 mg/dL 以上
- ・または血清 LDL コレステロール値　140 mg/dL 以上

❷浮腫

二次性ネフローゼ症候群の基礎疾患

❷糖尿病性腎症

❷アミロイド腎症

❷ループス腎炎

❷全身性エリテマトーデス

❷紫斑病性腎炎

❷多発性骨髄腫

糖尿病性腎症　【36 回】【37 回】　　　　　　　　　　　　　　　　　　★★

❷糖尿病性腎症は糖尿病性網膜症，糖尿病性神経症とともに，糖尿病の重要な合併症である.

❷発症には糸球体高血圧の関与が想定されており，それと関連し，糸球体過剰濾過，つまり糸球体濾過量が正常以上になることがある.

❷尿所見としては，蛋白尿，アルブミン尿が主体であり，IgA 腎症などの慢性糸球体腎炎のように尿潜血反応が強陽性になることは多くない.

❷微量アルブミン尿の測定が早期診断に有用.

❷透析導入原因疾患の第 1 位.

❷発症リスクは糖尿病の罹患期間が長いほど発症しやすい.

糖尿病性腎症の診断に用いられる病期分類

病期	尿アルブミン値 [mg/gCr] あるいは 尿タンパク値 [g/gCr]	GFR（eGFR）(mL/分/1.73 m²)
第 1 期（腎症前期）	正常アルブミン尿（30 未満）	30　以上
第 2 期（早期腎症期）	微量アルブミン尿（30〜299）	30　以上
第 3 期（顕性腎症期）	顕性アルブミン尿（300 以上）	30　以上
第 4 期（腎不全期）	問わない	30　未満
第 5 期（透析療法期）	透析療法中	

糖尿病性腎症病期分類 2014（糖尿病性腎症合同委員会策定）

○腎病変を伴う疾患

- ❯全身性エリテマトーデス
- ❯Goodpasture 症候群
- ❯Wegener 肉芽腫症
- ❯高尿酸血症
- ❯痛風
- ❯糖尿病
- ❯アミロイドーシス

○透析患者

- ❯慢性透析患者は年々増加している（2021 年末：約 35 万人）.
- ❯透析患者は除水をすると血液の浸透圧が上昇する.
- ❯低 Ca 高 P 血症を来す.
- ❯低タンパク食（タンパク制限）は透析導入前まで行い，透析導入後の制限は緩やかになる.

○長期透析に伴う合併症 ———————————————

- ❯心血管系合併症
- ❯骨ミネラル代謝異常
- ❯二次副甲状腺機能亢進症
- ❯活性型ビタミン D 欠乏
- ❯腎性貧血
- ❯アミロイドーシス
- ❯感染症
- ❯脂質異常症
- ❯栄養障害
- ❯消化器系異常
- ❯悪性腫瘍
- ❯腎嚢胞
- ❯掻痒感

○**腎移植後の合併症**

拒絶反応

❱超急性拒絶反応：移植直後から1日以内に既存抗体により起こる．　→速やかに移植臓器を摘出する．

❱促進型拒絶反応：急性拒絶反応の激しいもの，あるいは超急性拒絶反応のやや穏やかなものである．移植後1週間以内に発生する．

❱急性拒絶反応：移植後3ヶ月以内に細胞性免疫により発症する．　→免疫抑制薬の増量を行う．

感染症

❱サイトメガロウイルス

❱緑膿菌

❱帯状疱疹・単純性ヘルペス

❱アデノウイルス

❱EBウイルス

❱真菌

❱ニューモシスチス肺炎

❱MRSAなどの一般細菌により，尿路や呼吸器に日和見感染として生じる．

臨床医学総論 第2版
p.166〜169
最新 血液浄化療法装置
p.53〜p.55

（2）急性腎不全（AKI）

○**急性腎不全（AKI）の分類**　【33回】【35回】【37回】 ━━━━━━━ ★★★

	原因	具体的症例
腎前性 （40〜60%）	心拍出量低下	心不全，心原性ショック，心膜炎
	血管収縮	血管炎，動脈硬化，レニン-アンギオテンシン系の活性化，敗血症
	循環血漿量減少	出血，脱水，腹水穿刺，熱傷
腎性 （35〜40%）	腎実質性	急性糸球体腎炎，急性腎盂腎炎，膠原病，紫斑病，溶血性尿毒症症候群，腎梗塞
	間質性腎炎	鎮痛剤，高Ca血症，低K血症，腎盂腎炎
	急性尿細管壊死	腎前性から進展したもの
	腎毒性物質	抗菌薬［アミノグリコシド（カナマイシン，ゲンタマイシン），アンホテリシン，シスプラチン，セファロスポリンなど］ 造影剤，重金属塩（水銀，金，リチウムなど）
	血管，尿細管閉塞	多発性骨髄腫，高尿酸血症，播種性血管内凝固（DIC），横紋筋融解症（広範囲にわたる筋肉組織の挫滅），ヘモグロビン尿
	その他	異型輸血
腎後性 （5%未満）	上部尿路閉塞	結石，腫瘍，後腹膜線維症，尿管閉塞
	下部尿路閉塞	膀胱結石，膀胱腫瘍，尿道結石，両側尿管閉塞，腫瘍，前立腺疾患

○**急性腎不全（AKI）に対する透析の適応基準** ━━━━━━━━━━━━━ ★

❱臨床症状：溢水症状（肺水腫，心膜炎，心不全など），尿毒症状（意識障害，等張尿など）

❱尿量の減少：乏尿2日間，あるいは無尿

❱難治性高血圧症

- ◗ 高カリウム血症（＞6〜7 mEq/L，あるいは心電図 T 波増高）
- ◗ 代謝性アシドーシス（HCO_3^-＜15 mEq/L，pH≦7.15）
- ◗ 高窒素血症（BUN＞60〜80 mg/dL，あるいは 1 日 10 mg/dL 以上の上昇）
- ◗ 腎機能障害（血清クレアチニン＞5 mg/dL，あるいは 1 日 1 mg/dL 以上の上昇）

○ 急性腎不全（AKI）の治療
- ◗ 体液量の維持，管理
- ◗ 血圧（腎灌流圧）の維持
- ◗ 電解質・酸塩基平衡の管理
- ◗ 低タンパク食（タンパク制限），カリウム制限
- ◗ 腎毒性のある薬剤の中止

（3）尿路感染症

臨床医学総論 第 2 版
p.162〜163

○ 尿路感染症（腎盂腎炎，膀胱炎含む）【33 回】 ★★
- ◗ 尿路感染症とは，腎，尿管，膀胱，尿道などの感染症の総称である．
- ◗ 尿道からの上行感染が最も多い．
- ◗ 起因菌としては大腸菌（グラム陰性桿菌）が最も多い．
- ◗ 合併症に腎周囲膿瘍がある．
- ◗ 男性よりも女性に発症しやすい．
  - ・女性は男性よりも尿道が短く，尿道口が肛門に近接しているため．
  - ・性的活動期の女性に多くみられる．

症状
- ◗ 膀胱炎では頻尿がみられる．
- ◗ 膀胱炎のみでは発熱を伴わない．
- ◗ 腎盂腎炎の多くは，悪寒戦慄を伴う 38℃以上の高熱や腰痛（鈍痛）がみられる．
- ◗ 排尿痛
- ◗ 血尿
- ◗ 混濁尿

リスク因子
- ◗ 糖尿病
- ◗ 尿路結石
- ◗ 神経因性膀胱
- ◗ 尿道カテーテル留置
- ◗ 前立腺肥大
- ◗ 水腎症

尿路感染症の分類

単純性尿路感染症	複雑性尿路感染症
合併症のない尿路感染症 原因菌としては大腸菌が多い 女性に多い 尿検査で膿尿，細菌尿を認める	解剖学的・機能的問題のある（尿路に結石や腫瘍などがある）尿路感染症 高齢者に多い

複雑性尿路感染症の基礎疾患

❯男性：前立腺肥大，前立腺癌，膀胱癌，尿路結石　など

❯女性：妊娠，神経因性膀胱，膀胱癌，腎盂・尿管癌，尿路結石

❯小児：膀胱尿管逆流現象，尿路奇形

臨床医学総論 第2版
p.189〜191

（4）尿路結石症

○尿路結石 ★

❯30〜50歳代に好発，男性に多い．

❯尿路結石の約90％以上がカルシウムを主成分とした結石（シュウ酸カルシウム，リン酸カルシウム）である．

❯我が国の罹患率は増加傾向にある．

❯結石が起きる尿管に左右差はない．

❯腰部の疝痛発作を起こす．

❯膀胱結石の原因となる．

❯体外衝撃波結石破砕術（ESWL）を行う．

尿結石の分類 ★

部位		好発	症状	積極的除去症状法
上部尿路結石	腎結石	30〜40歳代男性に多い	自覚症状が少ない．	体外衝撃波結石破砕術（ESWL）経皮的腎破石術（PNL）
	尿路結石		血尿，腰背中〜側腹部の疝痛発作	体外衝撃波結石破砕術（ESWL）経尿道的尿管破石術（TUL）
下部尿路結石	膀胱結石	60〜70歳男性に多い	血尿，排尿痛	経尿道的尿管破石術（TUL）
	尿道結石		血尿，排尿痛，疼痛，尿道途絶	経尿道的尿管破石術（TUL）

結石の種類 【36回】 ★★

単純X線写真で写る（非透過性）	単純X線写真で写らない
リン酸カルシウム結石シュウ酸カルシウム結石リン酸マグネシウム結石シスチン結石	尿酸結石キサンチン結石

尿路結石の診断に用いる画像検査 【34回】 ★★

❯腹部超音波検査

❯腹部CT検査

❯単純X線検査（腎尿管膀胱単純撮影）

❯静脈性腎盂造影法

（5）生殖器系の疾患

○ 前立腺癌　【34回】 ★★

- ❷男性の高齢者（70歳前後）に多い．
- ❷自覚症状は少なく検診で発見されることが多い．
- ❷尿が出にくい，排尿の回数が多いなどの症状が出ることもある．
- ❷リンパ節や骨への転移が多いが，肺，肝臓などへ転移することもある．
- ❷診断には直腸診や超音波検査を用い，前立腺生検（病理診断）にて確定診断を行う．
- ❷血清中の前立腺特異抗原（PSA）は重要な腫瘍マーカーである．
- ❷ロボット支援手術が保険適応となっている．

○ 子宮頸癌　【36回】 ★★

- ❷子宮頸癌はヒトパピローマウイルス（HPV）感染に起因する．
- ❷30歳代から増加し，40歳代・50歳代にピークがあり，以降は減少する．
- ❷組織型として扁平上皮癌が全体の90％を占める．
- ❷診断として子宮腟部細胞診が有用である．
- ❷最近ではHPVに対するワクチン接種が行われるようになった．

（6）組合せ問題 ★

- ❷IgA腎症――血尿，タンパク尿
- ❷腎結石――血尿，疼痛
- ❷尿路結石――血尿，アルカリ性尿
- ❷尿崩症――バソプレシンの分泌障害，多尿，口渇，多飲
- ❷急性尿細管壊死――乏尿〜無尿，急性腎不全
- ❷前立腺肥大――閉尿，残尿
- ❷水腎症――尿路狭窄
- ❷腎盂腫瘍――無症候性血尿

問題 1　□□□　30A16

急性腎不全に対して透析を開始しなければならないのはどれか.

- a．BUN：100 mg/dL
- b．血清 HCO_3^-：12 mEq/L
- c．血清クレアチニン：8 mg/dL
- d．動脈血 pH：7.35
- e．血清 K^+：5 mEq/L

1. a, b, c　2. a, b, e　3. a, d, e
4. b, c, d　5. c, d, e

問題 2　□□□　25A18

尿毒症患者でみられるのはどれか.

- a．等張尿
- b．心電図の T 波増高
- c．血清クレアチニン上昇
- d．血清カリウム低下
- e．代謝性アルカローシス

1. a, b, c　2. a, b, e　3. a, d, e
4. b, c, d　5. c, d, e

問題 3　□□□　28A18

慢性腎不全の合併症への対応で適切でない組合せはどれか.

1. 貧血—————エリスロポエチン製剤の投与
2. 痛風—————尿酸生成抑制薬の投与
3. 高カリウム血症——陽イオン交換樹脂の使用
4. 高リン血症————リン吸着剤の投与
5. 低カルシウム血症——ビスホスホネート製剤の投与

問題 4　□□□　31A18

糖尿病性腎症について正しいのはどれか.

- a．発症リスクは糖尿病の罹患期間と相関しない.
- b．微量アルブミン尿の測定が早期診断に有用である.
- c．網膜症，神経障害の合併頻度が高い.
- d．血液透析などの腎代替療法が必要になることはまれである.
- e．治療に副腎皮質ステロイドを用いる.

1. a, b　2. a, e　3. b, c　4. c, d　5. d, e

問題 5　□□□　31P17

急性単純性腎盂腎炎について正しいのはどれか.

- a．高齢者に多い.
- b．高熱はみられない.
- c．尿検査で膿尿，細菌尿を認める.
- d．起因菌として大腸菌が多い.
- e．感染経路は膀胱からの上行感染である.

1. a, b, c　2. a, b, e　3. a, d, e
4. b, c, d　5. c, d, e

問題 6　□□□　29P17

尿路感染症について正しいのはどれか.

- a．単純性尿路感染症は男性に多い.
- b．単純性尿路感染症の原因菌としては大腸菌が多い.
- c．複雑性尿路感染症は高齢者に多い.
- d．膀胱炎のみでは発熱を伴わない.
- e．腎盂腎炎では原因菌が血液から移行する.

1. a, b, c　2. a, b, e　3. a, d, e
4. b, c, d　5. c, d, e

問題 7　□□□　32A78

慢性腎臓病に伴う骨・ミネラル代謝異常（CKD-MBD）対策で誤っているのはどれか.

1. 透析時間の延長
2. 炭酸カルシウム内服
3. カルシウム受容体作動薬内服
4. 副甲状腺摘除術
5. リン含有食品の積極的な摂取

問題 8　□□□　32P18

急性腎不全の病型と原因との組合せで誤っているのはどれか.

1. 腎前性——出血
2. 腎性———高カルシウム血症
3. 腎性———横紋筋融解症
4. 腎後性——造影剤
5. 腎後性——尿管閉塞

問題 9 □□□ 35P18

慢性腎臓病（CKD）の重症度分類に用いられるのはどれか．

a．血圧
b．年齢
c．尿タンパク定量
d．eGFR
e．血中尿素窒素値

1．a，b，c　2．a，b，e　3．a，d，e
4．b，c，d　5．c，d，e

問題 10 □□□ 35A20

血液透析療法の長期合併症治療に用いるのはどれか．

a．ナファモスタットメシル酸
b．免疫抑制剤
c．エリスロポエチン
d．活性型ビタミンD
e．副腎皮質ステロイド

1．a，b　2．a，e　3．b，c　4．c，d　5．d，e

問題 11 □□□ 34P17

尿路結石の診断や治療適応の判断に用いられない画像検査はどれか．

1．腹部超音波検査
2．単純X線検査
3．点滴静注腎盂造影法
4．腹部CT検査
5．腎動脈造影法

問題 12 □□□ 34A18

前立腺癌について誤っているのはどれか．

1．高齢者に多い．
2．検診で発見されることが多い．
3．前立腺生検で確定診断する．
4．腫瘍マーカではCEAが上昇する．
5．ロボット支援手術が可能である．

問題 13 □□□ 36A19

尿路結石の主な成分でないのはどれか．

1．リン酸カルシウム
2．尿　酸
3．シュウ酸カルシウム
4．コレステロール
5．シスチン

問題 14 □□□ 36P20

子宮頸癌と関連するのはどれか．

1．淋　菌
2．トリコモナス
3．ヒトヘルペスウイルス
4．ヒトパピローマウイルス
5．ヒト免疫不全ウイルス

問題 15 □□□ 37A20

ネフローゼ症候群の特徴でないのはどれか．

1．浮　腫
2．血　尿
3．タンパク尿
4．低アルブミン血症
5．高LDLコレステロール血症

問題 16 □□□ 37P18

腎前性腎不全の原因となる疾患・病態はどれか．

1．出血性ショック
2．横紋筋融解症
3．両側性尿路結石
4．造影剤の副作用
5．溶血性尿毒症症候群

慢性透析患者の原疾患として最も多いのはどれか.

1. 腎硬化症
2. 間質性腎炎
3. 多発性嚢胞腎
4. 糖尿病性腎症
5. 慢性糸球体腎炎

〈解答〉問題 1-1, 問題 2-1, 問題 3-5, 問題 4-3, 問題 5-5, 問題 6-4, 問題 7-5, 問題 8-4, 問題 9-5, 問題 10-4, 問題 11-5, 問題 12-4, 問題 13-4, 問題 14-4, 問題 15-2, 問題 16-1, 問題 17-4

9. 消化器系

（1）食道疾患

○ 逆流性食道炎 【33回】【37回】 ──────── ★★

❥胃液が食道に逆流する胃食道逆流症により，下部食道粘膜にびらんや潰瘍がみられる疾患．

症状

❥食後の胸やけ

❥呑酸（のどの辺りや口の中が酸っぱいと感じる）

原因

❥胃食道逆流症
- 高齢者に多い（食道裂孔ヘルニア）．
- 肥満者に多い（腹圧の上昇）．

❥十二指腸液の逆流

❥カンジダなどの真菌感染：免疫能力が低下した高齢者に多い．

❥粘膜損傷原因となる薬物，化学薬品の誤嚥．

増悪因子

❥大食

❥アルコール

治療

❥薬物療法（胃酸中和薬）が用いられる．

❥外科的手術（噴門形成術や食道裂孔ヘルニア修復術）

注意

❥ヘリコバクター・ピロリの除菌により慢性胃炎が改善すると，胃酸の分泌が増加して逆流性食道炎が増悪することがある．

○ 食道癌 【33回】 ──────────────── ★★

❥喫煙や飲酒が危険因子となる．

❥男性に多い．

❥約50％は胸部中部食道に発生．

❥表在癌の場合は，約75％が無症状．

❥早期からリンパ行性転移をしやすい．

○ 食道静脈瘤

❥肝硬変による門脈圧亢進で，側副循環として下部食道壁内に食道静脈瘤を生じる．

❥大出血時には致死的な状態も生じる．

（2）胃・十二指腸疾患

○ 胃潰瘍（急性胃粘膜病変）【34回】【36回】 ★★
- ❱ 突発する胃症状を伴う.
- ❱ 胃粘膜に比較的浅い潰瘍やびらん，炎症，出血などを認める.

原因
- ❱ 薬物［非ステロイド系消炎鎮痛薬（NSAIDs），抗菌薬，ステロイドなど］が60％
- ❱ アルコール
- ❱ ストレス
- ❱ 熱傷
- ❱ ヘリコバクター・ピロリ菌感染

> **ヘリコバクターピロリ菌と関連ある疾患【37回】**
> ・胃潰瘍
> ・胃癌
> ・十二指腸潰瘍
> ・胃MALTリンパ腫
> ・特発性血小板減少性紫斑病（ITP）

症状
- ❱ 心窩部痛
- ❱ 嘔吐
- ❱ 吐血
- ❱ 下血（症状は多彩で，程度は色々）
- ❱ 黒色便（タール便）

治療
- ❱ 薬物療法
  - ・H_2ブロッカー
  - ・プロトンポンプ阻害薬
  - ・選択的ムスカリン受容体拮抗薬
  - ・プロスタグランジンE_1製剤
- ❱ 安静食事療法
- ❱ 絶食（腹痛発作時）
- ❱ 水分補給
- ❱ 緊急内視鏡的治療

○ 胃癌 【37回】 ★★
- ❱ 好発部位は前庭部小彎側.
- ❱ 組織型は腺癌が多い.

原因
- ❱ 喫煙
- ❱ ヘリコバクター・ピロリ菌感染

❷焼焦げた食物
❷アルコール　など

検査
❷バリウムX線造影検査
・陰影欠損などを描出する.
❷内視鏡検査
・早期胃癌:癌の浸潤が粘膜および粘膜下層に限局する病変である.
・早期胃癌はⅠ型〜Ⅲ型に分類される. Ⅰ型早期胃癌(隆起型), Ⅱ型早期胃癌(表面型), Ⅲ型早期胃癌(陥凹型)
・進行胃癌:癌の浸潤が固有筋層以下まで達する病変である.
・進行胃癌の分類にはボールマン分類を用いる. 1型(限局隆起型), 2型(限局潰瘍型), 3型(浸潤潰瘍型), 4型(びまん浸潤型)
❷超音波検査, CT
・血行性転移, リンパ節転移, 腹膜播種の有無により進行度を判定する.
❷腫瘍マーカー
・CEA(癌胎児性抗原), CA19-9(糖鎖抗原19-9)の上昇.

(3) 小腸・大腸疾患

臨床医学総論 第2版
p.199〜201

○**偽膜性腸炎** 【34回】 ★★
❷クロストリディオイデス(クロストリジウム)・ディフィシル菌による感染性の炎症.
❷抗菌薬投与後2〜3週間後に腹痛, 悪心, 下痢, 粘液便, 発熱などを発症する.
❷抗菌薬投与によって, 主に大腸での腸内細菌叢のバランスが崩れることで菌の異常増殖(菌交代現象)が原因で起こる.
❷内視鏡検査にて, 粘膜表面に数mm程度の小円形の膜(偽膜)が確認できる.

○潰瘍性大腸炎，クローン病 【33回】 ★★

	潰瘍性大腸炎	クローン病
部位	大腸（直腸はほぼ全例に）：直腸から連続的，びまん性に口側へ．	回腸末端部に好発．しかし，口腔から肛門までの消化管のどこにでも起こりうる（直腸はまれ）．
病変	大腸粘膜および粘膜下層に限局して，びらんや潰瘍を形成する炎症性病変． 十二指腸潰瘍は空腹時に痛みが出現する． 診断はファイバースコープ 内視鏡にて偽ポリポーシス	胃壁全層性の肉芽腫性炎症で，病変はとびとびに分布する． 内視鏡で敷石像
好発年齢	成人若年者	20歳代を中心とする青年層
症状・合併症	粘血便（特徴的） 出血 中毒性巨大結腸症 穿孔	4主徴〔腹痛（回盲部痛），下痢，発熱，体重減少〕 下血（－） 肛門病変（特徴的） 脂肪便
経過	反復性（寛解と増悪を繰り返す）または慢性持続	徐々に発病，進行
癌化	癌の発生率が高い	まれ
治療	サラゾピリン（サルファ剤），ステロイド 精神面の考慮 初期は食事療法 アフェレシス療法	保存療法：栄養療法（第一選択） ステロイド（重症例） アフェレシス療法

❷潰瘍性大腸炎，クローン病ともに糖質コルチコイド（副腎皮質ステロイド薬）が有効．

○大腸癌

❷直腸（35％），S状結腸（34％）に多く発生．

❷発生部位は直腸膨大部が最多．

❷主に腺癌で，肛門部皮膚に発生するものは扁平上皮癌．

❷50〜60歳以上に多く，女性に多い．

❷多量の脂肪摂取は大腸癌発生の危険因子である．

誘因

❷高脂肪の食事

❷低食物繊維成分の食事

❷潰瘍性大腸炎

❷大腸ポリープ（周囲粘膜から隆起している病変）

症状

❷血便

❷貧血

❷便通異常

❷腹部腫瘤

検査

❷直腸指診

❷便潜血反応

- ❯注腸 X 線検査
- ❯内視鏡（大腸ファイバースコープ）検査
- ❯腫瘍マーカー：CEA

◯ イレウス（腸閉塞）

イレウスの 3 大原因

- ❯大腸癌
- ❯ヘルニア
- ❯術後癒着

症状

- ❯腹痛
- ❯嘔吐
- ❯排ガス停止

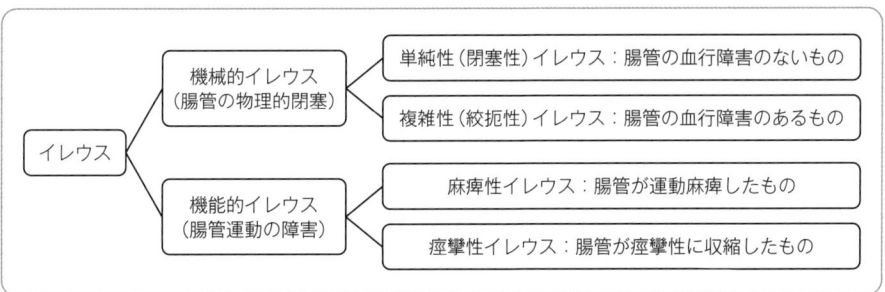

- ❯腹部膨満

単純性（閉塞性）イレウス

- ❯機械的イレウスのうち，腸管への血行障害を伴わないものである．
- ❯術後の癒着による癒着性イレウスが大部分を占め，小腸が閉塞することが多い．
- ❯大腸の単純性イレウスは大腸癌によるものが多い．
- ❯ニボー（鏡面形成像）がみられる：鏡面像は立位腹部 X 線単純撮影でみられる．

複雑性（絞扼性）イレウス

- ❯機械的イレウスのうち，腸管への血行障害を伴うものである．
- ❯腸管壊死や穿孔などを来しやすく，急激に全身状態が悪化するため緊急手術の適応となる．

◯ 虫垂炎 【33 回】【35 回】 ★★

- ❯虫垂の内腔が閉塞し，細菌感染や循環障害により急性化膿性炎症を生じたもの．
- ❯穿孔した場合は腹膜炎を起こすこともある．
- ❯症状：食欲不振，上腹部痛，悪心嘔吐，痛みが右下腹部へ移行し発熱する．
- ❯血液検査では中等度の白血球数増加が認められる．
- ❯治療は手術による虫垂の切除，または抗菌薬投与と輸液を行う．

腹部触診

❯McBurney 圧痛点（臍と右上前腸骨棘を結んだ線上の右側 1/3）

❯Lanz 圧痛点（左右の上前腸骨棘を結んだ線上の右側 1/3）が診断に用いられる.

臨床医学総論 第 2 版
p.201～203

（4）肝疾患

◯ ウイルス性肝炎 【37 ◎】 ★★

肝炎ウイルス	A 型（HAV）	B 型（HBV）	C 型（HCV）	D 型（HDV）	E 型（HEV）
核酸	RNA	DNA	RNA	RNA	RNA
主な感染経路	経口感染（魚介類，生牡蠣などが原因）	血液感染（輸血，針刺し事故など）体内感染（性交など）母子感染	血液・精液感染（輸血，針刺し事故など）	HBV と同様増殖には HBV が必要	経口感染（イノシシ，シカ，ブタなどが原因）人獣共通感染症
潜伏期間	2～6 週間	1～6 週間	1～3 週間	1～6 週間	2～9 週間
感染様式	一過性	一過性＞持続性	持続性＞一過性	HBV に準じる	一過性
	終生免疫獲得 IgG 型 HA 抗体のため，ほとんど慢性化しない	慢性肝炎は主に無症候性キャリア（母子感染，乳幼児感染）から発症	成人の初感染からも容易に慢性化する多くが慢性化する	HBV に重複感染する我が国ではまれ	劇症化は妊婦の感染例で多い
予防法	HA ワクチン	HB ワクチン	ワクチンなし	ワクチンなし	ワクチンなし
進展	劇症肝炎	慢性肝炎肝硬変肝細胞癌劇症肝炎（最多）	慢性肝炎肝硬変肝細胞癌劇症肝炎	HBV に準じる（劇症肝炎に注意）	劇症肝炎（妊婦）

❯急性肝炎の主な原因は肝炎ウイルスであるが，アルコール，薬物，その他のウイルス（EB ウイルス，サイトメガロウイルスなど）もある.

❯HBs 抗体陽性者では B 型肝炎の再感染はない.

◯肝硬変 ★

❯すべての肝障害の終局形態である.

❯男女比は 3：1 で，男性に多い.

❯線維増生，肝細胞壊死，肝小葉改築，再生結節の形成，肝内血管系の変化がみられる.

❯約 90％は肝炎ウイルス（とくに B，C 型肝炎ウイルス）の持続感染が原因.

症状（非代償期）

❯黄疸

❯手掌紅斑

❯女性化乳房

❯くも状血管腫

❯浮腫

❯腹水貯留

❯出血傾向

❯低アルブミン血症

❯全身倦怠感

- 門脈系の血行障害により門脈圧亢進となり，側副血行路（食道静脈瘤，メデューサの頭，内痔核）が形成される．
- 肝不全（低アルブミン血症，浮腫，腹水，血小板減少，出血傾向）
- ステロイド代謝障害
- 肝癌合併
- C型肝炎由来70％，B型肝炎由来20％

検査所見

上昇（延長する）	低下
血中アンモニア増加 プロトロンビン時間の延長	血清アルブミン低下 分岐鎖アミノ酸減少 血小板減少 汎血球減少（門脈圧亢進による脾腫による）

肝硬変の重症度分類（Child-Pugh分類）

- Child-Pugh（チャイルド・ピュー）分類を使用する：各項目のポイントを加算し，合計点によってA（5〜6点），B（7〜9点），C（10〜15点）の3段階に分類を行う．

項目	1点	2点	3点
脳症	ない	軽度	時々昏睡
腹水	ない	少量	中等量
血清ビリルビン値（mg/dL）	2.0未満	2.0〜3.0	3.0超
血清アルブミン値（g/dL）	3.5超	2.8〜3.5	2.8未満
プロトロンビン活性値（％）	70超	40〜70	40未満

○ 劇症肝炎 【36回】 ★★

原因

- 肝炎ウイルス感染
- 薬物アレルギー
- 自己免疫性肝炎　など

病態

- 短期間で広汎な肝細胞の壊死
- 黄疸
- 出血傾向
- 精神神経症状（肝性脳症）などの肝不全症状が出現する病態．
- 初発症状出現後8週以内に高度の肝機能異常に基づいて昏睡II度以上の肝性脳症をきたす．
- プロトロンビン時間が40％以下を示す．

治療

- 抗凝固療法（肝壊死進展防止目的として）
- インターフェロンを併用した抗ウイルス療法
- 副腎皮質ステロイドパルス療法
- 持続的血液濾過透析（CHDF）
- 血漿交換療法

❷肝移植

○ **その他肝炎** 【37回】 ──────────────────── ★★
　❷自己免疫性肝炎の治療にはステロイド薬や免疫抑制剤を用いる.
　❷NASH（非アルコール性脂肪肝炎：non-alcoholic steatohepatitis）は, 脂肪肝になった
　　人の一部に発症する肝炎. NASH になると, 肝臓に炎症が起こり, 肝細胞が損傷する.
　❷薬剤性肝障害は, 薬の服用によって起こる肝臓の障害. 多くの場合, 軽度にとどまる
　　が, まれに重症化し, 劇症肝炎に発展することがある.

○ **門脈圧亢進**
　❷肝硬変など門脈系あるいは肝静脈系の閉塞やうっ血によって, 門脈圧の上昇した状態.
　❷側副血行路が形成される.

　側副血行路
　　❷胃→食道静脈→奇静脈→上大静脈：食道静脈瘤
　　❷臍傍静脈→腹壁皮下静脈→下大静脈：メデューサの頭
　　❷上直腸静脈→内腸骨静脈：内痔核

　臨床症状
　　❷脾腫
　　❷腹水
　　❷吐血

○ **肝癌**
　❷肝癌には原発性と転移性があり, 転移性の病巣は多発性のことが多い.
　❷転移性肝癌の発生頻度は, 原発性肝癌よりも高い.
　❷肝細胞癌は, 門脈に侵入しやすい性質をもつため, 門脈を介して肝内に転移すること
　　が多い.
　❷肝内転移以外では血行性による肺への転移が多い.
　❷肝細胞に由来する上皮性悪性腫瘍で, 原発性肝癌の約95％を占める.
　❷肝細胞癌の80〜90％が肝硬変を合併している.
　❷B型, C型肝炎ウイルスとの関連が深い.

　検査
　　❷血液検査
　　　・腫瘍マーカー［α-フェトプロテイン（AFP）上昇, PIVKA-II上昇など］
　　　・血清アミノトランスフェラーゼ上昇（AST＞ALT）, 血小板減少, γ-グロブリン上
　　　　昇, アルブミン低下など
　　❷画像診断
　　　・超音波検査, CT, MRI が有用

　治療法
　　❷抗癌剤の動注療法および全身療法
　　❷動脈塞栓術

- ❷腫瘍内エタノール注入療法
- ❷放射線療法
- ❷温熱療法
- ❷外科的治療として肝切除術：亜区域，区域切除が行われ，全摘出は行わない．

臨床医学総論 第2版
p.204～207

（5）胆道・胆嚢疾患

○胆石症 ─────────────────────────── ★

- ❷好発：中高年以上
- ❷男女比は1：2で，女性に多い．
- ❷無症状，食後や夜間に突発する右季肋部痛，心窩部痛などがみられる．
- ❷脂肪の過食は疝痛発作の誘因となる：疝痛発作は食後に出現することが多い．
- ❷血液検査で，胆道系酵素の上昇を認める．
- ❷腹部超音波検査で，音響陰影を伴う高エコー像を認める．
- ❷腹部CT検査で，高吸収の結石を認める．
- ❷胆嚢内結石で小さいものは自然排泄が期待できるため，すぐには手術適応とならない．
- ❷無症状胆石が半数以上を占める（胆石症状を起こす人は1～3％）．

胆石の種類

- ❷コレステロール石（全体の約70％）はX線では描出されない：一般的にはCTで確認する．
- ❷ビリルビンカルシウム石（全体の15％），黒色石（全体の15％）はX線で描出できる．

コレステロール過飽和胆汁の原因

- ❷食事（脂質・糖質が多い，食物繊維が少ない）
- ❷肥満
- ❷胆汁酸の再利用低下
- ❷胆汁うっ滞

○閉塞性黄疸

- ❷胆石，癌などによる閉塞のために胆道系で胆汁がうっ滞する病態．
- ❷血中に直接ビリルビンが逆流するため高ビリルビン血症となり，全身に黄色の色素沈着を起こす．
- ❷直接ビリルビンは上昇する．
- ❷灰白色便を認める．
- ❷ビタミンK欠乏を認める．
- ❷皮膚掻痒感が現れることが多い．

老化赤血球（ヘモグロビン）
↓
脾臓：間接ビリルビン（脂溶性）
↓（アルブミンと結合し血中運搬）
肝臓：直接ビリルビン（水溶性）
↓胆汁排泄（胆道系が閉塞すると閉塞性黄疸）
腸管：ウロビリン体

ビリルビン代謝（間接ビリルビン，直接ビリルビン）

成因からの分類		疾患名	間接ビリルビン	直接ビリルビン
肝前性：ビリルビンの過剰産生		溶血性黄疸	上昇	
		新生児黄疸	上昇	
肝性	①摂取・抱合障害	体質性黄疸（遺伝性のもの）	上昇	
	②移送・排泄障害	肝細胞障害（肝炎など），体質性黄疸		上昇
肝後性：排泄障害		閉塞性黄疸（膵炎でもみられる）		上昇

○胆嚢炎 ──────────────────────── ★

❯胆嚢炎の主な原因は，腸管，胆管を介した逆行性感染である．

○胆嚢癌 ──────────────────────── ★

❯胆嚢癌の危険因子として胆石がある．

臨床医学総論 第2版
p.205〜206

（6）膵疾患

○急性膵炎 【35回】 ─────────────────── ★★

❯膵液による膵組織の自己消化．

❯急性に起こる膵の浮腫，出血，壊死を伴う炎症である．

❯急激な上腹部の激痛がみられる．

❯閉塞性黄疸がみられる．

❯男女比は3：1で，男性に多い．

❯重症例には，持続的血液濾過透析を行う．

❯画像診断にて膵腫大がみられる．

原因

❯アルコール（男性に多い）

❯胆石（女性に多い）

❯脂質異常症

❯膵管形成異常

診断

❯血清および尿アミラーゼ

❯リパーゼ測定

❯腹部単純X線検査

❯腹部超音波検査

❯腹部CT検査

検査項目（いずれも上昇）

❯血清アミラーゼ

❯アミラーゼアイソザイム

❯血清リパーゼ

❯アミラーゼ/クレチニンクリアランス比

内科的治療

- ❥絶食
- ❥高カロリー輸液
- ❥抗菌薬
- ❥胃液吸引
- ❥ガベキサートメシル酸塩（タンパク分解酵素阻害薬）
- ❥ナファモスタットメシル酸塩（タンパク分解酵素阻害薬）

○慢性膵炎 【33回】 ─────────────────── ★★

- ❥膵臓の非感染性の慢性炎症.
- ❥膵酵素による組織の持続的な破壊，線維化や石灰化（膵石）がみられる.
- ❥症状としては上腹部の持続痛があり，食事後などに腹痛発作を繰り返し，やがて外分泌・内分泌機能の低下を起こす.
- ❥原因としては，男性では飲酒によるアルコール性のものが多いが，女性では原因不明の場合が多い.
- ❥慢性膵炎の半数には糖尿病が合併する.

○膵癌

- ❥膵癌は50～70歳代に多い.
- ❥膵癌の80％は膵管上皮由来の腺癌である.
- ❥早期発見が難しく，症状出現時には進行癌であることが多いため，予後は極めて不良である.
- ❥部位別には，膵頭部癌が約60％，膵体尾部癌が15％，2区域ないし全体癌が25％を占める.
- ❥一般的に膵癌は初期には無症状で，症状が出始める頃にはすでに進行癌であることが多い.
- ❥初発症状として，腹痛，胆管閉塞による黄疸，神経浸潤による背部痛がみられる.
- ❥体重減少，白色便，脂肪便などの膵外分泌機能低下症状も生じる.
- ❥膵頭部癌では黄疸がみられる（腫瘍による総胆管の圧迫閉塞により黄疸がみられる）.

検査

- ❥血液検査
  - ・閉塞性黄疸に加え，膵酵素上昇がみられる.
  - ・腫瘍マーカー：CA19-9，CEA.

（7）消化器系腫瘍　まとめ

	性差（多い方）	多い組織型	好発部位
食道癌	男性	扁平上皮癌	胸部中部食道
胃癌	男性（高齢）	腺癌	幽門前庭部
膵癌	男性	腺癌	膵頭部癌（黄疸）
大腸癌	女性	扁平上皮癌	直腸
肝癌		上皮性癌	
胆嚢癌	女性（高齢）	腺癌	
胆管癌	男性（高齢）	腺癌	

臨床工学技士国家試験問題　Check UP!

問題 1　□□□　31P18

肝硬変重症度分類である Child-Pugh 分類の評価項目はどれか.

a. 血清ビリルビン
b. 血清アルブミン
c. 腹水
d. 赤血球数
e. 尿酸

1. a, b, c　2. a, b, e　3. a, d, e
4. b, c, d　5. c, d, e

問題 2　□□□　25P18

C 型肝炎について正しいのはどれか.

a. 食物は感染経路の一つである.
b. 発症には遺伝的因子が関与する.
c. 肝硬変の原因となる.
d. 針刺し事故は原因になる.
e. ワクチンによって予防できる.

1. a, b　2. a, e　3. b, c　4. c, d　5. d, e

問題 3　□□□　29P18

イレウスでみられないのはどれか.

1. 腹痛
2. 嘔吐
3. 排ガス停止
4. 腹部膨満
5. 脂肪便

問題 4　□□□　31A20

逆流性食道炎について誤っているのはどれか.

1. 胃液の逆流によって発生する.
2. アルコール摂取は増悪因子である.
3. 高齢者に多い.
4. 肥満者に多い.
5. ヘリコバクター・ピロリ菌の除菌により改善する.

胆囊疾患について正しいのはどれか.
1. 胆囊内結石はほとんどが手術の適応である.
2. 胆石の疝痛発作は空腹時に出現する.
3. 胆管内の結石の診断は腹部 X 線で行う.
4. 胆囊癌の危険因子として胆石がある.
5. 胆囊炎の原因は血行性感染である.

正しい組合せはどれか.
a. 虫垂炎————McBurney 圧痛点
b. 食道癌————ヒトパピローマウイルス
c. クローン病————ヘリコバクターピロリ
d. 逆流性食道炎——経口血糖降下薬
e. 慢性膵炎————膵臓の石灰化
1. a, b　2. a, e　3. b, c　4. c, d　5. d, e

白血球除去療法が適応となる疾患はどれか.
1. 逆流性食道炎
2. 急性膵炎
3. 急性胆管炎
4. 潰瘍性大腸炎
5. 急性肝炎

胃潰瘍の原因となるのはどれか.
1. カンジダ
2. ヘリコバクター・ピロリ菌
3. マイコプラズマ
4. ボツリヌス菌
5. ムンプスウイルス

抗生物質投与後に細菌の異常繁殖が原因で起こるのはどれか.
1. 偽膜性腸炎
2. 過敏性腸炎
3. 潰瘍性大腸炎
4. 虚血性腸炎
5. クローン病

虫垂炎について正しいのはどれか.
1. 突然の下痢で発症する.
2. McBurney 点は左下腹部の圧痛点のことである.
3. 腹部超音波検査が診断に有用である.
4. 血中アンモニア濃度の上昇が特徴である.
5. 血球成分除去療法の適応疾患である.

急性膵炎について誤っているのはどれか.
1. 膵組織が自己消化される病態である.
2. 発症原因として胆石がある.
3. 血清アミラーゼ値が上昇する.
4. 画像検査で膵臓の萎縮を認める.
5. 重症例には持続的な血液濾過透析を行う.

胃潰瘍について正しいのはどれか.
1. ヘリコバクター・ピロリ菌が原因となる.
2. 黒色便は生じない.
3. 組織欠損は粘膜にとどまる.
4. プロトンポンプ阻害薬は禁忌である.
5. 疼痛時は NSAIDs（非ステロイド性抗炎症薬）を投与する.

ヘリコバクター・ピロリ菌感染と関連しないのはどれか.

1. 胃　癌
2. 十二指腸潰瘍
3. MALT リンパ腫
4. 特発性血小板減少性紫斑病
5. 逆流性食道炎

正しいのはどれか.

1. A 型肝炎は慢性化しない.
2. C 型肝炎はワクチンで予防できる.
3. 自己免疫性肝炎の治療にはインターフェロンを用いる.
4. NASH はアルコール性脂肪肝炎のことである.
5. 薬剤性肝障害は劇症化しない.

〈解答〉問題 1-1，問題 2-4，問題 3-5，問題 4-5，問題 5-4，問題 6-2，問題 7-4，問題 8-2，問題 9-1，問題 10-3，問題 11-4，問題 12-1，問題 13-5，問題 14-1

10. 血液系

○ **汎血球減少症**

❯ 赤血球，血小板，白血球の3系統の血球どれもが減少している状態を，汎血球減少症という．

原因	疾患
骨髄での 血球産生低下	再生不良性貧血 骨髄異形成症候群 急性白血病 巨赤芽球性貧血 多発性骨髄腫 がんの骨髄転移 骨髄線維症
末梢血での 血球破壊亢進	脾機能亢進症（特発性門脈圧亢進症，肝硬変など） 感染症（敗血症など） 膠原病（全身性エリテマトーデスなど） 播種性血管内凝固（DIC） 発作性夜間ヘモグロビン尿症（PNH）

※その他，HIV も汎血球減少を来す．

（1）貧血症

臨床医学総論 第2版
p.245～249

○ **貧血の分類** 【36回】 ━━━━━━━━━━━━━ ★★

小球性低色素性貧血	大球性高色素性貧血	正球性正色素性貧血
鉄欠乏性貧血 サラセミア	巨赤芽球性貧血 （悪性貧血）	溶血性貧血 腎性貧血 再生不良性貧血 多発性骨髄腫

○ **再生不良性貧血**

❯ 多能性造血幹細胞の障害により骨髄での造血能が低下する．

❯ 骨髄は脂肪髄で占められる．

❯ 汎血球性減少症を示す．

❯ 正球性正色素性貧血を呈する．

❯ 骨髄移植の適応．

❯ 生命に最も危険な貧血で，1/3の患者は感染や出血により死亡する．

❯ 発作性夜間ヘモグロビン尿症（PNH）に伴う症例があり，再生不良性貧血-PNH症候群（AA-PNH症候群）と呼ばれる．

○ **鉄欠乏性貧血** 【35回】 ━━━━━━━━━━━━━ ★★

❯ 小球性低色素性貧血を呈する．

❯ 生体内の鉄不足により，赤血球のヘモグロビン産生が低下し，貧血が起こる．

原因

- ❯鉄摂取不足：極端な偏食，成長期，妊娠・授乳時
- ❯吸収低下：胃切除，無胃酸症
- ❯慢性消化管出血：胃潰瘍や大腸癌などの消化管疾患，月経，婦人科疾患（子宮内膜症など）

症状

- ❯Plummer‐Vision 症候群（舌炎，口角炎，嚥下障害）
- ❯スプーン爪（さじ状爪）
- ❯異食症
- ❯萎縮性胃炎
- ❯全身倦怠感
- ❯動悸・息切れ
- ❯嚥下痛
- ❯血清フェリチン低値
- ❯平均赤血球容積（MCV）低値
- ❯血清総鉄結合能（TIBC）高値
- ❯不飽和鉄結合能（UIBC）高値
- ❯ヘモグロビン低値

○巨赤芽球性貧血（悪性貧血）【37回】 ━━━━━━━━━━━━━━━━ ★★

- ❯胃の内因子分泌の減少に伴い，ビタミン B_{12} の吸収障害により DNA 合成障害を来し，赤血球などが減少する.
- ❯葉酸の欠乏によっても起こる貧血.
- ❯骨髄所見にて巨赤芽球がみられる（大球性高色素性貧血を呈する）.
- ❯胃切除後 1 年くらいで鉄欠乏性貧血を呈し，3～5 年後にビタミン B_{12} 欠乏巨赤芽球性貧血を発症する.
- ❯汎血球減少症を示す.
- ❯認知症や感情不安定などの精神症状がみられる.
- ❯末梢血中の好中球に 4 分葉以上の過分葉白血球（白血球の核の異常）がみられる.

○溶血性貧血　【34回】 ━━━━━━━━━━━━━━━━━━━━━━━━━ ★★

- ❯赤血球膜を構成している蛋白質の異常により，赤血球の形に異常が生じて赤血球の破壊亢進を伴う（黄疸の原因）.
- ❯薬剤による溶血性貧血
- ❯脾腫がみられる.
- ❯溶血性貧血にて血漿中のカリウムイオンが上昇する（高 K 血症）.
- ❯赤血球寿命の短縮
- ❯赤血球破壊亢進とその代償のための赤血球産生亢進（赤血球過形成）.
- ❯網赤血球の増加
- ❯間接ビリルビンの増加
- ❯白血球の増加
- ❯血清ハプトグロビンの低下

	溶血の原因	疾患
先天性	赤血球膜異常	遺伝性球状赤血球症
	赤血球酵素異常	グルコース-6-リン酸脱水素酵素欠損症（G-6-PD 欠損症） ピルビン酸キナーゼ欠損症
	ヘモグロビン異常	鎌状赤血球症，サラセミア
後天性	抗体によるもの	自己免疫性溶血性貧血，新生児溶血性疾患 血液型不適合輸血，感染症
	幹細胞の突然変異	発作性夜間ヘモグロビン尿症
	物理的破壊	赤血球破砕症候群
	脾機能亢進	門脈圧亢進，腫瘍（白血球，悪性リンパ腫）など
	その他	人工弁移植（機械的刺激により赤血球破壊）

（2）骨髄の増殖性疾患

○ **赤血球増多症（多血症）**
> ❯赤血球が多くなり，血液量が増え，粘性が強くなる．

原因
> ❯高地居住
> ❯肺動静脈瘻
> ❯肺気腫
> ❯睡眠時無呼吸症候群

○ **多発性骨髄腫**
> ❯骨髄において形質細胞が単クローン性に増殖する（骨髄腫細胞）．
> ❯骨髄腫細胞は，ただ1種類の異常免疫グロブリンを産生し続ける．その異常免疫グロブリンをM蛋白という．
> ❯骨髄腫細胞やそれが産生するM蛋白によって，骨融解，骨髄機能低下，M蛋白血症などの病態が引き起こされる．
> ❯高齢者に多い．
> ❯正球性正色素性貧血（汎血球減少症）
> ❯血中M蛋白（異常グロブリン）の上昇：血液粘稠が高くなり，血液像では赤血球が鎖のようにつながってみえる（赤血球連鎖形成）．
> ❯血清アルブミンの低下
> ❯赤血球沈降速度（血沈）亢進
> ❯尿中ベンス・ジョーンズ蛋白
> ❯血清カルシウム値の上昇
> ❯腎不全：過剰に産生される免疫グロブリンの軽鎖による腎尿細管障害が起こる．
> ❯骨破壊（病的骨折）：X線検査にて骨に穴が開いているようにみえる（骨打ち抜き像）．

臨床医学総論 第2版
p.249
赤血球増多
p.253～255
多発性骨髄腫

（3）血小板の量的・質的異常

○ 特発性血小板減少性紫斑病（ITP）

- ❯ 血小板に対する自己抗体などの自己免疫反応によって発症する後天性の血小板減少症.
- ❯ 出血性疾患
- ❯ 幼児のウイルス感染後，比較的急激に出血傾向（点状出血斑，鼻出血，歯肉出血など），または成人女性（20歳代と40歳代にピーク）に徐々に出血傾向がみられる.
- ❯ 血小板数の減少
- ❯ 血小板関連免疫グロブリンG（PAIgG）の増加
- ❯ 凝固系（APTT，PTなど）は正常.
- ❯ 赤血球・白血球数は正常.
- ❯ 骨髄所見にて巨核球数の増加がみられる.

治療

- ❯ 血小板減少が著明，または出血症状がある場合は治療を行う.
  - ・副腎皮質ステロイドの投与が第一選択である.
  - ・副腎皮質ステロイドで効果不十分の場合には脾摘をする.
  - ・脾摘でも効果不十分の場合には免疫抑制薬を使用する.
- ❯ 手術や分娩前などにはγ-グロブリン大量療法（IVIG）を，緊急時には血小板輸血を行う.

○ 血栓性血小板減少性紫斑病（TTP）

- ❯ 血栓による細小血管障害がその発症機序.
- ❯ 最近では，溶血性尿毒症症候群との類似性から，両者は同一のカテゴリの疾患として扱われている.

症状

- ❯ 血小板減少
- ❯ 微小血管障害による溶血性貧血
- ❯ 精神神経症状
- ❯ 腎障害
- ❯ 発熱

○ ヘパリン起因性血小板減少症（HIT）【36回】 ————————— ★★

- ❯ 抗凝固薬であるヘパリンナトリウムの投与後開始後数日以内に血小板が減少する疾患である.
- ❯ 血小板減少に加えて，血栓症，出血，発熱，発疹などの症状が出ることもある.
- ❯ HITにはⅠ型とⅡ型に分類されるが，重篤な症状はⅡ型である.
- ❯ HITの診断には血小板数，血小板凝集能，血栓形成能などの検査を行う.
- ❯ ヘパリン特異的抗体（HIT抗体）やヘパリン因子4（PF4）結合IgG抗体などの検査を行うこともある.
- ❯ HITとなった場合は，ヘパリンの投与を中止しヘパリン以外の抗凝固剤（アルガトロバンなど）を代わりに使用する.

（4）凝固因子の異常

（右上）臨床医学総論 第2版 p.258～260

○血友病 【36回】 ★★
- ❯血液凝固因子の遺伝的欠乏または低下による先天性出血性疾患.
- ❯X連鎖性潜性遺伝（伴性劣性遺伝）形式.
- ❯血友病A：第Ⅷ因子欠乏
- ❯血友病B：第Ⅸ因子欠乏
- ❯血友病は男性の発症率が高い.
- ❯主に1歳前後の乳幼児に発症する.
- ❯関節腔内や筋肉内のような深部出血を反復することが特徴.
- ❯関節出血による慢性関節炎を起こし，関節の変形，拘縮を来す.
- ❯内因系凝固因子欠乏によって起こる.
- ❯活性化部分トロンボプラスチン時間（APTT）（内因系凝固能検査）が延長する.
- ❯外因系凝固能は正常：プロトロンビン時間（PT）正常.
- ❯血小板数および血小板機能は正常：出血時間は正常.
- ❯治療には欠乏する血液凝固因子補充療法を実施する.

○von Willebrand（フォン・ヴィレブランド）病 【36回】 ★★
- ❯先天性［常染色体顕性遺伝（優性遺伝）］の血液凝固異常.
- ❯血小板粘着能や第Ⅷ因子に関与するフォン・ヴィレブランド因子の異常.
- ❯血小板数は正常.
- ❯プロトロンビン時間（PT）は正常.
- ❯出血時間の延長.
- ❯APTTの延長.
- ❯粘膜出血や皮下出血が出現.

○ビタミンK欠乏症 【36回】 ★★
- ❯ビタミンK欠乏症は，ビタミンKの摂取不足や吸収障害によって起こる病気である.
- ❯凝固因子のうち，第Ⅱ・Ⅶ・Ⅸ・Ⅹ因子は肝臓で産生される際にビタミンKが必要となり，ビタミンKが不足すると血液が固まりにくくなり出血が起こりやすくなる.
- ❯症状は出血が主であり，皮下出血，鼻や傷からの出血，胃出血，腸出血などが起こり，また血栓症を起こすこともある.
- ❯ビタミンK欠乏症の治療は，ビタミンKを補給する.
- ❯ビタミンKは，緑黄色野菜，納豆などの食品に多く含まれており，ビタミンK製剤を服用することもある.

（5）播種性血管内凝固（DIC）

（右）臨床医学総論 第2版 p.260～261

特徴 ★
- ❯DICは基礎疾患を有し，血液凝固反応，血小板が活性化され，全身の細小血管内に血栓を生じ，諸臓器の循環不全，機能不全を来す病態である.
- ❯血管内凝固が亢進する.
- ❯二次線溶系は亢進しており，血中にフィブリン分解産物であるFDPが増加する.
- ❯赤血球破壊を生ずる.

❷治療に抗凝固薬が用いられる.

DIC の原因

感染症	敗血症, 重症ウイルス感染症など グラム陰性桿菌感染症など
悪性腫瘍	白血病 [特に急性前骨髄球性白血病（APL）], 肝細胞癌, 転移性癌, 劇症肝炎など
産科的疾患	常位胎盤早期剥離, 羊水塞栓, 前置胎盤, 妊娠高血圧症候群など
組織壊死	外傷, 熱傷, 外科手術など
血管内溶血	ABO 血液型不適合輸血など
血管障害	ショック, 大動脈瘤など
その他	熱射病, 自己免疫疾患, 毒蛇咬傷, 急性膵炎など

❷3 大疾患：癌, 白血病 [急性前骨髄球性白血病（APL）], 敗血症

検査所見 【35回】【37回】 ─────────────────────── ★★

増加・亢進・延長	低下・減少・遅延
出血時間が延長する. プロトロンビン時間（PT）が延長する. トロンビン時間（TT）が延長する. 活性化部分トロンボプラスチン（APTT）が延長する. 二次線溶が亢進する. 血中フィブリン分解産物（FDP）が増加する. D ダイマー増加. 可溶性フィブリンモノマー増加. TAT（トロンビン・アンチトロンビンⅢ複合体）増加	血小板数の減少. アンチトロンビンⅢが低値となる. 血漿フィブリノーゲンが減少する. プラスミンが減少する. 赤血球沈降速度が遅延する.

> D ダイマーは血栓ができる疾患にて増加する
> ・DIC
> ・深部静脈血栓症
> ・肺血栓塞栓症
> ・心筋梗塞
> ・脳梗塞　など

（6）血管障害による出血傾向

○血管性紫斑病 【36回】 ──────────────────────── ★★

> 出血傾向を示すもの
> ・血小板の異常
> 　血小板減少症
> 　血小板機能異常症
> ・凝固線溶因子の異常
> 　先天性：血友病, von Willebrand 病など
> 　後天性：ビタミン K 欠乏, 消費の亢進（DIC）など
> ・血管障害によるもの
> 　血管性紫斑病など

（7）組合せ問題

- ❥成人 T 細胞白血病——母子感染（母乳），精液，血液
- ❥多発性骨髄腫——病的骨折，M タンパク，ベンス・ジョーンズ蛋白
- ❥真性多血症——血液粘稠度増加，脾腫
- ❥慢性骨髄性白血病——フィラデルフィア染色体
- ❥巨赤芽球貧血——ビタミン B_{12} 欠乏
- ❥播種性血管内凝固（DIC）——二次線溶系亢進
- ❥フォン・ヴィレブランド病——出血時間延長
- ❥ワルファリン過剰投与——プロトロンビン時間（PT）延長
- ❥特発性血小板減少性紫斑病（ITP）——血小板減少，自己抗体が原因，副腎皮質ステロイド療法，摘脾
- ❥血友病 A ——第Ⅷ因子欠乏

臨床工学技士国家試験問題　Check UP!

問題 1　□□□　30A19

正しい組合せはどれか．

- a．播種性血管内凝固（DIC）——二次線溶亢進
- b．フォン・ヴィレブランド病——出血時間延長
- c．ワルファリン過剰投与————プロトロンビン時間（PT）延長
- d．特発性血小板減少性紫斑病——骨髄での血小板産生低下（ITP）
- e．血友病A————第Ⅴ因子欠乏
- 1．a, b, c　2．a, b, e　3．a, d, e
- 4．b, c, d　5．c, d, e

問題 2　□□□　30P20

鉄欠乏性貧血に特徴的な症状はどれか．

- a．亜急性連合性脊髄変性症
- b．異食症
- c．スプーン爪
- d．チアノーゼ
- e．Hunter 舌炎
- 1．a, b　2．a, e　3．b, c　4．c, d　5．d, e

問題 3　□□□　27P20

溶血性貧血の原因となるのはどれか．

- a．血友病
- b．甲状腺機能亢進症
- c．ビタミンK 欠乏
- d．鎌形赤血球症
- e．人工弁移植
- 1．a, b　2．a, e　3．b, c　4．c, d　5．d, e

問題 4　□□□　25A20

血液疾患とその特徴の組合せで正しいのはどれか．

- a．成人 T 細胞白血病————母子感染
- b．多発性骨髄腫————病的骨折
- c．真性多血症————血液粘稠度増加
- d．慢性骨髄性白血病————ビタミン B_{12} 欠乏
- e．特発性血小板減少性紫斑病——無脾症
- 1．a, b, c　2．a, b, e　3．a, d, e
- 4．b, c, d　5．c, d, e

問題 5　□□□　24A20

多発性骨髄腫によってみられる所見はどれか.

a. 皮下腫瘤
b. 脾腫
c. 多血症
d. 病的骨折
e. 腎障害

1. a, b　2. a, e　3. b, c　4. c, d　5. d, e

問題 9　□□□　36A21 改

凝固因子の異常により出血傾向を示すのはどれか.

a. 血友病
b. von Willebrand 病
c. ビタミン K 欠乏症
d. 血管性紫斑病
e. ヘパリン起因性血小板減少症（HIT）

1. a, b, c　2. a, b, e　3. a, d, e
4. b, c, d　5. c, d, e

問題 6　□□□　24P19

血小板減少症を来す疾患はどれか.

a. 慢性骨髄性白血病
b. 本態性血小板血症
c. 播種性血管内凝固
d. 再生不良性貧血
e. 鉄欠乏性貧血

1. a, b　2. a, e　3. b, c　4. c, d　5. d, e

問題 10　□□□　36P22

正球性貧血はどれか.

a. サラセミア
b. 腎性貧血
c. 再生不良性貧血
d. 鉄欠乏性貧血
e. ビタミン B_{12} 欠乏性貧血

1. a, b　2. a, e　3. b, c　4. c, d　5. d, e

問題 7　□□□　34P19

赤血球の破壊亢進に伴う貧血はどれか.

1. 鉄欠乏性貧血
2. 腎性貧血
3. 溶血性貧血
4. 再生不良性貧血
5. 巨赤芽球性貧血

問題 11　□□□　37A22

播種性血管内凝固症候群（DIC）の特徴的所見はどれか.

1. プロトロンビン時間（PT）の短縮
2. フィブリノーゲン値の上昇
3. フィブリン分解産物（FDP）値の上昇
4. ヘモグロビン値の上昇
5. 血小板数の増加

問題 8　□□□　35P20

鉄欠乏性貧血の所見で正しいのはどれか.

a. 血清フェリチン低値
b. 血清間接ビリルビン高値
c. 血清エリスロポエチン低値
d. 平均赤血球容積（MCV）低値
e. 血清総鉄結合能（TIBC）高値

1. a, b, c　2. a, b, e　3. a, d, e
4. b, c, d　5. c, d, e

問題 12　□□□　37P21

胃全摘後に認めた巨赤芽球性貧血の治療に用いるのはどれか.

1. 亜鉛製剤
2. 副腎皮質ステロイド薬
3. ビタミン B_{12} 製剤
4. 鉄　剤
5. エリスロポエチン製剤

〈解答〉問題 1-1，問題 2-3，問題 3-5，問題 4-1，問題 5-5，問題 6-4，問題 7-3，問題 8-3，問題 9-1，問題 10-3，問題 11-3，問題 12-3

11. 麻酔科学

（1）麻酔薬

吸入麻酔薬（気化器は不要）──────────────── ★
- ❯亜酸化窒素（笑気）
  - ・ガス麻酔薬であり，気化器は不要.
  - ・無色・無臭，常温で液体.

吸入麻酔薬（気化器が必要）：揮発性麻酔薬 ────── ★
- ❯セボフルラン
- ❯イソフルラン
- ❯エンフルラン
- ❯デスフルラン

静脈内注入薬 ─────────────────────── ★
- ❯プロポフォール
- ❯チオペンタール
- ❯ケタミン
- ❯フェンタニル

麻薬性鎮痛薬
- ❯フェンタニル
- ❯塩酸モルヒネ
- ❯塩酸ペンチジン

局所麻酔薬
- ❯リドカイン
- ❯キシロカイン
- ❯プロカイン

20世紀に入ってから初めて麻酔に使用
- ❯ハロタン
- ❯プロポフォール

麻酔薬とその分類の組合せ ───────────────── ★
- ❯チオペンタール──静脈麻酔薬
- ❯プロポフォール──静脈麻酔薬
- ❯亜酸化窒素──ガス麻酔薬
- ❯プロカイン──局所麻酔薬
- ❯リドカイン──局所麻酔薬，不整脈治療薬
- ❯フェンタニル──麻薬
- ❯セボフルラン──揮発性麻酔薬

❯サクシニルコリン──筋弛緩薬

（2）全身麻酔

○ **全身麻酔** 【37 回】──────────────────────────── ★★
- ❯全身麻酔に用いられる薬剤には，吸入麻酔薬，鎮痛薬，静脈麻酔薬や筋弛緩薬がある．
- ❯最近では複数の薬剤を用いて全身麻酔を行うバランス麻酔が主流である．
- ❯鎮静とは，意識を失わせることなく不安感や緊張を和らげる方法である．

全身麻酔の 4 要素
- ❯鎮痛
- ❯鎮静（意識消失を含む）
- ❯筋弛緩（不動化）
- ❯循環器系安定（自律神経反射抑制）：有害反射の抑制

全身麻酔薬の種類
- ❯吸入麻酔：亜酸化窒素（笑気），イソフルラン，セボフルラン
- ❯静脈麻酔：チオペンタール，プロポフォール
- ❯ニューロレプト麻酔法（NAL）：意識を保ちつつ鎮痛状態にさせる．ニューロレプト薬と麻酔薬（ドロペリドール，フェンタニル）を併用する．
- ❯直腸麻酔：ジアゼパム

全身麻酔手術の術前スクリーニング検査項目 【35 回】─────── ★★
- ❯胸部 X 線検査
- ❯呼吸機能検査
- ❯ABO 血液型検査
- ❯血液生化学検査
- ❯心電図検査
- ❯尿検査

（3）区域麻酔および局所麻酔

○ **硬膜外麻酔** 【35 回】【37 回】──────────────────── ★★
- ❯硬膜外麻酔は硬膜外腔に局所麻酔薬を注入して知覚神経を遮断する．術後疼痛の軽減に用いられる．呼吸抑制が弱い．
- ❯局所麻酔の 1 つである．
- ❯体の一定区域の分節麻酔が行える．
- ❯穿刺部位は頸椎から仙骨まで行うことができる．
- ❯カテーテルから局所麻酔薬を追加または持続投与できる．
- ❯脊髄くも膜下麻酔と併用することができる．
- ❯術後持続鎮痛が可能．

○表面麻酔 【34回】 ━━━━━━━━━━━━━━━━━━━━━━ ★★

❷局所麻酔薬である，コカイン，リドカインを用いる.

適応

❷胃内視鏡検査

❷気管支鏡検査

❷穿刺　など

（4）麻酔器と麻酔回路

臨床医学総論 第2版
p.263〜267

○麻酔器

❷麻酔器を大別すると，ガス供給部と患者回路部になる.

ボンベと圧力計

❷酸素はボンベまたは液体酸素で供給される.

❷笑気はボンベで供給される.

❷ボンベを麻酔器に接続するには，圧力を下げるための減圧弁が必要である.

❷酸素ボンベ充填時は 14.7 MPa である. したがって，10 MPa はおよそ 2/3 の残量があり，使用可能である. なお，1 MPa 以下の場合はボンベを交換する.

中央配管

❷中央配管では酸素，笑気，空気の各ガスは減圧されて手術室まで配管される.

❷酸素は圧縮空気など他の医療ガスに比べ，0.03 MPa（0.3 kgf/cm^2）高くする.

❷吸引も設備される.

流量計

❷酸素の供給が止まると亜酸化窒素の供給も止まる.

・酸素を切って純笑気のみが送れないような安全装置がついている.

❷酸素用流量調節ノブの輪郭と空気用流量調節ノブの輪郭は違う（JIS によってタッチコードにて決められており，目をつぶっていても酸素ガス調節ノブを他のガスと誤認しないようになっている）.

酸素流量計

❷一連の流量計の中で，向かって最も「右端」に備えなければならない.

❷ノブは形態的に識別できるもので，他の流量計ノブより大きい.

❷酸素流量計調節ノブは他の流量計調節ノブよりも突き出されるように調節されている.

❷流量計ノブの色は規定されているわけではないが，決まった色になっていることが多い.

酸素濃度センサ

❷空気中の酸素濃度は 21％なので，正常動作している酸素濃度計で測定すれば 21％を示す.

気化器
- ❯吸入麻酔薬を気化させる.
- ❯気化器には揮発性麻酔薬を充填する.
- ❯揮発性麻酔薬としては,セボフルラン,イソフルランなどがある.

炭酸ガス吸収装置
- ❯呼気の炭酸ガスを吸収し,半閉鎖循環麻酔が行えるように患者回路に接続して用いる.
- ❯中にソーダライム(顆粒状)が入っていて,炭酸ガスを吸収する.
- ❯ソーダライム100gは,大気圧・室温で15〜20LのCO$_2$を吸収する.
- ❯白色→紫色に変化.紫色になったら交換する.

回路
- ❯現在多用されているのは,ガスの流れが一方向に循環し,かつ余分なガスが半閉鎖弁(ポップオフバルブ)から排出される,半閉鎖循環回路である.
- ❯排出された余剰ガスは屋外へ導いて捨てられる.これを余剰ガス排除装置という.

酸素フラッシュ
- ❯特定流量の酸素流量計,気化器を経由せず直接共通ガス出口に出す装置で,酸素流量を点検に使用する.
- ❯35〜75L/分の定常流が得られる.
- ❯麻酔回路内のガス総流量が不足したときに用いる.

圧力調整器
- ❯ボンベ内や医療ガス配管は高圧であるため,安全かつ安定した供給圧まで減圧調整する装置.
- ❯供給圧が異常に上昇した場合の安全装置を備えている.
- ❯ボンベからガスを供給するときは,0.4±0.05MPaに減圧する.

麻酔ガス排除装置(余剰麻酔ガス排除装置)
- ❯余剰麻酔ガスを専用配管で排出する装置.
- ❯呼吸回路内の余剰麻酔ガスを排出する:麻酔ガスによる汚染を防ぐ.

安全機構
- ❯ガス遮断装置(酸素供給圧が低下した際,酸素以外のガスをすべて遮断する)
- ❯圧力調整器
- ❯低濃度酸素設定防止機構(連動ギア方式,電子式)
- ❯笑気自動遮断機構
- ❯酸素供給圧警報装置
- ❯揮発性麻酔薬混合防止機構
- ❯シュレーダ方式迅速継手
- ❯手術室には無停電非常電源があるので,バッテリは備えなくてもよい.

（5）麻酔中における監視

パルスオキシメータでの監視が有用
- ❷片肺挿管
- ❷気胸
- ❷空気塞栓

麻酔器患者回路の外れの検出 【33回】 ━━━━━━━━━━ ★★
- ❷換気量計
- ❷気道内圧計
- ❷カプノメータ：最も早く検出する．
- ❷パルスオキシメータ

カプノメータが麻酔中のモニタとして有用 【34回】【36回】 ━━━━ ★★
- ❷食道挿管
- ❷呼吸回路の外れ
- ❷気管支喘息発作
- ❷空気塞栓
- ❷肺塞栓症
- ❷低換気

（6）麻酔と合併症

○悪性高熱症 ━━━━━━━━━━━━━━━━━━━━━━━ ★
- ❷全身麻酔中，または，終了後に発症する合併症．
- ❷悪性高熱症が発生したら手術を中止し，すべての麻酔薬を切り，純酸素による換気を行う．
- ❷可能なら気化器を取り外し，麻酔回路を交換してもよいが，人手と時間を要するので必須ではない．
- ❷治療は原因薬物のできるだけ早い中止と特効薬であるダントロレンの大量静脈注射である．

症状
- ❷骨格筋の硬直
- ❷酸素消費量の増大
- ❷二酸化炭素産生量の増大に伴う代謝亢進状態
  - ・アシドーシスになる．
  - ・カプノメータにて判明する高炭酸ガス血症．
  - ・カプノメータは，代謝の亢進，筋弛緩中の自発呼吸の出現など，人工呼吸中の管理上，非常に有用なモニタである．
- ❷頻脈
- ❷異常高熱
- ❷尿中にミオグロビンがみられる．
- ❷ハロセン使用患者に発生頻度が高い．

- ❯ 横紋筋融解症を合併しやすい.
- ❯ 脱分極性筋弛緩薬でも誘発されやすい.

○ 全身麻酔下による低体温

❯ 代謝率を低下させることにより組織の酸素消費量を減少させ,生体各臓器の低酸素状態に対する抵抗力を増強することを目的に,人為的に体温を低下させる低体温法がある.

方法

- ❯ 手術室の室温を低下させる
- ❯ 半閉鎖式回路または開放式麻酔回路の使用
- ❯ 輸液
- ❯ 体腔の開放
- ❯ 深い麻酔

合併症

- ❯ 寒冷反応
- ❯ 薬物代謝の遅延
- ❯ 麻酔覚醒の遅延
- ❯ 免疫機能の低下
- ❯ 術後感染率の増加
- ❯ 出血量の増加
- ❯ 覚醒時に悪寒,末梢冷感,震え(シバリング)
- ❯ 酸素消費量の増加
- ❯ ノルアドレナリンの分泌増加(交感神経刺激状態)
- ❯ 疼痛の増加

問題 1　□□□　30P21

全身麻酔の要素でないのはどれか.

1. 鎮静
2. 鎮痛
3. 筋弛緩
4. 消化管機能の抑制
5. 有害反射の抑制

問題 2　□□□　22P19

悪性高熱症に最も有効なモニタはどれか.

1. 心電図
2. 観血式血圧
3. 中心静脈圧
4. カプノメータ
5. パルスオキシメータ

問題 3　□□□　23P23

全身麻酔下の低体温による周術期合併症で誤っているのは
どれか.

1. 薬物代謝の遅延
2. 麻酔の覚醒遅延
3. 交感神経系の抑制
4. シバリング（ふるえ）の発生
5. 免疫機能の低下

問題 4　□□□　24A21

誤っている組合せはどれか.

1. 亜酸化窒素————ガス麻酔薬
2. サクシニルコリン——局所麻酔薬
3. セボフルラン————揮発性麻酔薬
4. フェンタニル————麻薬
5. プロポフォール——静脈麻酔薬

問題 5　□□□　23A19

気化器を用いない麻酔薬はどれか.

a. 亜酸化窒素
b. セボフルラン
c. イソフルラン
d. ハロタン
e. プロポフォール
1. a, b　2. a, e　3. b, c　4. c, d　5. d, e

問題 6　□□□　27P21

パルスオキシメータが麻酔中のモニタとして有効でないの
はどれか.

a. 酸塩基平衡異常
b. 麻酔ガス濃度
c. 片肺挿管
d. 気胸
e. 空気塞栓
1. a, b　2. a, e　3. b, c　4. c, d　5. d, e

問題 7　□□□　26P20

麻酔中の呼吸回路脱離の発見に有用でないのはどれか.

1. 換気量計
2. 気道内圧計
3. カプノメータ
4. パルスオキシメータ
5. 心電図モニタ

問題 8　□□□　35P12

全身麻酔手術の術前スクリーニング検査として適切なのは
どれか.

a. 胸部 X 線検査
b. 呼吸機能検査
c. ホルター心電図検査
d. 脳波検査
e. ABO 血液型検査
1. a, b, c　2. a, b, e　3. a, d, e
4. b, c, d　5. c, d, e

表面麻酔を用いるのはどれか.

- a．脱臼整復
- b．気管支鏡検査
- c．胃内視鏡検査
- d．気管切開術
- e．三叉神経ブロック

1. a, b　2. a, e　3. b, c　4. c, d　5. d, e

分節麻酔が可能な麻酔法はどれか.

1. 吸入麻酔
2. 表面麻酔
3. 静脈麻酔
4. 硬膜外麻酔
5. 浸潤麻酔

麻酔中のカプノメータによるモニタリングで検出できないのはどれか.

1. 呼吸回路脱離
2. 食道挿管
3. 不整脈
4. 肺塞栓症
5. 低換気

全身麻酔はどれか.

- a．硬膜外麻酔
- b．伝達麻酔
- c．浸潤麻酔
- d．静脈麻酔
- e．吸入麻酔

1. a, b　2. a, e　3. b, c　4. c, d　5. d, e

〈解答〉問題 1-4，問題 2-4，問題 3-3，問題 4-2，問題 5-2，問題 6-1，問題 7-5，問題 8-2，問題 9-3，問題 10-3，問題 11-4，問題 12-5

12. 救急・集中治療医学

（1）救急医療

臨床医学総論 第2版
p.288
JCS
p.272
一次救命（BLS）
二次救命（ALS）

○ **3−3−9度方式（Japan Coma Scale）** ──────────── ★
- ❸覚醒度によって3段階に分け，さらにそれぞれ3段階あることから，3-3-9度方式とも呼ばれる．
- ❸表記方法はローマ数字の大分類に続いて，3桁以下の整数で小分類を表すものが正式である（JCS Ⅲ-100など）．

Ⅰ．覚醒している（1桁の点数で表現）
0　意識清明 Ⅰ-1　見当識は保たれているが意識清明ではない． Ⅰ-2　見当識障害がある． Ⅰ-3　自分の名前・生年月日が言えない．

Ⅱ．刺激に応じて一時的に覚醒する（2桁の点数で表現）
Ⅱ-10　普通の呼びかけで開眼する． Ⅱ-20　大声で呼びかけたり，強く揺するなどで開眼する． Ⅱ-30　痛み刺激を加えつつ，呼びかけを続けると辛うじて開眼する．

Ⅲ．刺激しても覚醒しない（3桁の点数で表現）
Ⅲ-100　痛みに対して払いのけるなどの動作をする． Ⅲ-200　痛み刺激で手足を動かしたり，顔をしかめたりする． Ⅲ-300　痛み刺激に対し全く反応しない．

- ❸そのほか，R（不穏），I（糞便失禁），A（自発性喪失）などの付加情報をつけて，JCS Ⅲ-200-I などと表す．

○ **トリアージタグ** 【35回】【36回】 ──────────── ★★
- ❸傷病者の右手首に取り付ける．
  - ※装着部位の優先順位：右手，左手，右足，左足，頸部

タグの色	区分	内容
黒（black tag）	0	・搬送適応外（死亡）群 ・死亡，もしくは救命に現況以上の救命資機材・人員を必要とし救命不可能なもの．
赤（red tag）	Ⅰ	・最優先治療（重症）群 ・生命に関わる重篤な状態で一刻も早い処置が必要で救命の可能性があるもの．
黄（yellow tag）	Ⅱ	・待機治療（中等度）群 ・今すぐに生命に関わる重篤な状態ではないが，早期に処置が必要なもの．
緑（green tag）	Ⅲ	・治療保留（軽症）群 ・救急での搬送の必要がない軽症なもの．

○ **一次救命処置（BLS）** 【35回】 ──────────── ★★
- ❸一次救命処置は，正しい知識と処置の方法を知っていれば，誰でも行うことができる．
- ❸傷病者を発見したら，まずは意識の有無を確認する．

一次救命処置の ABC
- ❯A（away）：気道確保
  - ・確実な気道確保が非常に重要である．
  - ・頭部後屈法は気道確保の一つである．
- ❯B（breathing）：口-口人工呼吸
- ❯C（circulation）：体外式心マッサージ

呼気吹き込み法
- ❯口-口または口-鼻人工呼吸法．
  - ・1 回換気量は 500〜800 mL（10 mL/kg）
- ❯死戦期呼吸（喘ぎ呼吸）がある場合でも人工呼吸法を行う．
- ❯マウス・トゥ・マウスはゆっくりと強い吹き込みで行う．
  - ・目安は 2 秒かけて吹き込む．
  - ・短く，強めの吹き込みは，胃膨満となり嘔吐を誘発するおそれあり．
- ❯小児は成人と比較して低酸素血症に陥りやすい．

体外式心マッサージ
- ❯患者を硬い床か背板の上に仰臥位に寝かせて行う．
- ❯正しい手の位置は，胸骨の下（尾側）半分である：服を脱がせて確認する必要はない．
- ❯圧迫は肘を伸ばし，力の方向が垂直にかかるようにする．
- ❯胸骨が 3.5〜5 cm ほど沈むくらいに押す．
- ❯圧迫の頻度は 80 回/分．できれば 100 回/分と早くてもよい．
- ❯圧迫と弛緩の比　1：1
- ❯1 人で行う場合は，胸部圧迫 30 回に，呼吸 2 回を繰り返す．
- ❯2 人で行う場合は，胸部圧迫 5 回に，呼吸 2 回を繰り返す．
- ❯呼気吹き込み中は，胸部圧迫を差し控える．

ハイムリック法
- ❯気道内異物除去の方法であり，腹部圧迫法とも呼ばれる．
- ❯妊婦や乳幼児，意識のない人には行ってはならない．

○二次救命処置（ALS）【35回】 ──────────────────── ★★
- ❯蘇生現場や病院等医療機関において，医師，看護師，救急救命士など有資格者が行う救命処置．
- ❯一次救命処置とともに，気管挿管による気道確保，酸素投与，電気的除細動，静脈路確保と薬物投与を主体とした高度な処置を行う．

（2）脳死

○脳死判定　【33回】【35回】【36回】【37回】 ──────────────── ★★★
- ❯脳死判定とは，ヒトの脳幹を含めた脳すべての機能が不可逆的に廃絶した状態のことである．
- ❯脳死下臓器提供を前提とする法的脳死判定と，これを前提としない臨床的脳死判定がある．

判定基準

❷脳死判定は移植に関係のない，脳死判定の経験のある 2 名以上の医師で行う．

❷1 回目の判定後，6 時間が経過したら 2 回目を行い，同所見であることが必要である．

❷2 回目の判定が終了した時刻を死亡時刻とする．

臨床的脳死判定　1〜4 法的脳死判定　1〜5	1. 深昏睡（JCS300 または GCS3）である． 2. 瞳孔固定 両側 4 mm 以上．　→瞳孔両側散大 3. 脳幹（中脳，橋，延髄）反射（対光反射，角膜反射，網様体脊髄反射，眼球頭反射，前庭反射，咽頭反射，咳嗽反射）のすべての消失を確認．　→脳死では体動はない 4. 平坦脳波（刺激を加えても最低 4 導出で 30 分以上平坦）． 5. 自発呼吸の消失（無呼吸テスト）（100% 酸素で飽和したのち呼吸器を外し，動脈血中二酸化炭素分圧が 60 mmHg 以上に上昇することを確認．脳に影響を与えるため，必ず最後に実施する）．

❷自発呼吸の消失は"法的判定基準"の項目となる．

脳死判定の前提条件

❷器質的脳障害により深昏睡および無呼吸を来している症例．

❷原疾患が確実に診断されている．

❷回復の見込みがない．

除外条件

❷失明，鼓膜損傷などでこれらが施行できない場合，脳死判定はできない．

❷脳死と類似状態になりうる症例（急性薬物中毒など）

❷生後 12 週未満

❷知的障害者　など

（3）集中治療

臨床医学総論 第 2 版
p.268〜272

○集中治療施設 ─────────────────── ★

❷ICU（集中治療部）とは，内科系，外科系を問わず，呼吸，循環，代謝そのほかの重篤な急性機能不全の患者を収容し，強力かつ集中的に治療看護を行うことによりその効果を期待する部門である．

❷すでに存在する臓器障害だけでなく，将来発生する可能性の高い急性の臓器障害に対しての監視や治療も行い，全身状態の安定を図る．

❷外科手術後や急性に発生した重要臓器の機能不全を対象としている．

❷ICU の入退室は社会的理由と医学的により決定する：家族が強く希望しても拒否できる．

❷医療事故に伴う死亡率は一般病床よりも高い．

集中治療室におけるモニタリング項目 【34 回】 ───────── ★★

❷心電図

❷血圧（観血式・非観血式）

❷心拍数

- ❯ 尿量
- ❯ 体温
- ❯ 経皮的動脈血酸素飽和度
- ❯ 体重（水分の総摂取量と排泄量測定）

集中治療室における臓器機能代替療法で用いられるもの
- ❯ 人工呼吸器
- ❯ 血液浄化装置
- ❯ 体外式膜型人工肺

○ **集中治療室の医療スタッフの配置（望ましい）**
- ❯ 医師
- ❯ 看護師
- ❯ 臨床工学技士（医療機器の管理・保守点検の責任者）
- ❯ 薬剤師（医薬品管理の責任者）
- ❯ 病棟内クラーク（あるいは事務職員）

○ **常備する医療機器** 【33 回】 ━━━━━━━━━━━━━━━━━━━ ★★

集中治療部内に次の医療機器（器具）を常備していること	集中治療部内に医療機器（器具）があることが望ましい
・生体情報監視装置（心電図，観血式/非観血式血圧計，パルスオキシメータ，カプノグラフ，体温，心拍出量，混合静脈血酸素飽和度など） ・搬送用モニタ ・救急蘇生器具 ・人工呼吸器 ・除細動器 ・体外式心臓ペースメーカ ・輸液・シリンジポンプ ・心電計 ・高流量酸素療法システム ・超音波診断装置 ・血液ガス分析装置 ・簡易血糖測定器 ・小外科手術器具（気管切開，胸腔・腹腔穿刺など） ・無影灯 ・気管支内視鏡 ・間欠的空気圧迫装置（深部静脈血栓症予防）	・血液浄化装置 ・体温管理システム（冷却加温装置） ・体外式膜型人工心肺（ECMO） ・大動脈バルーンパンピング（IABP） ・脳波計 ・体重計 ・血液加温装置 ・ポータブル X 線撮影装置

（日本集中治療学会：集中治療部設置のための指針　2022 年 3 月改訂版より）

○ **AED（自動体外式除細動器）**
- ❯ 医療機関以外にも設置できる．
- ❯ 医師，救急救命士以外でも使用できる．
- ❯ 一次救命処置に含まれる．
- ❯ 通電パッドは心電図の電極を兼ねる．
- ❯ 除細動パッドは 2 ヶ所に装着する．
- ❯ 胸の貼付薬は除去して電極を装着する．
- ❯ 心電図から心室細動を自動的に認識する．

❷使用時には意識がないことを確認する．

❷心肺蘇生にあわせて行う必要がある．

❷除細動の適応可否は，装置が自動的に心電図を解析し判断する．

❷無脈性電位活動（PEA）の場合，音声指示は出ない．

❷操作者は機器からの除細動の指示を出したときのみ，通電ボタンを押せばよい仕組みとなっている．

❷通電時に操作者は傷病者や電極パッドに触れないように注意する．

❷ペースメーカ植え込み患者にも使用できる．

❷機器はセルフチェック機能を有し，電源（バッテリー）も約5年の寿命となっている．

通電（作動）する不整脈
❷心室細動
❷心室頻拍
❷無脈性心室頻拍

（4）患者管理

臨床医学総論 第2版
p.270～272

◎バイタルサイン
❷生命に危険が迫っているのかどうかを判断する指標をバイタルサイン（vital signs：生命徴候）という．
・意識
・血圧
・脈拍（心拍数）
・呼吸
・体温

◎SOFA スコア　【33回】【34回】【37回】 ──────────────── ★★★
❷SOFA スコアとは，呼吸・循環系や中枢神経系，肝臓，腎臓および凝固系といった臓器障害を簡便に点数化して，その合計点で重症度を判定することを目的に作成されたもの．
❷集中治療室における障害臓器数は患者の予後を決定するため，同じ疾患であっても，客観的な合併症の有無や重症度評価は治療方針に反映させることができる．

SOFA スコアの6つの機能評価
❷脳機能：Glasgow Coma Scale
❷循環機能：平均動脈圧，使用昇圧薬（ドパミン，ドブタミン）
❷肝機能：ビリルビン値
❷呼吸機能：PaO_2/FIO_2
❷腎機能：クレアチニン値，尿量
❷血液凝固能：血小板数
※昇圧薬の使用，尿量の減少はより重症度が高い（スコアが高い）ことを示す．

問題 1　□□□　31A23

集中治療における臓器機能代替療法で用いられるのはどれか.

a. 人工呼吸器
b. 血液浄化装置
c. スワンガンツカテーテル
d. 人工知能
e. 体外式膜型人工肺

1. a, b, c　2. a, b, e　3. a, d, e
4. b, c, d　5. c, d, e

問題 2　□□□　28A22

生命徴候（バイタルサイン）の検査項目はどれか.

a. 心拍数
b. 体重
c. 瞳孔径
d. 体温
e. 血圧

1. a, b, c　2. a, b, e　3. a, d, e
4. b, c, d　5. c, d, e

問題 3　□□□　28P21

集中治療室について正しいのはどれか.

1. 集中治療室では臓器別に診療することが重要である.
2. 慢性疾患の終末期治療も積極的な対象となる.
3. 家族が強く希望した場合は入室の適応となる.
4. 医療事故に伴う死亡率は一般病床よりも高い.
5. 侵襲性のモニタリングは行わない.

問題 4　□□□　27A21

ICU に常備しなくてもよい機器はどれか.

1. 心電計
2. 人工呼吸器
3. 脳波計
4. 除細動器
5. 心臓ペースメーカ

問題 5　□□□　35A24

救急医療について正しいのはどれか.

1. 一般市民は AED を使用できない.
2. 小児は成人に比較して低酸素血症に陥りにくい.
3. 救命処置が最優先されるトリアージタッグは黒色である.
4. 一次救命処置は有資格者によって行われる.
5. 二次救命処置は設備の整った施設で行われる.

問題 6　□□□　34A22

集中治療室においてモニタリングしない生体情報はどれか.

1. 心電図
2. 肺活量
3. 体温
4. 尿量
5. 血圧

問題 7　□□□　34P21

ICU 入室患者の重要臓器機能を評価する SOFA スコアにおいてより重症を示すのはどれか.

a. 昇圧薬の使用
b. 血清ビリルビン値の低下
c. PaO_2/FIO_2 の上昇
d. 血小板数の増加
e. 1 日尿量の減少

1. a, b　2. a, e　3. b, c　4. c, d　5. d, e

問題 8　□□□　36A24

トリアージタグが示す救急処置で優先順位の高い順に並べたのはどれか.

1. 黒＞赤＞黄＞緑
2. 黒＞赤＞緑＞黄
3. 赤＞黒＞黄＞緑
4. 赤＞黄＞緑＞黒
5. 緑＞黄＞赤＞黒

SOFA スコアの算出に使用されるのはどれか.

- a. 血小板数
- b. 白血球数
- c. 脈拍数
- d. 血清ビリルビン値
- e. 血清クレアチニン値

1. a, b, c　　2. a, b, e　　3. a, d, e
4. b, c, d　　5. c, d, e

脳死判定基準に合致しないのはどれか.

1. 脳幹反射の全消失
2. 自発呼吸の消失
3. 平坦脳波
4. 深昏睡
5. 縮　瞳

〈解答〉問題 1-2, 問題 2-3, 問題 3-4, 問題 4-3, 問題 5-5, 問題 6-2, 問題 7-2, 問題 8-4, 問題 9-3, 問題 10-5

臨床医学総論 第2版
p.36～40

（1）移植

○臓器移植医療 【35回】【37回】 ─────────────────────── ★★

- ❷臓器提供には，亡くなった人からの脳死後の臓器提供，心臓が停止した死後の臓器提供，健康な人からの臓器提供（生体移植）の3つの方法がある．
- ❷日本の心臓移植件数は79例（2022年）である．
- ❷臓器移植法では本人の意思不明の場合，家族の承諾で臓器提供できる．

実施されている臓器提供

脳死後の臓器提供	心停止後の臓器提供	健康な人からの生体移植（部分移植）
心臓 肺 肝臓 腎臓 膵臓 小腸 眼球	腎臓 膵臓 眼球	肺 肝臓 腎臓 小腸 膵臓（現在，ほとんど行われていない）

○造血幹細胞移植（骨髄移植）

- ❷骨髄から採取した造血幹細胞の移植：骨髄造血幹細胞移植（略して骨髄移植）
- ❷末梢血中の造血幹細胞を集めて移植：末梢血幹細胞移植
- ❷臍帯血中の造血幹細胞を集めて移植：臍帯血移植

適応となる疾患

腫瘍性疾患	非腫瘍性疾患
急性骨髄性白血病 急性リンパ性白血病 慢性骨髄性白血病 骨髄異形成症候群 悪性リンパ腫 多発性骨髄腫	再生不良性貧血 慢性肉芽腫症 Chédiak-Higashi 症候群 重症複合免疫不全症 毛細血管拡張性失調症

問題 1　□ □ □　　　　　　　　　　　　35P25

臓器移植医療において実施されていない臓器はどれか.

1. 心臓
2. 肺
3. 膵臓
4. 腎臓
5. 大腸

〈解答〉問題 1–5

過去10年間（第28〜37回）の臨床工学技士国家試験出題傾向

(科目は令和3年版国試出題基準に準拠)

科目		平均出題数
大見出し	小見出し	
医学概論	(1) 臨床工学に必要な医学的基礎	10.9
	(2) 人体の構造及び機能	10.4
臨床医学総論	(1) 内科学概論	1.5
	(2) 外科学概論	3.0
	(3) 呼吸器系	3.6
	(4) 循環器系	3.6
	(5) 内分泌・代謝系	1.6
	(6) 神経・筋肉系	0.9
	(7) 感染症	2.3
	(8) 腎臓・泌尿器・生殖器系	2.8
	(9) 消化器系	2.1
	(10) 血液系	1.4
	(11) 麻酔科学	1.3
	(12) 救急・集中治療医学	1.6
	(13) 臨床生理学検査	
	(14) 免疫・移植	0.9
医用治療機器学	(1) 治療の基礎	1.0
	(2) 各種治療機器	10.5
生体計測装置学	(1) 計測工学	3.1
	(2) 生体電気・磁気計測	3.0
	(3) 生体の物理・化学現象の計測	6.0
	(4) 医用画像計測	3.9
医用機器安全管理学	(1) 医用機器の安全管理	14.6
生体機能代行装置学	(1) 呼吸療法装置	10.5
	(2) 体外循環装置・補助循環装置	11.2
	(3) 血液浄化療法装置	11.3
医用電気電子工学	(1) 電気工学	12.0
	(2) 電子工学	10.0
	(3) 情報処理工学	11.4
	(4) システム工学	1.5
医用機械工学	(1) 医用機械工学	9.8
生体物性材料工学	(1) 生体物性	7.2
	(2) 医用材料	5.1
合計		180

過去 10 年間（第 28〜37 回）の回数別臨床工学技士国家試験合格者数・合格率

回数	実施日	受験者数（人）	合格者数（人）	合格率（%）
第 28 回	平成 27（2015）年 3 月 1 日	2,848	2,370	83.2
第 29 回	平成 28（2016）年 3 月 6 日	2,739	1,987	72.5
第 30 回	平成 29（2017）年 3 月 5 日	2,947	2,413	81.9
第 31 回	平成 30（2018）年 3 月 4 日	2,737	2,017	73.7
第 32 回	平成 31（2019）年 3 月 3 日	2,828	2,193	77.5
第 33 回	令和 2（2020）年 3 月 1 日	2,642	2,168	82.1
第 34 回	令和 3（2021）年 3 月 7 日	2,652	2,232	84.2
第 35 回	令和 4（2022）年 3 月 6 日	2,603	2,096	80.5
第 36 回	令和 5（2023）年 3 月 5 日	2,706	2,311	85.4
第 37 回	令和 6（2024）年 3 月 3 日	2,630	2,090	79.5

索　引

臨床工学技士国家試験 Check UP!
医学概論／臨床医学総論
2025　　　　　　　　　ISBN978-4-263-73232-8

2022 年 10 月 10 日　第 1 版第 1 刷発行	
2023 年 9 月 10 日　第 2 版第 1 刷発行	
2024 年 9 月 10 日　第 3 版第 1 刷発行	

編　集　臨床工学技士国家試験研究会

発行者　白　石　泰　夫

発行所　医歯薬出版株式会社

〒113-8612　東京都文京区本駒込 1-7-10
TEL.(03) 5395-7620(編集)・7616(販売)
FAX.(03) 5395-7603(編集)・8563(販売)
https://www.ishiyaku.co.jp/
郵便振替番号 00190-5-13816

乱丁,落丁の際はお取り替えいたします.　　　　　　　　印刷・真興社／製本・皆川製本所
　　　　　　© Ishiyaku Publishers, Inc., 2022, 2024.　Printed in Japan